D1500904

이상
문학상
작품집

2012년도 이상문학상 작품집
제36회 대상 수상작 김영하 〈옥수수와 나〉 외 7편

ⓒ 문학사상, 2012

2012년도 제36회 이상문학상 작품집

옥수수와 나 외 7편

문학사상

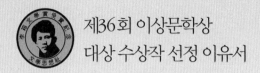

제36회 이상문학상
대상 수상작 선정 이유서

2012년도 제36회 이상문학상 대상 수상작으로 김영하 씨의 〈옥수수와 나〉를 선정한다. 김영하 씨는 1995년 〈거울에 대한 명상〉으로 등단한후, 장편소설 《나는 나를 파괴할 권리가 있다》《아랑은 왜》《검은 꽃》《퀴즈쇼》 등을 발표하였고, 소설집 《호출》《엘리베이터에 낀 그 남자는 어떻게 되었나》《오빠가 돌아왔다》 등을 발간하면서 현대 문명의 양상과 도시적 감수성을 가장 잘 대변하고 있는 작가로 평가받아왔다.

단편소설 〈옥수수와 나〉는 인간이 추구하고 있는 육체적·물질적 욕망이 삶의 진정성을 파괴하고 있는 현실을 환상적 기법으로 서사화하고 있는 작품이다. 이 소설은 옥수수와 닭의 관계로 환치된 생태학적 대립관계를 우화의 한 장면처럼 환상적으로 처리하고 그것을 현실적 상황에 절묘하게 대비시켜놓음으로써 액자형 서사의 완결성을 보여준다. 이 소설에서 작가는 인간의 사랑이 그 진정성을 상실한 채 육체적 욕망을 채우기 위한 섹스의 소비와 교환으로 바뀌고, 글쓰기가 그 정신적 가치를 잃고 물질적 요구에 따라 제작되는 현실 자체를 문제 삼고 있지만 그 극복의 가능성을 제시하고자 하지는 않는다. 그러나 인간관계의 파괴를 도시적 문명과 제도의 횡포로 읽어내는 작가의 시각 자체를 주목하지 않을 수가 없다.

　이상문학상 심사위원회는 인간의 정신과 그것을 파괴하고자 하는 욕망을 생태학적 상상력으로 서사화함으로써 환상소설의 새로운 가능성을 제시하고 있는 이 작품의 성과를 높이 평가하여 2012년도 제36회 이상문학상 대상 수상작으로 선정한다.

2012년 1월

이상문학상 심사위원회
김윤식, 서영은, 윤후명, 권영민, 신경숙

1부
대상 수상작
그리고
작가 김영하

1968년 강원도 화천에서 태어나 연세대 경영학과와 동 대학원 석사과정을 마쳤다. 1995년 계간 《리뷰》에 단편
〈거울에 대한 명상〉을 발표하며 작품 활동을 시작했으며, 1996년 장편 《나는 나를 파괴할 권리가 있다》로 제1회
문학동네 신인작가상을 수상했다. 소설집 《엘리베이터에 낀 그 남자는 어떻게 되었나》 《호출》 《오빠가 돌아왔
다》 《무슨 일이 일어났는지는 아무도》, 장편소설 《아랑은 왜》 《빛의 제국》 《검은 꽃》 《퀴즈쇼》, 산문집 《포스트
잇》 《랄랄라 하우스》 《굴비낚시》 《김영하·이우일의 영화이야기》 《여행자》 《김영하 여행자 도쿄》 《네가 잃어버
린 것을 기억하라》 등이 있다. 현대문학상, 동인문학상, 이산문학상, 황순원문학상, 만해문학상 등을 수상했다.
작가의 작품들은 현재 미국, 프랑스, 독일, 이탈리아, 네덜란드, 터키 등 10여 개국에서 번역 출간되고 있다.

대상 수상작

김영하
옥수수와 나

1

  한 정신병원에 철석같이 스스로를 옥수수라 믿는 남자가 있었다. 오랜 치료와 상담을 통해 자신이 옥수수가 아니라는 것을 겨우 납득한 이 환자는 의사의 판단에 따라 귀가 조치되었다. 그러나 며칠 되지도 않아 혼비백산 병원으로 되돌아왔다.

  "아니, 무슨 일입니까?"

  의사가 물었다.

  "닭들이 나를 자꾸 쫓아다닙니다. 무서워 죽겠습니다."

  환자는 몸을 떨며 아직도 닭이 자기를 쫓아오는 것은 아닌지 두려워하면서 연신 뒤를 돌아보았다. 의사는 부드러운 목소리로 안심시켰다.

  "선생님은 옥수수가 아니라 사람이라는 거, 이제 그거 아시잖아요?"

  환자는 말했다.

  "글쎄, 저야 알지요. 하지만 닭들은 그걸 모르잖아요?"*

---

* 슬라보예 지젝이 즐겨 인용하는 동유럽의 농담.

2

수지는 먼저 와서 스도쿠를 하고 있었다. 그녀는 스도쿠나 십자말 풀이처럼 빈칸에 뭘 채워넣는 퍼즐 게임을 좋아했다.

"실력이 많이 늘었네?"

"어떻게 알아?"

"보면 알지."

실은 모른다.

"밥은 먹었어?"

"응, 치킨. 데리야키 치킨."

그녀는 다시 스도쿠로 시선을 돌린다. 숫자 몇 개를 빈칸에 더 채워넣더니 옆으로 치웠다.

"요즘 어때?"

내 질문에 수지는 손으로 귀밑머리를 꼬았다. 대답을 회피하는 그녀 특유의 동작이다.

"글쎄, 당신은 어때?"

"나야말로 글쎄지."

"글쎄면 안 되지 않아?"

"안 될 건 뭐야?"

"몰라서 물어?"

"모르겠는데."

"이 뻔뻔하고 한심한 인간!"

그녀의 눈에서 갑자기 불이 번쩍인다. 나도 모르게 몸이 움츠러

든다.

"미안해."

"미안하면 다야?"

"글이 안 써져. 안 써지는 걸 어떡해? 글을 써야 돈을 벌고, 돈을 벌어야 줄 거 아냐?"

"우리가 거지야?"

"웬 비약이야. 누가 거지래?"

그녀는 창밖으로 시선을 돌린다. 티슈를 뽑아 코를 푼다.

"쫑은 어때?"

"이름은 안 잊어버렸나 보네."

"미안하다고 했잖아."

"언제?"

"좀 전에 했어. 어쨌든 미안하게 됐어."

그녀는 다시 한 번 티슈로 눈가를 훔치더니 나를 정면으로 응시한다.

"사장이 날 잡아먹으려고 그래."

"왜?"

"회사 인수하자마자 편집자들 갖고 있는 계약서 다 제출하라 그러더라. 계약금만 받고 원고 안 넘긴 필자들 명단도."

"내 이름도 있겠군."

"맨 앞에 있을걸?"

"사장이 어디서 굴러먹던 놈이라고 했지?"

"월 스트리트."

"그렇게 대단한 분이 왜 한국의 코딱지만 한 출판사는 인수하셨
대?"

"우리 그렇게 작지 않아."

"그랬던가?"

"미국식으로 하겠대."

"원고 안 넘기면 두건 씌워서 관타나모로 데려갈 건가?"

"일단 최후통첩을 하고 반응이 없으면 소송하겠대."

"뭐? 소송? 그래서 당신을 보낸 거야? 최후통첩하라고? 우리가 한
때 한 이불 덮고 자던 사이라는 걸 혹시 모르고 있나?"

"알아. 미국에서는 그딴 거 신경 안 쓰나봐. 아니면 이게 더 잘 먹
히는 방법이라고 생각하든지."

"난 미국이 싫어. 제국주의자들!"

"나도 좋아하지는 않아."

"정말 싫어."

"그래서 어떻게 할 건데? 계약금 토해낼 거야? 아니면 새로 데드
라인을 협상해볼래?"

"둘 다 못하겠다면?"

"우리 회사 변호사가 전화할 거야."

"언제부터 출판계가 이렇게 살벌해졌지?"

"쫑이 아빠."

수지가 갑자기 정색을 한다. 그녀가 나를 그렇게 부를 때는 언제나
심각한 화제, 즉 돈 이야기가 나온다.

"이 얘기는 안 하려고 했는데."

"안 하려고 했으면 하지 마. 앞으로도 영원히."

"밀린 양육비는 달라고 안 할게. 다만."

"다만?"

"쫑이가, 나도 개가 뭘 어떻게 했는지는 자세히 모르겠지만, 어쨌든 당신 딸 쫑이가 미국의 대학 몇 군데에 어플라이를 한 모양이야."

"한국에는 대학이 없나? 어쨌든 그래서?"

"연락이 왔어."

"실패의 쓴잔도 그 나이에는 맛볼 필요가 있지. 너무 좌절하지 말라고 전해줘."

"UCLA, 아이오와, 펜실베이니아 주립대학, 그리고 뭐 두 군데쯤 더 되는데 기억이 안 나네. 어쨌든 무려 다섯 군데에서 쫑이를 받아주겠다는 거야."

"실로 놀라운 일이군. 우리 둘 다 머리가 별로인데 어떻게 그런 애가 나왔지?"

"장학금은 없어. 학부는 원래 그렇대."

"여기 금연이니?"

"말 돌리지 마."

"그럴 줄 알았어. 어중간했구만. 좋은 대학들은 학부라도 장학금 주는 걸로 내가 알고 있는데."

"쫑이 말로는, 일부러 등록금 싼 데만 골라서 보냈대."

"그럼 스탠퍼드나 뭐 그런 비싼 사립도 갈 수 있었다는 거야?"

"아빠가 좀 믿음직한 사람이었으면 그런 데도 지원했을 거야."

"왜 모든 게 내 탓으로 귀결되는 거야?"

"모든 건 당신한테 달렸어."

수지가 엄숙하게 선언했다. 나는 손을 내저었다.

"작가가 무슨 돈이 있어? 당신도 알다시피 받은 계약금도 다 써버렸잖아? 내 사정 뻔히 알면서. 빚더미에 앉아 있다고."

"좋아. 그럼 당신이 쫑이에게 얘기해. 안됐지만 부모가 돈이 없으니 포기하라고. 난 못하겠어."

"걘 왜 그렇게 속물이야? 도대체 미국 대학을 가야겠다는 생각이 어떻게 고등학생 머리에 떠오를 수가 있지? 걔 미국 드라마 너무 많이 본 거 아니야? 우리 때는 부모가 서울에 있는 대학만 보내줘도 감지덕지였는데."

쫑이는 어려서부터 성격이 독하고 지는 걸 절대 못 참았다. 호승심이 강한 어린애처럼 매력 없는 존재도 드물다. 초등학교 때부터 밤을 새워 공부하고 별것도 아닌 보드게임 한판 지고도 대성통곡을 하는 애라니. 내 인생에 행운이 있다면 우리가 갈라설 때 쫑이가 제 어미를 선택하고 일찍 내 곁을 떠나갔다는 것이다.

"월 스트리트에서 오신 잘나신 사장님께 소송당해서 곧 빈털터리가 되게 생겼는데 내가 어떻게 쫑이 등록금을 대겠어? 그게 말이 된다고 생각해?"

수지는 한숨을 쉬며 눈길을 떨군다.

"쫑이 말로는 첫해 등록금과 기숙사 비만……"

수지는 말을 잇지 못하고 울먹였다.

"……빌려달래. 글쎄, 빌려달래. 나머지는 자기가 어떻게든 해보겠다면서. 어린애가 눈치가 빤해가지고……"

수지도 대성통곡을 할 기세였다. 나는 얼른 손을 내저어 그녀를 진정시켰다.

"너는 돈 없어? 월 스트리트가 월급 안 줘?"

"출판계 사정 알면서 왜 이래?"

"좋아, 좋아. 그럼 내가 어떻게 하면 돼?"

"얼른 소설을 써. 그 길밖에 없어. 당신이 돈 버는 재주는 그것밖에 없잖아. 사장한테는 내가 잘 말해볼게. 당신 장편 안 나온 지 꽤 됐잖아. 이번에 나오면 좀 팔릴 거야. 첫 학기는 내가 어떻게 해볼 테니까 그다음은 당신이 좀 어떻게든 해줘."

"거기는 편집자가 너밖에 없니? 도대체 전남편 원고를 받아오라고 시키는 사장이 어딨냐?"

내가 분통을 터뜨리자 수지는 나를 다독였다.

"화만 내지 말고 한번 잘 생각해봐. 당신은 좋은 작가야. 데뷔작의 영광을 다시 재현해보는 거야. 자꾸 도망 다니지 말고 제대로 좀 써봐. 이게 어쩌면 좋은 기회일 수도 있잖아?"

"난 도망 다닌 적도 없고 제대로 안 쓴 적도 없어. 매번 할 수 있는 한 최선을 다했다고!"

"그래, 그래, 그랬지."

수지는 건성으로 맞장구를 쳤다.

"혹시 지금 뭐 쓰고 있는 거 없어? 응?"

이렇게 물어올 때는 영락없이 필자 관리하러 온 편집자다.

"글쎄, 하나 있긴 한데, 아직은 비밀이야."

"비밀이라는 것 보니까 뭔가 괜찮은 거 쓰고 있나봐?"

"뭐 다 써봐야 알지. 열심히 쓰고 있기는 해."

모든 작가는 편집자에게 이렇게 거짓말을 한다.

"뭔데 그래? 나한테만 살짝 알려줘."

모든 편집자는 이렇게 작가의 말을 믿는 척한다. 나는 그냥 떠오르는 대로 아무렇게나 둘러댔다.

"일제시대의 유랑 곡마단 얘긴데, 이걸 라틴아메리카 풍의 마술적 리얼리즘으로 푸는 거야."

구상을 편집자에게 말할 때는 마술적 리얼리즘이나 초현실주의를 슬쩍 언급해주는 게 좋다. 그러면 편집자는 자기 마음대로 스토리를 상상하기 시작하고, 곧 그것을 마음에 들어 한다.

"재밌을 것 같은데?"

전처까지도 이렇게 넘어가는 것을 보라. 이게 바로 마술적 리얼리즘의 마술적이면서도 리얼한 힘이다.

"어, 근데 이 곡마단 최후의 생존자가 뉴욕에 살고 있대. 한번 취재를 해야 되는데 너도 알다시피 뉴욕이 무슨 애 이름도 아니고, 또 비싸기는 좀 비싸냐? 가서 생존자를 찾아낸다는 보장도 없고…… 그러다 보니 영 진도가 안 나가네. 아무리 마술적 리얼리즘이라도 어느 정도는 팩트가 뒷받침이 돼야……"

수지가 눈을 반짝이며 테이블에 몸을 붙여왔다.

"우리 사장이 맨해튼에 집이 하나 있어. 원래는 왔다 갔다 하면서 지내려고 사놓은 스튜디오 아파트인데, 요즘 서울에 있으니까 비어 있어. 내가 한번 알아봐줄까? 당신 소설 쓰러 간다고 하면 아마 흔쾌히 빌려줄 거야."

"근데 너 사장에 대해서 너무 잘 안다."

"갈 거야, 말 거야?"

"사장한테 일단 물어봐야 되지 않아?"

"먼저 당신 의견을 말하라니까."

"꼭 너희 집 같다?"

"자꾸 이런 식으로 나올 거야?"

"알았어. 갈게. 가면 되잖아."

"잘 생각했어. 좋은 기회잖아."

"근데 너희 사장 유부남이야?"

"자꾸 왜 이래? 찌질하게."

"그것만 말해줘. 궁금해서 참을 수가 없어. 유부남이야?"

"별거 중이야."

"별거 중이래가 아니고?"

"말꼬투리 잡지 마."

"별거 중이라. 말은 다들 그렇게 하지."

수지가 발끈했다.

"종이한테 부끄럽지도 않아? 아빠 노릇도 제대로 못하면서 뭐가 그렇게 말이 많고, 질척거려?"

"알았어, 알았어. 미안. 그래, 내가 좀 찌질하긴 해. 좋아. 그럼 이렇게 하지. 존경하는 사장님께 그 대단한 뉴욕하고도 맨해튼에 소유하고 계신 아파트를 슬럼프에 빠져 계약도 제대로 이행 못하고 있는 불쌍한 작가를 위해 제발 몇 달만 공짜로 빌려주십사고 정중하게 청해줄래? 아주 감사히 쓰고 원고는 정해진 기한 안에 반드시 넘길 테니 그동안의 계약 불이행은 부디 용서해달라고도 나 대신 말씀드리고."

"시끄러워."

"알았어."

수지는 차를 몰고 회사로 돌아갔지만 나는 카페에 더 남아 있었다. 이상하게 수지를 만나면 나는 그 옛날의 철없던 시절로 돌아가버리고 만다. 응석을 부리고 어깃장을 놓고 위로를 구걸한다. 나는 이제 옥수수가 아닌데, 정말 옥수수가 아닌데, 그런데 수지가 그걸 모르고 있으니, 내가 이제 더 이상 옥수수가 아니라는 사실은 아무 의미가 없다. 나는 카페를 나오면서 하늘을 처다보았다. 흐린 하늘에는 뒤룩뒤룩 살찐 비둘기 떼만 어지러이 날아다녔다.

3

나에게는 두 명의 친구가 있다. 둘의 공통점은 섹스 파트너가 있다는 것이다. 한 녀석은 대학에서 철학을 가르치면서 시를 쓰고 다른 녀석은 시를 쓰며 카페를 운영한다. 그런데 카페를 경영하는 녀석의 시가 철학을 가르치는 친구의 시보다 훨씬 난해하다. 어쨌든 이 둘은 서로를 매우 싫어한다. 한때는 나와 함께 어울려 다니며 술추렴깨나 했지만 다 옛날 일이다. 언젠가 내가 철학에게 그의 섹스 파트너에 대해 묻자 그는 이런 말을 했다.

"섹스 파트너와 뭔가를 교환한다고 믿는 사람들이 있지. 나는 그런 의견에 동의하지 않아. 교환하다니? 뭘? 전쟁 당사국들이 전쟁을 교환하지 않듯이, 바둑 친구들이 바둑을 교환하지 않듯이, 섹스 파트너들끼리도 섹스를 교환하지 않아. 나와 그녀는 뭔가를 교환하기 위해 만나는 것이 아니라 낭비하기 위해 만나는 거야. 우리는 시간과 에너지를 함께 소비하지. 그러나 궁극적으로 낭비하는 것은 바로 섹스라는 관념이야. '나는 섹스를 한다'라는 무거운 관념을, 덤프트럭이 모래를 쏟아놓듯 훌훌 던져버리고 홀가분하게 집으로 돌아가는 거야. 비트겐슈타인 식으로 말하자면 우리는 섹스 파트너라는 이름의 상자를 공유하고 있는 거야. 그 안에 들어 있는 것이 무엇이든 간에, 우리는 그것을 섹스 파트너라고 부르기로 정한 거야. 그리고 실은 그 뚜껑을 열지 않아. 우리가 뚜껑을 열지 않는 한, 우리는 안전해."

철학과 만나 관념을 낭비하는 여자는 카페의 아내다.

"둘이 한 달에 몇 번이나 만나?"

철학은 잠시 생각을 해보더니 고개를 저었다.

"대중없어. 매주 만날 때도 있고 한 달에 한 번도 못 만날 때도 있어. 근데 그건 왜 물어?"

"난 모든 걸 궁금해하는 프루스트 형 소설가잖아. 근데 한 달에 한 번이라고? 그날이 다가올 때면 환경미화원들이 장기 파업한 도시처럼 너의 고매한 정신 곳곳에 '섹스를 한다'라는 관념이 쌓여서 악취를 풍기고 있겠구나."

철학이 맥주잔을 손으로 뱅글뱅글 돌렸다. 지독하게 기분이 나쁠 때 하는 짓이다. 한참을 그러더니 미간을 좁히며 삐딱하게 물었다.

"그러는 너는? 그 관념을 어떻게 처리해?"

"나는 관념이 아니라 정액을 처리해. 여러 가지 방법으로. 소설가는 말이야. 현실적이어야 해."

철학이 이의를 제기한다.

"그게 과연 그렇게 간단할까? 너는 관념에서 출발해 거기에 사실의 살을 붙여가는 일을 하잖아. 아이디어에서 출발해 거기에 육체를 더하는. 그러니까 네가 뭐라고 떠들든 너 역시 관념을 먼저 처리해야 할 거야."

"소설은 그런 게 아냐. 매우 육체적인 거야. 심장이 움직이면 마음은 복종해. 우리는 시인이나 평론가와 다른 몸을 갖고 있어. 문학계의 해병대, 육체노동자, 정육점 주인이야."

"너의 그 확신이 나는 불길해."

누가 철학자 아니랄까봐 냉소적이기는.

언젠가 카페에게는 이런 질문을 던져보았다.

"너는 그 여자를 뭐라고 부르니?"

이제는 후진 양성에 전념하는 왕년의 프로레슬러처럼 생긴 카페는 여자 얘기를 할 때면 약간 수줍어하곤 한다.

"사실 우리는 서로를 별명으로 불러. 걔한테 내가 붙여준 별명이 백 개도 넘을 거야. 만날 때마다 다른 이름으로 부르거든. 무의미할수록 좋아. '나의 다리 부러진 의자'라고 부를 때도 있고 '매우 공허한 찐빵'이라고 부를 때도 있어."

"헤이, '섹스 파트너'라고 부를 때는 없어? 장난으로라도? 아님 '섹파' 같은 준말로라도."

"요즘 어떤 엄마들은 아들을 '아들'이라고 부르더라. 나는 그럴 때마다 그 엄마들이 어떤 넘지 말아야 할 선을 넘는 것 같아서 아슬아슬해. 아들이라고 부르는 순간, 엄마와 아들 사이에 어떤 완충지대도 없어지는 거야. 섹스 파트너라는 말도 마찬가지야. 그러니까 내 말은, 프라이팬에 뭘 구우려면 말이야. 먼저 기름을 둘러야 한다는 거야. 그래야 서로 들러붙지를 않지."

"잠깐, 그런데 그 여자, 뭐 하는 사람이라고 했지?"

"너한테 얘기해준 적 없는 것 같은데."

유도신문은 나의 장기이지만 단련된 사람에게는 잘 안 먹힌다.

"알았어. 그럼 다시 물어볼게. 그 여자 뭐 하는 사람이야?"

"여군 장교야."

"정말?"

"내가 주말마다 차를 몰고 강원도로 가. 근무지는 최전방이야. 좁은 동네라서 소문이라도 나면 곤란하니까 그녀는 사복으로 갈아입고 변장 수준의 화장을 한 다음, 좀 더 후방에 있는 도시로 나와서 나와 접선을 하지."

"그랬군."

"난 어릴 때부터 유니폼을 입은 여자들이 좋았어."

그의 몸짓이 더욱 수줍어진다.

"'유니폼을 입은 여자'라는 말도 일종의 기름 같은 건가?"

"맞아. 덕분에 나는 '유니폼을 입은 여자를 좋아하는 남자'로 살 수 있는 거지. 역시 소설가라 그런지 금방 이해하는군."

"그 여자는 너와 만날 때에는 사복을 입지 않아?"

"물론 사복이지. 하지만 그녀가 나를 위해 옷을 '갈아입고' 왔다는 것. 그게 나를 흥분시킨다고. 다른 여자들은 옷을 '입고' 남자를 만나러 오지만 그녀는 옷을 '갈아' 입고 오는 거야."

자기 말에 취해 주저리주저리 떠들고 있는 카페는 자기 아내가 철학과 주기적으로 만나 '섹스를 한다'라는 무거운 관념을 던져버리고 온다는 걸 모르고 있다. 고래로 이런 진실은 남편이 가장 늦게 알게 된다. 카페의 아내와 철학 역시 카페가 최전방에서 여군 장교와 프라이팬에 기름을 두른다는 것을 모른다. 그들은 그저 카페가 낚시에 미쳐 있다고 믿고 있다.

4

수지가 전화를 걸어왔다. 사장이 날 만났으면 한다는 것이다.

"같이 오는 거야?"

"아니. 혼자 가겠대."

사장은 허리가 잘록 들어간 군청색 재킷에 흰색 바지를 입고 적갈색 로퍼를 신고 있었다. 부모 잘 만난 강남의 철부지 같은 행색이었다. 출판사보다는 골프 숍을 운영한다고 하는 쪽이 더 그럴듯한 용모였다. 눈은 큰데 코와 입이 작았고 눈 아래로 다크서클이 심해서 너구리를 연상시켰다. 우리는 삼청동의 와인 바에 앉아 햄과 치즈를 안주 삼아 보르도를 마셨다. 출판계의 불황, 한국 정치의 난맥상 같은 그저 그런 화제들이 잠깐씩 테이블에 올라왔다 금세 사라졌다.

"박 선생님."

"네?"

"사실 제가 박 선생님의 열렬한 팬입니다."

행여나. 나는 아무 대꾸도 하지 않고 애매한 미소만 지었다. 그러자 사장은 들고 온 쇼핑백을 들어 테이블 위에 올려놓았다.

"그게 다 뭡니까?"

"뭐긴요. 다 박 선생님 책이죠. 사인 받으려고 다 가지고 왔습니다."

얼핏 보기에도 내 데뷔작부터 최근작까지가 망라되어 있는 것 같았다. 수지가 들려보냈겠지. 나는 의심의 눈초리를 거두지 않고 그가 쌓아놓은 책들 중 몇 권을 집어들어 판권 면을 살폈다. 놀랍게도 모두 초판 1쇄였다.

"설마 모두 초판인가요?"

"네, 정말 팬이라니까요."

너구리가 쑥스러운 듯 뒤통수를 긁었다. 볼에 발그레 홍조까지 띠면서. 나는 자세를 고쳐앉고 한 권 한 권에 사인을 하기 시작했다. 그의 말대로 책은 모두 초판이었다. 흥미로웠던 것은 책의 여백에 빽빽하게 적은 메모들이었다. 내가 좀 자세히 살펴보려 하자 그가 화들짝 놀라며 손사래를 쳤다.

"제발, 그건 보지 마십시오. 객지 생활 하다 보니 외로워서…… 선생님 책을 읽다 보면 떠오르는 생각들이 많아, 잊어버리지 않으려고 그때그때 끄적이다 보니 귀한 책에 낙서를……"

"아, 뭐 감상 같은 걸 책 여백에 적어놓으시는군요."

"아니, 그런 것은 아니고, 외람됩니다만 나라면 어떻게 썼을까, 하는 구상 같은 것이랄까요. 소설을 볼 때마다 나름의 스토리를 상상하는 그런 버릇이 어릴 때부터 있었던 터라."

"소설을 직접 써보지는 않으셨고요?"

"제가 어떻게 감히. 그냥 나름대로 플롯을 짜보고 뭐 그러는 수준입니다."

"미국에서 이렇게 모두 초판으로 사모으신 건가요?"

"다는 아니고요. 한국에서 산 것들도 있어요. 뉴욕에 있을 때는 제가 박 선생님 책을 좋아하는 걸 아는 친구가 새로 나올 때마다 사서 부쳐주었지요."

"좋은 친구분을 두셨네요."

나는 무려 열세 권이나 되는 책에 모두 사인을 했다. 자신이 낸 모든 책을 초판으로 갖고 있고, 게다가 책 갈피갈피마다 빼곡히 메모를 적어넣은 독자를 싫어하는 작가는 없을 것이다. 게다가 그 독자가 출판사를 새로 인수한 사장이라면 더 바랄 나위가 없겠지.

"동 세대에 박 선생님 같은 작가가 있다는 게 저 먼 나라에서 얼마나 위안이 되었는지 모르실 겁니다."

"아, 감사합니다."

이런 찬사는 몇 년 만에 처음이어서 좀 어리둥절했다. 사장은 자신이 읽은 내 책에 대해서 떠들어대기 시작했다. 작가라고 자기가 쓴 책의 내용을 전부 기억하는 것은 아니다. 독자 역시 잊어버리거나 엉뚱하게 기억한다. 따라서 작가와 독자가 만나서 책 이야기를 하다 보면 언제나 다소 뜨악한 분위기로 흘러가게 된다. 이렇게 어긋나는 일에는 익숙해져 있었지만 사장과의 대화는 유독 많이 엇갈렸다. 내 책의 여백에 자기 나름의 대안적 스토리를 자꾸 적어넣다 보니 마치 그것이 원래 스토리였던 것처럼 착각하고 있는 것 같았다. 아니면 내가 잘못 기억하고 있는 것일 수도 있다. 이제 나는 그런 일에 별로 개의치 않는다. 독자가 어떻게 기억하고 있든 그게 나와 무슨 상관 이란 말인가.

"이 부장한테 듣기로는."

수지를 말하는 것이었다.

"새로운 장편을 구상하고 계시다고 들었습니다."

"아, 그거요. 그게 아직 다 무르익은 건 아닌데."

"제가 듣기로는……"

"네, 일제시대 곡마단 얘기를 한번 써보려고……"

"근사합니다! 사실 저는 이 부장에게 듣자마자 무릎을 쳤습니다. 바로 이거다! 곡마단!"

사장이 엉덩이를 들썩이며 말했다. 그러자 오히려 내가 불안해졌다.

"아니, 일제시대 곡마단 얘기를 누가 관심 있어 하겠습니까? 안 팔 릴 것 같은데요."

"상관없습니다. 팔리든 안 팔리든 낼 소설은 내야죠. 아, 그렇다고 열심히 안 팔겠다는 말씀은 아닙니다. 최선을 다해서 선생님의 명성 에 누가 되지 않도록 하겠습니다. 하지만 팔리지 않는다 해도, 아니, 이 작품 때문에 설령 출판사가 망한다 해도, 저는 반드시 내고야 말 겠습니다."

"망해서는 곤란하지요."

"제가 골드만삭스에 있었다는 얘기 혹시 들으셨습니까?"

"월 스트리트에서 일하셨다는 얘기는 들었습니다만."

"투자은행 중의 투자은행이라는 바로 그 골드만삭스에서 일을 했습니다. 사연이 좀 깁니다. 제가 좋아하던 여자가 있었는데 부친께서 반대를 하셨어요. 여자네 집이 좀 가난했거든요. 무조건 그 여자는 안 된다는 거예요. 그래서 여자를 데리고 제가 무턱대고 미국으로 건너간 겁니다. 돈 벌어오면 될 거 아니냐고. 그렇게 집을 뛰쳐나온 지 오 년 만에 제가 딱 삼십억을 벌어서 집으로 돌아갔습니다."

"삼십억이요?"

"골드만삭스 같은 은행은 겉보기에는 화려하죠. 아르마니 양복에 흰 셔츠를 입은 뱅커들이 마호가니 탁자에 앉아서 고객들을 상대하는 장면들을 흔히들 상상합니다. 흥, 저희들은 그놈들을 솔저라고 부르지요. 가장 밑바닥에서 남의 돈을 굴려서 돈을 벌어오는 일종의 하급 일꾼들입니다. 갤리선의 노잡이라고도 합니다. 골드만삭스 직원들이 건배할 때 뭐라고 하는지 아십니까?"

"뭐라고 하나요?"

"OPM이라고 합니다."

"무슨 뜻인가요?"

"Other People's Money, 즉 남의 돈 만세! 라는 뜻이죠. 월 스트리트의 뱅커들은 모든 것을 남의 돈으로 합니다. 남의 돈으로 투자하고 남의 돈으로 빌딩을 짓고 남의 돈으로 밥을 먹지요. 자기 돈을 쓰고 자기가 위험을 감수하는 놈들을 우리는 바보라고 생각합니다."

"OPM이라."

"그런데 말입니다. 이 골드만삭스의 핵심에는 바로 골드만삭스 자체 자금을 굴리는 인원들이 있습니다. 대부분은 유대인들이지만 꼭 그렇지만은 않습니다. 이 친구들은 갭 티셔츠에 리바이스 501 청바지를 입고 출근해서 햄버거를 먹으며 키보드를 두들깁니다. 그러나 이들이야말로 골드만삭스가 가장 신뢰하는 직원들입니다. 제가 바로 거기에 있었습니다."

"와, 대단하셨군요."

"제가 왜 이런 얘기를 박 선생님께 드리느냐 하면 말이죠. 박 선생님이야말로 우리 회사의 핵심 자산이자 최고의 인적 자원이라는 뜻입니다. 솔저, 갤리선의 노잡이가 아니라는 거죠. 선생님의 책을 내는 일이라면 저는 OPM 필요 없습니다. 제 전 재산을 털어서라도 내겠다는 겁니다."

"하지만 아시다시피 최근 들어 제 책은 별로 팔리지도 않고……"

"그만, 선생님, 그만하십시오. 그때는 전임 사장하고 일하셨잖습니까? 그러나 이제는 제가 경영자입니다. 제가 월 스트리트에서 배워온 것은 딱 하나입니다. 뭔지 아십니까?"

"……OPM?"

"No!"

그는 단호하게 고개를 가로저었다.

"결국 기업의 가치는 사람으로부터 나온다는 것입니다. 제가 한국에 들어와서 출판사들을 인수하러 시장을 돌아다닐 때, 매물이 여럿 있었습니다. 이 회사보다 재정 상태 튼튼하고 백 리스트 좋은 회사 많았지만 저는 박 선생님 이름 석 자를 보는 순간, 결정을 내렸습니다. 왜? 이 회사를 사면 저는 바로 이 책들의 저자."

그는 옆에 쌓아놓은 책들에 선서하듯 손을 얹었다.

"……의 동반자, 그의 발행인이 될 수 있는 것이니까요. 단돈 이십억에 말입니다! 이게 믿어지세요?"

"글쎄요. 적은 돈은 아니라고 생각합니다만……"

"돈은 중요하지 않습니다. 더 늦기 전에 제가 정말 좋아하는 일을 하자고 결심을 한 겁니다. 책과 문학, 작가를 사랑하는, 재능 없고 무능한 돈벌레가 할 수 있는 가장 영광된 일이 무엇이겠습니까? 이것밖에 더 있습니까? 안 그렇습니까?"

그의 침이 내 얼굴까지 튀었다.

"선생님."

"네?"

"좋은 소설 하나만 써주십시오. 선생님의 귀한 글에 감히 제 이름석 자를 박아 서점에 깔리는 그날까지 오매불망 기다리겠습니다."

"알겠습니다. 최선을 다해보지요."

사장의 흥분에 나도 모르게 감염되어 덜컥 그러마고 대답을 하고 말았다. 그제야 사장도 조금 긴장을 풀고 등을 소파에 기댔다.

"뉴욕으로는 언제 떠날 예정이신가요?"

사장이 얼음물을 한 잔 들이켜면서 물었다.

"뉴욕이요?"

"곡마단의 마지막 생존자가 거기 있다고, 그래서 취재하러 가신다고……"

"아, 네, 이번 달 안으로는 떠날 생각입니다."

"제가 아파트 관리인한테 미리 얘기를 해놔야 돼서요. 가서 쓰시다가 뭐 불편한 점 있으시면."

그는 명함 한 장을 건넸다.

"이 친구한테 말씀하시면 웬만한 건 다 알아서 처리해줄 겁니다."

"정말 뭐라고 말씀을 드려야 할지…… 하여간 고맙습니다."

"위치가 끝내줍니다. 월 스트리트가 있는 파이낸셜 디스트릭트와 소호, 이스트 빌리지의 중간쯤 되는 지역입니다. 요즘 불쑥불쑥 올라가는 멋대가리 없는 콘도가 아니라, 아주 고풍스러운, 전통의 브라운 스톤 아파트입니다. 호두나무 몰딩에, 벽난로에, 하여간 작가가 가서 글쓰기에는 딱인 곳입니다. 근처에 식당들도 많아서 생활하시기 편리할 겁니다."

우리는 와인 바를 나왔다. 맥주나 한잔 더 하자는 사장의 제안에 따라 근처 카페로 이동하는 중에 사장에게 전화 한 통이 걸려왔다. 사장은 심각한 표정으로 전화를 받더니 나에게 양해를 구했다.

"아들내미가 갑자기 아프다는군요. 이거 어떻게 하지요?"

"가보셔야죠. 뭐, 다음에 또 뵙지요."

사장은 택시를 잡아타고 황급히 집으로 향했고 나는 멍하니 혼자 길에 서 있었다. 그냥 집에 들어가기는 뭐해서 철학에게 전화를 했다.

"나야."

"어디야?"

"삼청동."

"뭐 해?"

"사장을 만났는데 말이야."

"뭐래?"

"내 광팬이래."

"다 하는 수작이지."

"글쎄."

"제수씨하고는 어떻대?"

"아닌 것 같아."

"물어봤어?"

"그걸 어떻게 물어봐?"

"그런데 어떻게 알아?"

"그냥 느낌이 그래. 그런 사람 아닌 것 같아."

"사장은 어디 갔어?"

"애가 아프다며 집에 갔어."

"무슨 팬이 그래?"

"애가 아픈데 그럼 어떡해? 집에서 전화가 오더라고."

"그래서? 뉴욕에는 가기로 했어?"

"응."

"결국 그렇게 됐구나."

철학의 목소리에 실망의 기운이 묻어난다.

"나와서 맥주 한잔 할래?"

"아니, 나 내일 아침에 일찍 나가야 돼."

"그래, 그럼 잘 자."

택시를 잡으려고 했지만 여의치가 않았다. 다섯 대 정도의 택시가 손님을 태우고 내 앞을 지나갔다. 나는 수지에게 전화를 했다. 수지는 한참 만에야 전화를 받았다.

"어디야?"

"어디 좀 나가는 길이야."

"이 밤중에 어딜?"

"자기가 내 남편이야, 뭐야?"

"맞아. 내가 참견할 일이 아니지."

"참, 우리 사장은 잘 만났어?"

"왜 과거형으로 물어?"

"뭐?"

"잘 만났냐고 물었잖아? 잘 만나고 있냐가 아니라. 나는 사장하고
헤어졌다는 말 안 했는데."

"아, 그래? 그럼 아직 같이 있는 거야?"

수지는 아직 순진한 구석이 있다. 거짓말에 서툴다.

"아니. 사장은 갔어. 애가 아프대."

"아, 그래?"

"애가 정확히 1차 끝나고 막 2차 시작하려는 시점에 아프더라고."

"삐딱하기는."

"예리한 거지."

"……"

"수지야."

"왜?"

수지의 말꼬리가 짜증스럽게 올라간다.

"아니야."

"말해."

"사장이 도대체 왜 내 원고를 그렇게 받으려고 하는 거냐?"

"당신 소설을 좋아한대."

"돈밖에 모르는 사람인 줄 알고 만났더니 그런 사람같이 보이지는 않았는데 헤어지고 나서 생각해보니 역시 돈밖에 모르는 사람이 맞는 것 같고, 그런데 왜 그런 사람이 잘 팔리지도 않을 내 소설을 받으려고 하는 건가 싶어서 말이야."

"그 사람, 돈벌이에는 동물적인 감각이 있어. 맨손으로 집 나가서 오 년 만에 삼십억을 벌었다잖아. 한번 믿고 원고 줘봐. 혹시 알아? 잘 팔릴지."

"그럴까?"

"아저씨, 여기 내려주세요."

그녀가 택시 기사에게 하는 말이 들렸다.

"나, 그만 가봐야 돼. 내일 다시 통화해."

나는 수지와 사장은 어떤 체위로 섹스를 할까 생각하며 삼청동의 밤길을 걸어내려왔다.

5

며칠 후, 나는 철학을 만나 맥주를 마셨다. 철학은 수지와 나눈 이야기를 다 듣더니 물었다.

"그래서 뉴욕에 갈 거야?"

"아니."

나는 고개를 저었다.

"간다고 했다면서?"

"그래야 수지가 날 놔줄 테니까. 그 사람 집요한 건 너도 알잖아?"

"원하는 게 있는 여자는 다 집요하지."

"그래?"

"뉴욕에는 왜 안 가겠다는 거야?"

"들어봐. 나는 일종의 딜레마에 빠져 있어. 내가 뉴욕에 가서 끝내주는 소설을 썼다고 쳐보자고."

"말처럼 쉽진 않겠지."

"그냥 가정이잖아? 철학자가 왜 이래? 가정 몰라, 가정? 이프, 이프."

"알았어. 그래서?"

"내가 영혼을 걸레처럼 쥐어짜서 쓴 소설 덕분에 수지는 회사에서 능력 있는 편집자로 인정을 받겠고 수지와 내연의 관계에 있는 사장은 떼돈을 벌겠지?"

"잠깐! 제수씨하고 사장하고 그런 사이 아니라며?"

"그런 사이 맞아. 확실해."

"정말이야?"

"내 육감은 속일 수가 없어."

"월 스트리트에서 떼돈을 벌어왔다는 작자가 뭐가 아쉬워서 애 딸린 사십대 이혼녀하고……"

"너는 뭐가 아쉬워서 세상의 하고많은 여자 중에서 친구 마누라하고 섹스를 하니?"

"그 새끼 내 친구 아니야. 그리고 우리는 섹스를 하는 게 아니라 '섹스를 한다'라는 관념을 함께 처리하고 있는 거래도."

이래서 철학이 외면을 당하는 거야, 이 사람아.

"어쨌든 내가 어렵사리 쓴 소설이 잘 팔리기라도 하면 전처와 정부의 배를 불리게 되는 거야."

"그렇겠지."

"그런데 만약 안 팔리면 나를 술자리의 안주 삼아 씹어대겠지. 그 인간은 작가로서 끝났다. 이혼하기를 정말 잘했다. 그것도 소설이라고 쓰고 있냐. 그런 진부한 소설로 21세기에 살아남겠냐? 어쩌고저 쩌고."

"자학하지 마."

"자학이라니? 이건 가정이라니까! 이프, 이프, 이프!"

"어쨌든 정말 딜레마구나. 잘 써도 낭패, 못 쓰면 개쪽."

"그러니까 안 쓰는 게 최선이야."

"안 쓸 수도 없게 됐잖아? 그 골드만삭스의 수전노가 너를 상대로 소송을 하겠다며?"

"계약금 반환 소송을 걸겠지. 샤일록 같은 놈!"

"사기로 걸 수도 있어."

"사기라니? 내가 무슨 사기를 쳤단 말이야?"

"책을 쓸 의사가 전혀 없으면서도 거액의 계약금을 받아갔으니 사기라고 주장할 거야. 사기라면 형사사건이 되지. 그러니까 사기로 일단 걸고, 민사소송도 동시에 진행하는 거야."

"그럼 그 개자식은 출판계에서 매장될걸? 작가를 사기로 거는 출판사하고 누가 계약하겠어?"

"그래도 민사소송은 하겠지."

"그 자식은 분명 내 재능을 질투하고 있어. 수지를 차지하기 위해서는 내 무능을 폭로해야만 하지. 그래서 일부러 수지를 보낸 거야. 덫을 놓은 거지. 비겁한 놈. 내가 쉽게 당할 줄 알고?"

"제수씨가 그렇게나 대단한 여자야?"

"눈에 뭐가 씐 거지."

"뭐 뾰족한 수가 있어?"

"사장을 직접 만나서 담판을 지을까 해."

"응해줄까?"

"응할 거야."

"그런데 말이야. 작가가 소설 쓰면 결국 작가 자신한테 좋은 것 아니야? 내막이야 어찌 됐든 세상에 나오면 그건 네 소설이잖아?"

"넌 그러니까 순진하게 자본가에게 이용당하는 거야."

"난 국립대학 교수야. 나랏돈을 받는다고. 시집은 내 돈으로 내고."

"잘났다."

"그래, 사장 만나서 뭐라고 할 건데? 배 째라고 할 거야?"

"거절할 수 없는 제안을 하는 거지."

"그거 〈대부〉에서 돈 콜레오네가 하는 대사 아니야?"

"맞아."

"그 거절할 수 없는 제안이 뭔데?"

"수지와의 관계를 눈감아주겠다고 하는 거야. 절대로 수지 앞에 나타나지도 않겠고 심지어 쫑이 결혼식 같은 가족 행사에도 영원히 불참하겠다고 말이야. 그럴 테니 계약은 없던 걸로 하자. 나는 정말이지 당신 출판사에서 책을 내고 싶은 생각이 털끝만큼도 없다. 그러느니 차라리 펜을 꺾겠다."

"제수씨나 쫑이 앞에 안 나타나는 건 사실은 네가 원하는 바잖아? 넌 제수씨도 싫어하고 쫑이한테도 정이 없잖아. 그걸 사장이 모를까? 거절하기 아주 쉬운 제안 같은데?"

"사장이 그걸 알까?"

"왜 모르겠어? 수지와 가깝다면 알고 있을 거고, 수지와 아무 관계가 없다면 헛발질이고. 사장이 수지를 좋아한다는 확증도 없잖아."

"없지."

"그럼, 이러는 건 어때?"

"어떻게?"

"사장이 도저히 제정신으로는 출판할 수 없는 난해하고 어지러운 소설을 쓰는 거야. 제임스 조이스의 《율리시스》 같은 걸 써버려. 한 천 페이지쯤 되고 이렇다 할 줄거리도 없고 주제도 알기 힘든 소설 말이야."

"《율리시스》에는 줄거리도 있고 분명한 주제도 있어."

"사실 난 안 읽어봤어. 주제가 뭔데?"

"찌질한 중년 남자의 어지러운 성적 몽상."

"스탠리 큐브릭의 〈아이즈 와이드 셧〉하고 주제가 같잖아?"

"그렇지. 그게 사실 전부야. 《율리시스》를 음란물로 판정했던 미국 판사는 뭘 아는 놈이었어. 가끔은 문학과 아무 관계도 없는 사람들이 작가들의 내면을 꿰뚫어보기도 하지."

"그러니까 그런 걸 쓰란 말이야. 음란하면 더 좋겠네. 잘하면 사장까지 감옥에 넣을 수 있을지도 몰라."

"《율리시스》가 그렇게 쉽게 쓸 수 있는 소설이 아닌데."

"그러니까 못 써야지. 일부러 못 쓰는 건 쉽잖아?"

"그것도 쉽지는 않은데…… 일정 수준에 도달한 나 같은 작가에게는 말이야."

철학은 내 반박은 귓등으로 흘렸다.

"거꾸로 사장을 딜레마로 몰아넣는 거야. 역전 드라마지. 너야 원고를 넘기면 계약은 지키는 거잖아."

"음, 무려 천 페이지에 달하는 어지럽고 음란하고 실험적이면서 해체적인 소설이라."

"바로 그거야! 아마 절대로 출판 못할 거야. 하면 낭패고. 요즘 종이 값도 많이 올랐다는데."

철학이 신이 나서 박수를 쳤다. 우리는 건배를 했다. 철학은 난해하고 해체적이면서 음란한 소설로 사장을 곤경에 빠뜨리기로 한 것은 정말 좋은 생각이라고 재차 강조했다.

"게다가 뉴욕까지 갈 필요도 없잖아."

철학이 자꾸만 뉴욕에 집착하는 꼴을 보고 있자니 문득 꼭 가야겠다는 생각이 들었다. 거기서 쓰면 되지 뭐.

　사장의 아파트는 그의 말 그대로 '아주 고풍스러운, 전통의 브라운 스톤 아파트'였다. 열쇠를 건네준 관리인은 폴란드계 거구로, 매우 무뚝뚝했다. 내부는 아주 오랫동안 수리라고는 해본 적이 없는 듯 낡고 우중충했다. 두 개밖에 없는 창으로는 아름다운 정원과 찬란하게 부서지는 햇살 대신 거대한 환풍 장치만 보였다. 창을 열었더니 롬멜의 대전차 군단이 진격하는 요란한 소음이 열기와 함께 맹렬하게 끼쳐들었다.

　동네는 또 어떤가. 사장이 말한 '월 스트리트가 있는 파이낸셜 디스트릭트와 소호, 이스트 빌리지의 중간쯤 되는 지역'은 막상 와보니 차이나타운이었다. 한 블록만 가면 어물전 밀집 지역이었고 그 옆으로는 조잡한 중국산 짝퉁 노점상들의 무리. 길바닥은 식당에서 내놓은 음식물 쓰레기에서 배어나온 오수로 흥건했다. 기온이 올라가고 습도가 높아지면 냄새는 더욱 지독해졌다. 아파트 바로 옆 건물은 노숙자 쉼터였다. 원래는 개인이 자선사업 삼아 운영하던 것을 시에서 사들였다고 한다.

　어차피 온 것, 즐기기나 하자는 마음에 처음 얼마 동안은 미술관도 다니고 서점도 들르면서 괜히 여기저기를 쏘다니기도 했지만 곧 시들해졌다. 밤이면 환풍 장치가 웅웅대는 소리에 악몽에 시달렸다. 무적 소리 우렁찬, 몹시도 험하게 요동치는 페리를 타고 본 적도 없는 먼 나라로 떠나는데 주머니엔 여권이 없더라는 식의 꿈이었다. 집에서는 글이 써지지 않아 주변의 카페를 찾아다녔지만 맨해튼에서는 차분히 앉아 작업할 카페를 거의 찾을 수가 없었다. 천 페이지가 넘는 요령부득의 소설로 사장을 난처하게 만들겠다는 발상은 점점 무의미한 만용처럼 느껴졌다. 와인을 병째로 마시며 환풍 장치의 무시무시한 소음과 싸우던 날들은 한밤중에 통통한 쥐 두 마리가 나타나며 최악으로 치달았다. 몹시도 요동치는 페리 갑판에 갑자기 나타난 곰과 싸우는 꿈을 꾸다 눈을 떠보니 가슴팍에 쥐 한 마리가 서서 나를 응시하고 있었다. 눈이 마주치자 쥐는 별로 서두르는 기색도 없이 발치 쪽으로 움직였다. 곧이어 또 한 마리가 같은 경로를 거쳐갔다. 나는 벌떡 일어나 스탠드를 켰다. 쥐들은 붙박이장 속으로 사라졌다. 숙취 때문인지 머리가 지독하게 아팠다. 시계를 보니 새벽 세 시가 조금 넘은 시각이었다.

혹시 두통약이 있을까 싶어 집을 뒤지다가 침대 옆 사이드 테이블 서랍을 열었다. 콘돔 한 상자와 안대, 그리고 실탄이 장전된 권총이 있었다. 진짜 총은 손에 쥐었을 때 느낌이 온다. 유럽의 관광지 성당에 들어갔을 때와 같은 기분이다. 한 세상에서 다른 세상으로 넘어가는 듯한, 삶과 죽음, 성과 속의 경계를 몸으로 느끼는 것이다. 권총의 손잡이에는 'GLOCK GMBH'라는 글자가 각인되어 있었다. 버지니아텍 총기 난사 사건에서, 그리고 애리조나 투산의 기퍼즈 의원 저격 사건에서 사용됐다는 권총이었다. 사담 후세인도 체포되던 당시에 이걸 갖고 있었다고 들었다. 나는 총을 제자리에 다시 놓아두었다. 사장에 대한 관념을 교정해야 할 시간이었다. 나는 내 머릿속의 사장 파일에 태그 하나를 덧붙였다. 사장+너구리+권총. 이제 그는 더 이상 월 스트리트에서 운 좋게 한몫 잡은 나약한 너구리가 아니었다.

혹시 사장은 내게 우회적으로 자살을 권하고 있는 것일까? 알코올의 도움이 없이는 도저히 잠을 이룰 수 없는 갑갑한 스튜디오에 가둬놓고 계약서와 변호사, 전처를 동원해 압박하면서 선물처럼 조용히 권총 한 자루를 넣어준 것일까? '작가 박만수, 맨해튼의 아파트에서 권총 자살. 최근 슬럼프로 우울증 증세.' 최대의 수혜자는? 바로 사장이겠지. 서점들은 나를 추모하네 어쩌네 하며 매대를 따로 마련하겠고 한동안 주문이 폭주하겠지. 인세는 쫑이가 상속할 것이다. 나의 영악한 딸은 그 돈으로 미국 대학 등록금을 감당하리라. 나는 그런 남 좋은 일만은 절대로 하지 않겠다고 다짐했다. 그런데도 잠시 후 정신을 차려보면 다시 권총 자살에 대해 생각하고 있었다.

짐을 싸서 서울로 가자. 다른 출판사에 구걸을 해서라도 수지네 출판사에 빚을 갚자. 일단 살고 보는 거다. 여기 있다가는 제명에 못 죽겠다. 그런 생각을 하며 아침을 먹고 있는데 갑자기 현관문이 벌컥 열렸다. 큼직한 여행 가방을 끌고 들어온 사람은 삼십대 초반의 여성이었다. 평범한 남성을 일순 부끄럽게 만드는 대단한 미모였다.

"누구세요?"

여자는 나보다 더 놀라는 눈치였다. 여행 가방이 기절하듯 모로 쓰러지며 쾅 소리가 났다.

"그러는 그쪽은 누구세요?"

"열쇠는 어디서 받으셨어요?"

"받긴 어디서 받아요. 제 열쇠죠."

"저, 소설 쓰는 박만수입니다."

여자는 이 바닥에는 관심이 없는지 이름을 듣고도 통 모르겠다는 눈치였다.

"우리 출판사 사장 아파트라고 하던데……"

여자가 그제야 감을 잡겠다는 듯, 쓰러진 가방을 일으켜세웠다.

"그러지 말고 가방이나 좀 받아주세요."

나는 가방을 받아 안으로 끌어들였다. 여자는 사장의 이름을 댔다.

"왜 그 인간은 남의 아파트를 함부로 빌려주고 그럴까요?"

별거 중이라던 사장의 아내였다. 나는 머릿속의 너구리 파일에 태그를 하나 더 붙였다. 너구리+월 스트리트+권총+미녀.

"마침 접고 떠나려던 참이었습니다."

"아, 그러세요?"

그녀는 팔짱을 끼고 나를 바라보았다. 어서 짐 챙겨 나가라는 듯.

"아, 지금 당장 나간다는 것은 아니었고요. 며칠 내로 서울로 돌아갈 생각이었다고요."

"그럼 어떡하죠? 침대는 하나뿐이고. 제대로 된 소파 하나 없는데."

"그러게요."

"그러게요, 라고 하시면 안 되죠. 여기는 제 집인데요."

여자는 짜증이 난다는 듯 혀를 차더니 휴대폰을 꺼냈다. 몸을 살짝 옆으로 돌리고 있으니 그 미모가 더 빛났다. 전직 모델이 아닐까 싶은, 도저히 여염의 여성이라고는 볼 수 없는 미색이었다. 도대체 사장은 이런 아내를 두고 왜 수지 같은 촌닭과 사귀는 것일까.

여자는 사장과 일대 설전을 벌였다. 성깔깨나 있는 여자였다. 아파트의 소유권이 누구에게 있나를 두고 1차전을 벌인 둘은 이어 약 삼십 분에 걸쳐 서로의 성격과 품행을 비난했다. 엿듣고 싶지는 않았지만 어디 마땅히 피해 있을 만한 곳도 없어 끝내 다 들을 수밖에 없었다. 사장이 가끔 여자에게 폭력을 사용하기도 한다는 것, 돈 씀씀이가 무지하게 짜다는 것, 둘 사이에 그간 쌓인 불신과 미움이 대단하다는 것 등을 알게 되었다. 그러나 이런 소중한 정보들은 통화 막판에 여자가 사장에게 던진 충격적인 선언에 묻혀버렸다. 자신의 정당한 소유권을 부정당한 데 대해 화가 머리끝까지 치솟은 이 아름다운 여인은, 그렇다면 나와 한 침대에서 자는 수밖에 없으니 신경 끄라고 통보를 한 것이다.

일평생 나는 압도적 미모의 여성을 가까이하면 큰 재앙을 당하리라는 근거 없는 믿음을 갖고 살아왔다. 또한 이런 스크루볼 코미디에나 나올 법한 난처한 상황에 처하지 않도록 늘 주의하였다. 그런데 지금의 상황은 압도적 미모의 여성이 개입된 스크루볼 코미디로 흘러가고 있었다. 여자는 전화를 끊더니 한결 평온해진 얼굴로 나를 바라보았다.

"시차 때문에 잠은 안 오고 출출하네요. 혹시 라면 같은 것 없어요?"

'화가 나서 참을 수가 없네요. 홧김에 서방질한다고, 얼른 샤워하고 침대로 오세요' 같은 말을 기대한 것은 아니었지만 고작 라면이나 끓여달라는 말을 기대한 것도 아니었다. 여자는 화장실에 들어가 간단하게 세수를 하고 화장을 매만진 후에 내가 끓여준 라면을 먹었다. 빈 그릇을 싱크대에 처박은 다음, 나는 와인 한 병을 땄다. 머쓱

함도 떨칠 겸, 그저 손에 들고 홀짝거릴 뭔가가 필요하다는 차원에서 시작한 음주는 결국 밤이 이슥하도록 계속됐고 화제는 부부간의 깊숙한 문제까지 나아갔다. 나는 여성을 유혹하는 데는 젬병이지만 대화를 유도하는 데에는 본래 일가견이 있었다.

그녀의 성은 나와 같은 박씨에, 이름은 영선이었다. 사장이라는 공동의 적이 우리의 안주가 되었다. 도합 몇 병을 땄는지도 기억이 나지 않을 정도로 와인을 마셔대던 우리는 누가 먼저랄 것도 없이 쓰러져 잠이 들었다. 눈을 뜬 것은 정오가 다 돼서였다. 아, 그녀는 한 번 뱉은 말은 반드시 지키는 매우 신의가 높은 사람이었다. 감히 같은 인간의 몸이라고는 할 수 없는 아름다운 나신이 내 옆에 누워 있었다. 나는 창조주의 전능함과 한없는 사랑에 잠시 경배를 드린 후, 바닥에 떨어져 있는 내 팬티를 찾아 걸치고는 화장실에 가 담배를 피워물었다. 정확히 무슨 일이 있었는지는 기억할 수 없었지만 돌이킬 수 없는 뭔가가 이미 저질러졌다는 것만은 알 수 있었다. 변기에 물을 내리고 밖으로 나왔을 때에도 신의 선물은 아직도 침대 위에 놓여 있었다.

나는 거부할 수 없는 힘에 이끌려 책상 앞에 앉았다. 그리고 노트북 컴퓨터를 열었다. 여태 단 한 줄도 쓰지 못한 소설을 위해 빈 워드 창을 띄웠다. 나는 자판 위에 손가락을 얹었다. 내가 한 일은 오직 그것뿐이었다. 그런데 손이 저절로 움직이기 시작했다. 손가락 끝에 작은 뇌가 달린 것 같았다. 미친 듯이 쓴다, 라는 말은 이런 때를 위해 예비된 말이었다. 문장들이 비처럼 쏟아져내리기 시작했다. 타자 연습 게임 같았다. '지구를 침공하는 다양한 문장들. 그들을 요격하는 지구 수비대 타이핑 챔피언 박만수!' 어차피 내지도 않을 소설에 인물이며 줄거리가 뭐가 중요해? 음란하고도 난해하면서 매우 실험적인 이 소설의 서두는 주인공 남자가 뉴욕의 차이나타운에 머물며 기괴한 성적 모험을 시작하는 장면이었다. 단편소설 한 편 분량인 원고지 백 매 정도를 정신없이 써갈기고 시계를 보니 고작 두 시간이 지나 있었다. 이런 놀라운 생산력은 등단 이후 처음 경험해보는 것이어서 얼떨떨하기까지 했다. 이게 말이 될까, 이런 걸 써도 될까, 같은 자기 검열이 작동하지 않으니 서사는 브레이크가 파열된 자동차처럼 폭주했다. 이 원고를 받아들고 난감해할 사장의 얼굴을 떠올리며, 동시에 침대에 누워 나른하게 잠들어 있는 그의 아내를 곁눈질하며 내 손가락은 자판 위를 신나게 달렸다.

시차 때문에 오후 늦게야 눈을 뜬 영선이 물었다.

"뭘 그렇게 열심히 써?"

어느새 말을 텄던 거야, 우리?

"응, 소설."

"아 맞다. 소설가라고 그랬지."

"나, 좀 유명했던 적도 있어. 《죽음의 발톱》이라는 소설 못 들어봤어? 내 데뷔작인데."

대표작이기도 하다.

"죽어라 발톱? 못 들어봤는데."

그녀는 미국 영화의 여배우들이 그렇게 하듯, 침대 시트로 몸을 두르고 내 곁으로 걸어왔다.

"자기 타이핑 진짜 빠르다."

그 순간에도 내 손들은 쉬지 않고 글자들을 조합하고 있었다.

"설마 이게 정말 지금 자기 머릿속에 떠오르는 걸 쓰는 거야? 혹시 애국가나 뭐 그런 것 치고 있는 거 아냐?"

대꾸하지 않고 나는 몇 문장을 더 썼다. 영선이 내 정수리에 입을 맞췄다.

"대단하다. 멋있어. 생활의 달인 같아. 키보드 부서지겠어."

나는 타이핑을 멈췄다. 그 순간에도 내 머릿속으로는 문장들이 쉭 쉭 소리를 내며 지나가고 있었다. 나는 소리를 빽 질렀다.

"제발 조용히 좀 해줄래? 왜 이렇게 말이 많아? 저리 가. 소설 좀 쓰게."

그녀가 깜짝 놀라 내 곁에서 떨어졌다. 그러고는 한참을 부스럭거리더니 문을 쾅 닫고 밖으로 나가버렸다. 그러거나 말거나 나는 계속 달렸다. 얼마나 지났을까. 그녀가 중국 음식을 사들고 왔을 때에도 나는 책상 앞에 앉아 있었다. 아니, 나는 다른 세계, 그러니까 뉴욕도 서울도 아닌, 그 모든 곳의 중간, 세계의 빈틈, 영혼과 육신의 메자닌, 문자와 세계의 문턱에 서 있었다. 나로서도 처음 경험하는 이 광속에 가까운 글쓰기는 그녀에게도 깊은 인상을 남긴 것 같았다.

"아니, 아직도 그러고 있어?"

아침에 입고 있던 팬티 차림 그대로 나는 화장실 한 번 가지 않고 물 한 잔도 마시지 않은 채 그 자리에 앉아 있었던 것이다. 그녀는 중국 음식을 내려놓고는 내 뒤로 다가와 어깨에 두 손을 올려놓았다. 실크처럼 부드러운 손길이 내 가슴을 훑으며 사타구니 쪽으로 내려갔다.

"세상에. 이거 이거, 단단한 거 봐. 설마 아까부터 계속 이 상태였던 거야?"

그녀가 말해주기 전까지 나는 전혀 그것을 의식하지 못하고 있었다. 그녀는 거세게 부풀어오른 내 팬티를, 마치 튤립 꽃봉오리를 어루만지듯 조심스레 쓰다듬었다. 그러고 보니 아랫배가 마치 주먹으로 세게 두들겨맞은 것처럼 뻐근했다. 글 쓰는 내내 피가 몰려 있었던 게 분명했다.

"됐어. 제발 비켜줄래? 나 글 쓰는 거 안 보여?"

그러나 그녀는 물러서지 않았다. 서화담을 거꾸러뜨리려는 황진이처럼 나를 공략했다. 그녀의 손이 팬티 속으로 파고들고, 혀가 내 젖꼭지를 핥는 지경이 되자 더는 견딜 수가 없었다. 나는 벌떡 일어나 그녀에게로 돌아섰다. 의자가 뒤로 나동그라졌다. 아까처럼 화를 내려는 줄 알고 그녀가 얼른 뒤로 물러섰다. 나는 그녀를 번쩍 들어 침대로 내던졌다. 까악. 그녀가 비명을 질렀다. 나는 그녀를 향해 몸을 던졌다. 우리의 광포한 섹스에서 비롯된 소리가 저 거대한 환풍장치의 소음을 압도할 지경이 되자 옆집에서 벽을 두드리며 항의했다. 그 순간에도 나의 손은 그녀의 몸 곳곳을 애무하면서 해독 불가능한 문장들을 무수히 그녀의 몸에 입력해 넣었다. 기념비적인 정사가 끝난 후, 우리는 침대에 누워 식어버린 중국 음식을 와인과 함께 먹었다. 그녀는 믿을 수 없다는 듯, 고개를 절레절레 흔들며 교태를 부렸다.

"한 번 더 할까?"

내 말에 그녀는 까르르 웃으며 욕실로 달아났다. 그런데 그녀가 눈앞에서 사라지자마자 나는 바로 책상으로 돌아갔다. 자리에 앉자마자 성기가 다시 힘차게 발기하는 것을 이번에는 의식할 수 있었다. 나는 아까 쓰다 멈춘 부분으로 다시 돌아갔다. 어차피 출간도 못할 음란하고 실험적이면서 해체적인 소설이니 이전에 쓴 부분을 살필 필요도 없었고 인물의 일관성 같은 것도 중요치 않았다. 말이 되든 안 되든 그저 써내려가기만 하면 되는 것이니까.

욕실에서 나오던 그녀는 발걸음을 멈췄다. 나는 그녀를 보았다. 아, 신이 아름다운 여자를 만드시니 교활한 여자가 제 몸에 물을 적셔 남자를 유혹하더라. 그러나 나는 자리에서 일어날 수가 없었다. 왜냐하면 손이 쉴 새 없이 움직이고 있었기 때문이었다.

"또야? 뭐야? 자기 괴물 아냐? 어떻게 쉬지도 않고 계속 써?"

"그게 이상하게 자꾸만 하고 싶네. 멈출 수가 없어."

눈으로는 촉촉이 젖은 그녀를 더듬는 동안에도 손가락은 정신없이 자판 위를 날아다니고 있었다.

"나하고 한번 잤으면 소원이 없겠다는 남자들이 얼마나 많았는 줄 알아?"

"응, 그건 고맙게 생각하고 있어. 근데 이렇게 글이 써지는 것도 어쩌면 네 덕분일지도 몰라. 전엔 이런 적이 없었거든. 그러니까 자부심을 가져도 좋아."

"그렇다면 보람이 있네. 나는 그럼 뭘 하고 있을까?"

"벗고 누워 있어. 그게 필요해."

다음 날도, 그다음 날도 비슷한 날들이 이어졌다. 그녀는 나가서 친구도 만나고 쇼핑도 했지만 나는 쥐가 돌아다니는 집에서 아랫배가 뻐근해질 때까지 글만 썼다. 그러거나 말거나 나는 쓰고 있는 이 소설에 완전히 몰입해 있었다. 처음에는 장난처럼 시작했지만 미친듯이 써나가는 도중에 내 영혼과 육체에서 화학적 변화가 일어난 것이다. 어쩌면 이것은 내가 지금까지 꿈꿔왔던, 모든 창작자들이 애타게 찾아헤맨다는 에피파니의 순간일지도 몰랐다. 뮤즈가 강림한 것이다. 이제야 비로소 진짜 작가가 됐다는 강한 확신이 들었다. 지금까지는 그저 작가 흉내를 낸 것에 불과했다. 어쩌다 운이 좋아서 데뷔작이 대성공을 했고 그 덕분에 어디서나 작가 대접을 해주니 그냥 그런 게 작가려니 하고 살았던 것이다. 늘 마감에 쫓기며 마지못해 글을 썼고, 원고를 보내면서도 마음속 깊은 곳에는 깊은 불안이 있었다. 그러나 지금은 180도 달랐다. 지금 쓰고 있는 소설이, 내가 만들어낸 주인공이 나를 끌고 다녔다. 내 영혼이 한 번도 도달하지 못한 지경까지 나를 밀어붙였다. 어떻게 그렇게 다작을 하느냐는 기자의 질문에 스티븐 킹이 그랬다지. "저야말로 궁금합니다. 다른 작가들은 매일 글을 쓰지 않으면 그 시간에 도대체 뭘 한답니까?" 아, 그는 이미 이 지경에 도달해 있었던 것이다. 이제 나 역시 그분의 뒤를 따라 오랜 슬럼프를 뚫고 새로운 차원으로 올라선 것이다. 막상 이렇게 되고 보니 세상에는 오직 두 종류의 작가만이 있다는 것을 알게 되었다. 스티븐 킹이나 오노레 드 발자크, 그리고 지금의 나와 같은, 영적인 엑스터시에 사로잡혀 미친 듯이 쓰는 작가와 불행히도 그렇지 못한, 즉 자신을 학대하며 편집자의 독촉에 의해서만 겨우 마감을 넘기며 살아가는 작가. 뉴욕에 오기 전의 나야말로 바로 후

자의 전형이었다.

원고를 프린트해서 읽으면서 나는 더욱 놀랐다. 비록 제대로 퇴고도 못한 상태였지만 찬란하게 빛날 원석이 그 안에 숨어 있었다. 여간해선 잊기 어려운 인상적인 주인공하며, 변태적이고 어지러운 의식의 흐름을 따라 고구마 줄기처럼 현란하게 뻗어나가면서도 끝내 대위법적인 긴장을 잃지 않는 저 독창적 플롯이라니. 오, 신이시여. 과연 정말 제가 이것을 썼단 말입니까?

나는 그녀가 사오는 테이크아웃 음식으로 대충 허기만 때우고는 잠깐 침대에서 뒹굴다가 그녀가 곯아떨어지면 책상 앞에 앉아 자판을 두들겼다. 믿기 어렵겠지만 나는 열흘 동안 한 번도 눈을 붙이지 못했다. 화장실에서 큰일을 보다 몇 번 졸았던 게 전부였다. 격렬한 섹스와 광적인 집필. 오직 그것뿐이었다. 예컨대 이런 장면들이 반복됐다. 책상에 앉아 자판을 두드리는 나를 향해 욕실에서부터 네 발로 기어오는 전라의 미녀. "제발 가까이 오지 마. 나 지금 글 쓰고 있는 거 안 보여"라고 애걸하면서 강박적으로 몇 문장이라도 더 쓰려는 나. 그러나 마침내 책상 밑에 도달한 미녀가 잔뜩 발기한 내 성기를 입에 물고는 즐거워한다. 마침내 참지 못한 나는 벌떡 일어나 그녀를 침대에 던진다. 잠시 후, 나는 다시 책상 앞으로 복귀한다. 절세미인과 벌이는 이 격렬한 섹스가 실은 책상 앞으로 돌아가기 위한 눈물겨운 노력이라는 걸, 세상의 그 누가 알아줄 것인가?

"자기한테서 냄새 나."

열흘 만에야 침대로 기어들어온 내게 그녀가 코를 킁킁거리며 말했다. 생각해보니 그동안 샤워를 한 번도 하지 않았다.

"짐승 같아."

"씻고 올까?"

"아니, 이대로가 좋아."

우리는 다시 한 번 질펀하게 얽혔다. 그러고는 열흘 만에 처음으로 눈을 붙였다.

7

"어이, 어이!"

누군가가 내 관자놀이를 쿡쿡 찌르고 있었다. 너무 곤히 잠이 들어 처음에는 여기가 뉴욕인지 서울인지도 아리송했다. 의식의 저 깊은 곳에서 들려오는 말이 나의 모국어이고 발화자가 남성이라는 것도 처음에는 확실치 않았다. 나는 눈을 떴다. 딸깍. 침입자가 스탠드를 켜자 방이 환해졌다.

"일어나, 이 자식아."

너구리였다. 스탠드 불빛 아래에서 보니 더 영락없었다. 영선은 내 쪽으로 바짝 붙었다. 벌써 깨어 있던 것 같았다.

"이게 무슨 짓입니까?"

나는 깜짝 놀라 물었다.

"내가 묻고 싶은 말이야. 이게 무슨 짓이야? 남의 마누라하고, 엉?"

사장이 소리를 지르며 오른손을 조금 들어올렸다. 영선이 헉 소리를 내며 자기 입을 틀어막았다. 그의 손에 들린 권총은 광신도의 손에 들린 십자가처럼 보였다. 나는 얼마나 많은 남자가 유부녀와 한 침대에 들었다가 분노에 사로잡힌 남편의 총탄을 맞고 어이없이 죽어갔는가를 떠올렸다. 평생 경험하지 말아야 할 일 중의 하나가 있다면 이렇게 홀랑 벗고 자다가 원치 않는 손님과 불쾌한 대화를 나누게 되는 것이다.

"그러지 마. 이 사람은 잘못 없어."

영선이 말했다.

"박 선생님은 이제야 겨우 눈을 붙인 거야. 열흘 동안 잠 한숨 못 자고 글을 쓰셨다고."

"흥, 날더러 그걸 믿으라고?"

사장의 글록 권총이 내 눈앞에서 건들거렸다.

"정말입니다. 갑자기 마치 축복처럼 글이 막 쏟아져서요. 그야말로 미친 듯이 썼다니까요."

"거짓말하지 마! 저런 여자를 옆에 두고 어떻게 글을 쓴단 말이야? 내가 저 여자를 몰라? 열흘 동안 침대 밖으로 나오지 않았을 거야. 안 봐도 뻔하다구. 이 더러운 년, 님포 마니아, 색정광 같으니라구."

"뭔가 오해가 있는 모양인데. 이봐요. 나는 집필 중에는 아예 발기 자체가 안 되는 그런 순결한 체질을 타고났습니다. 피가 머리로만 몰리다 보니 발기가 안 되는, 작가처럼 머리를 많이 쓰는 사람들이 많이 겪는, 그런 겁니다. 단지 침대가 이것밖에 없다 보니 여기 누워 있는 것일 뿐. 그나마도 열흘 만에야 처음 이렇게 베개에 머리를 대보는 겁니다. 정말입니다."

사장이 말없이 침대 옆 휴지통을 들어 보였다. 거기에는 쓰고 버린 콘돔들이 들어 있었다. 사장이 휴지통을 쾅, 하고 내려놓은 뒤, 총을 휘두르며 영선에게 소리를 지르기 시작했다. 막상 내 정액으로 젖은 콘돔을 보더니 갑자기 화가 더 치솟는 모양이었다. 차마 입에 담을 수 없는 거의 모든 욕설이 망라되어 있었다. 영선은 울다가 빌다가를 반복했지만 사장의 분노는 누그러지지 않았다. 듣다 보니 둘이 뉴욕에서 살던 시절에도 영선이 집에 곧잘 남자를 끌어들였던 것 같았다.

나는 침대 위를 엉금엉금 기어서 간밤에 프린트해놓은 초고를 들고 왔다.

"자, 여기 원고가 있습니다. 이걸 한번 봐주세요. 불미스러운 일이 사실 좀 있긴 했지만 원고만큼은 정말 열심히 썼다니까요. 물론 아직 퇴고도 안 한 상태라는 건 좀 감안을 하셔야……"

사장은 미심쩍은 얼굴로 나를 노려보았다. 권총을 들고 명령했다.

"둘은 저쪽으로 가서 벽을 보고 앉아 있어. 이 동네가 좀 험해서 내가 둘 다 쏴죽이고 가도 그냥 강도가 다녀갔구나 그럴 거야. 둘 다 박씨라 성도 같으니 미국 경찰은 부부인 줄 알 거야. 치정이니 뭐니 복잡하게 생각하지 않을 거야. CSI 이딴 거, 너무 믿지 마. 미국에서 일어난 살인 중에서 삼분의 일이 미제 사건이야. 그게 왜 그런지 알아? 총을 쓰기 때문이야. 얼른 벽으로 안 붙어?"

시트로 대충 몸을 가린 우리는 사장이 지시한 대로 벽을 보고 앉았다. 영선은 시트 밑으로 손을 뻗어왔다. 나는 그녀의 손을 잡아주었다. 예전에 살인 사건에 대한 소설을 쓰면서 취재한 바에 따르면 미국에서 발생하는 살인 사건 중 팔십칠 퍼센트가 남성에 의해 저질러진다. 그리고 그 살인의 희생자는 대부분이 남성이다. 정확히는 약 칠십오 퍼센트가 남자다. 남자는 주로 남자를 죽인다. 남자가 왜 남자를 죽일까? 뻔하다. 중간에 여자가 관련되어 있다. 더 으스스한 통계도 기억난다. 캐나다에서 발생한 아내 살해 사건 중에서 아내의 별거 요구가 주요 원인인 경우가 무려 육십삼 퍼센트에 달했다. 내가 지금 처한 상황이야말로 강력계 교범에 나올 법한 사례였다.

사장은 원고를 읽고 있는 것 같았다. 출판사 사장에게 원고를 넘기고 이렇게 긴장해본 적이 있었던가? 한 손에 총을 든 편집자라니. 어쩌면 저것이야말로 모든 편집자가 꿈꾸는 모습이 아닐까? 뺄질거리며 마감을 안 지키는 작가의 집에 들이닥쳐 초고를 탈취한 후 즉결심판을 하는 것이다. 수작이면 살려주고 태작이면 사살한다. 초고조차 안 써놓은 뻔뻔한 작가는? 그 자리에서 바로 총살. 탕, 탕, 탕. 마피아 격언에 이런 말이 있다지. '친절한 말 한마디에 총을 곁들이면 좀 더 많은 것을 얻어낼 수 있다.'

환풍 장치 소리만 요란한 가운데 사각사각 종이 넘어가는 소리가 뒤에서 들려왔다. 좋은 징조였다. 첫 장에 던져버리지 않고 계속 읽고 있다는 것이니까. 신인 시절 나는 수지에게 저렇게 초고를 읽히고는 옆에서 그녀의 반응에 따라 안달복달하곤 했었다. 말이 없으면 재미가 없어서 저러나 불안해하고 몸을 꼬기라도 하면 지루해서 저러나 안절부절못했던 것이다. 그러다 언젠가부터 수지는 내 원고를 읽지 않았다.

시간은 느리게 흘렀다. 나는 잠자코 앉아 사장의 독서가 끝나기를 기다렸다. 혹시 졸고 있는 게 아닌가 싶을 때마다 종이 넘어가는 소리가 들렸다. 그때마다 마음이 놓였다. 폭군으로부터 하루의 삶을 더 부여받은 셰헤라자드처럼.

"박 작가."

마침내 너구리가 나를 불렀다. 목소리가 처음보다는 좀 누그러져 있었다. 이것이 바로 문학의 힘일까. 인간의 거친 정서를 정화해준다는.

"네?"

"도대체 이게 무슨 얘기요?"

"왜요? 재미가 없나요?"

"아니. 재미가 없지는 않아. 근데 이게 무슨 얘기냐고?"

"재미있게 읽으셨음 됐지, 무슨 얘기인지가 뭐가 중요합니까?"

"일제시대 곡마단 얘기는 언제 나와요? 계속 야한 얘기만 나오고."

"아, 그게 계획이 좀 바뀌었습니다. 그러니까 제임스 조이스의 《율리시스》 같은 방향으로다가."

사장이 코웃음을 쳤다.

"출판계에 이런 일이 흔해요?"

"아, 그럼요. 원래 쓰려던 것을 그대로 쓰는 것. 그건 대중소설, 장르소설이죠. 본래 가려던 곳이 아닌 엉뚱한 곳에 비로소 도달하는 것, 그게 문학이죠. 원래 그런 거예요."

"아니, 출판사 사장 마누라하고 작가가 붙어먹는 거 말이야!"

사장의 말투가 다시 험해지기 시작했다.

"……흔하진 않을 겁니다."

"그렇지?"

"사장하고 편집자하고 자는 건 어떻습니까? 그건 흔한가요?"

나는 조심스럽게 반격을 해보았다.

"그걸 내가 어떻게 알아? 이제 출판계에 들어왔는데."

"모른다고요?"

"글쎄, 모른다니까."

총을 쥔 것은 내가 아니라 그다. 나는 물러설 수밖에 없다.

"아, 나하고 이 부장하고 뭐 그렇고 그런 사이라고 생각했던 모양이군. 참으로 답다 다워. 내가 뭐가 아쉬워서 당신 전처하고 그렇고 그런 사이가 되겠어? 참, 내가 알기로 이 부장이 만나는 남자는 따로 있어. 누군지 알아? 철학과 교수라던데? 시도 쓰고?"

"시를 쓰는 철학과 교수라고요? 확실합니까?"

나는 깜짝 놀라 소리쳤다.

"아는 사이야?"

"시집 내겠다고 이 부장이 원고 가져왔던데. 좀 수상쩍어서 알아봤더니 둘이 그렇고 그런 사이더라고."

"아니, 이런 개새끼가."

"욕하는 것 보니 서로 아는 사이셨구만. 그렇지만 당신이 지금 그런 것 가지고 분개할 상황이 아닌 것 같은데……"

철학이 자꾸만 사장과 수지와의 관계에 대해서 묻던 게 생각났다. 뭐? "제수씨가 그렇게나 대단한 여자야?"라더니. 이 새끼가 아주 나를 갖고 놀고 있었던 것이다. 내가 뭐라고 하면 태연한 낯짝으로 그러겠지. 수지하고 자기는 '섹스를 한다'라는 무거운 관념을 처리하고 있을 뿐이라고. 아, 나에게도 총이 필요하다. 철학에게 묻고 싶다. 너의 그 무거운 관념이 과연 가볍고 빠른 총알을 이길 수 있을까?

사장이 원고를 책상 위에 던졌다.

"자, 그건 잊어버리라고. 어차피 살아서 돌아가지도 못할 텐데 뭘. 이 소설에 대한 내 생각은 이래. 이건 쓰레기야. 나를 엿 먹이려고 쓴 그런 글이란 말이지. 도대체 이런 소설을 쓴 저의가 뭐야?"

"쓰레기라니요? 이해가 잘 안 되네요. 물론 이 소설의 창작 동기가 불순, 아니 불명확했던 것은 저도 인정합니다. 그러나 막상 쓰기 시작하자 신비스런 일이 일어났습니다. 모든 작가들이 어느 정도는 겪는 현상입니다만 작품이 작가 자신을 배반해버리는 것입니다. 이번 경우에는 저 작품이 저 자신을 초월해, 저의 비천한 문재와 사상을 훌쩍 뛰어넘어 저 홀로 놀라운 지경으로 가버린 겁니다. 그러니까 이 원고는 작가 박만수가 쓰는 것이 아니라 저의 손을 빌려, 아기 예수가 성모마리아의 몸을 빌려 이 세상에 오셨듯이, 이 세상에 지금 오고 있는 것입니다. 기독교식으로 말씀드려 기분이 나쁘실 수 있는데, 그렇죠, 선승들 같았다면, 한 소식을 했다, 뭐 그런 식으로 말들 했겠죠."

"내가 월 스트리트에서 돈놀이나 하다 왔다고 지금 사기를 치려는 모양인데."

"그런 거 아닙니다."

"골드만삭스에서 내가 하던 일이 뭔지 알아?"

글쎄…… OPM밖에는 생각이 안 났다.

"채권의 정확한 가치를 산정하는 거야. 채권이 뭔지 알아? 쉽게 말해 빚이야. 내가 말이야. 채권을 산정하는 데에서만큼은 실수가 없었다고. 이놈의 출판사 인수해보니까 전부 채권이더라고. 작가라는 인간들이 계약금만 받아 처먹고는 원고는 안 넘겨서 발생한 악성 채권. 당신은 악성 중의 악성이고."

"그건 좀 말씀이 심한……"

"남의 마누라까지 덮쳤잖아. 이게 쉽게 갚을 수 있는 빚인 줄 알아? 죽음으로밖에는……"

사장은 흥분하여 말을 더듬기 시작했다.

"엉, 주, 죽음으로밖에는 갚을 수가 없는 채무야."

"그런 선입견을 갖고 작품을 읽으시니까……"

"선입견? 내가 한 말 뭐로 들었어. 선입견으로 채권을 평가해서 내가 골드만삭스에서 그렇게 많은 돈을 받은 줄 알아? 난 냉정한 사람이야."

"이 소설은 정말 다르다니까요."

"내가 당신 소설 다 읽어봤잖아. 솔직히 내가 좀 좋아하기도 했어. 그런데 이 소설에는 당신 소설이 그나마 갖고 있었던 장점마저 없어. 한마디로 최악이야."

"그렇지 않아."

영선이었다.

"뭐야? 너도 읽었어? 넌 소설 모르잖아?"

놀란 것은 나도 마찬가지였다. 그녀가 읽고 있을 줄은 몰랐다.

"모르는 건 당신이야. 돈밖에 모르는 주제에. 나도 옛날엔 소설깨나 읽었다구. 당신 같은 남자하고 사는 바람에 멀어지게 됐지만."

"어쨌든 그래서 결론이 뭐야?"

작가는 언제나 독자의 견해를 알고 싶어한다. 그 독자가 옷을 벗고 있든 입고 있든 그건 그렇게 중요하지 않다. 영선은 그 아름다운 입술로 이렇게 말했다.

"그래, 나는 문학은 몰라. 그래도 소설은 알아. 이 소설은 죽여줘. 사실 주인공의 생각은 잘 이해가 안 되고 줄거리도 어떻게 흘러갈 건지 도무지 모르겠더라. 그렇지만 한번 잡으면 끝까지 읽게 된다니까. 마치 좋은 퐛을 진하게 한 그런 느낌이랄까?"

"퐛이 뭡니까?"

대답은 사장이 대신했다.

"그것도 모르면서 무슨 작가라고. 대마초. 마리화나."

"일단 정말 열심히 쓰더라니까. 타이핑도 얼마나 빠른지. 잠도 안 자고 밤새도록……"

나는 그녀가 내 몸의 특정 부위의 신비한 상태에 대해서 언급할까 봐 마음을 졸였다. 그러나 다행히 그녀도 지각은 있었다.

"뭔가 신기가 들린 것 같았어. 그런 상태에 쓴 거라면 뭐가 달라도 다를 거야. 사실 당신도 신나게 읽었잖아?"

너구리가 인상을 썼다.

"나하고 둘은 문학적 견해가 다른가 보군. 모든 광기가 예술혼은 아니지. 통성기도하고 방언한다고 다 성인은 아니듯이 말이야. 쓰레기라도 잘 읽힐 수는 있는 거야. 그리고 작가가 무슨 생활의 달인이야? 타이핑 속도가 뭐가 중요해? 좋아. 책은 내겠어. 작가 박만수의 마지막 작품. 미완성 유고 소설이라고 선전하면 계약금은 회수할 수 있겠지. 뭐, 운이 좋다면 꽤 많이 팔릴 수도 있겠어. 아, 뉴욕에서 총 맞아 죽기 전까지 쓰던 소설이라고 언론에서 떠들면 좀 더 나가려나? 이미 원고지 천 매가 넘는 것 같던데. 그럼 신국판으로 뽑아도 삼백 페이지는 나올 거고, 오히려 어설픈 후반부가 없으니 독자들은 마음대로 상상하겠지. 아, 완결됐다면 걸작이 되었을지도 모르는데, 하면서 아쉬워도 하겠고. 아무리 봐도 이게 최선이야. 박 작가는 이쯤에서 요절해주는 게 그간 써온 작품들의 운명을 위해서도 좋을 거야."

"아니, 다음 얘기가 궁금하지도 않습니까? 영선 씨도 재밌다고 하잖아요? 일단 소설을 끝마칠 기회를 한번 줘보세요."

"소설에 무슨 줄거리가 있어야 다음이 궁금하지. 읽을 땐 그럭저럭 읽히는데 일단 덮고 나니 다음이 하나도 안 궁금해. 내가 궁금한 건 바로 여기에서 벌어지는 일이야. 나는 아주 오랫동안 영선이 너를 죽이는 상상을 해왔거든. 얼마나 오래 그걸 생각해왔는지 넌 모를 거야. 내 상상 속에서 너는 무수히 죽었어. 실행에 옮기려 한 적도 있었지. 그런데 그때마다 계획에 결함이 발견되곤 했어. 그래서 수정을 하고, 또 수정을 하고. 오늘에야 완벽해진 것 같아. 살인 계획이라는 건 말이야. 이민하고 비슷한 것 같아. 한번 그쪽으로 생각을 하기 시작하면 멈출 수가 없어."

영선이 쏘아붙였다.

"나도 당신 죽이고 싶은 순간이 없었는 줄 알아? 늘 혼자만 옳지.

이번 계획은 완벽한 것 같아? 제 꾀에 제가 빠지고 말걸? 내가 죽으면 당신이 가장 유력한 용의자야. 당신 입국 기록도 있을 거 아냐?"

"완벽한 알리바이를 만들어놓고 왔으니까 그건 걱정 안 해도 돼."

둘의 감정이 더 격해지지 않도록 내가 끼어들었다.

"완벽한 알리바이? 그거야말로 허상입니다. 반드시 허점이 있게 마련이죠. 작가들도 말이죠. 구상 완벽하게 하고 작품 시작하는 사람들치고 별 볼일 있는 사람이 거의 없다 이겁니다. 실패한다는 거죠. 써나가보면 인물들이 살아서 움직이기 시작하고 그렇게 되면 전혀 다른 이야기가 돼버리거든요. 내가 볼 때 당신은 강박증이에요. 계획한 대로 다 돼야 한다고 믿는 어린애란 말입니다. 자, 총 내려놓으세요. 살인이라는 건 말입니다. 돌이킬 수 없는 거예요. 그런 짓을 함부로 저지르면 안 돼요. 인생이 무슨 게임입니까?"

"시끄러워. 하여간 입만 살아가지고는. 그렇게 잘 아시는 분이 소설은 왜 그 모양일까?"

사장이 다시 권총을 치켜들었다.

"이쯤에서 거절할 수 없는 제안을 하지."

사장은 주머니에서 약봉지 두 개를 꺼내 우리에게 던졌다.

"총이 마음에 안 드나 본데, 그렇다면 선택의 여지를 줄게. 이 약을 먹든지 내 총에 맞든지."

"무슨 약입니까?"

"그걸 모른다는 게 여기서 재미있는 부분이야. 청산가리일 수도 있고 그냥 수면제일 수도 있어. 약을 먹지 않겠다면 나는 주저 없이 방아쇠를 당길 거야. 이 동네에선 밤에 총소리 좀 들린다고 경찰 부르고 그러지 않으니까 그건 걱정 안 해도 돼."

"잠깐."

영선이었다.

"이거 먹으면 죽을 수도 있는 거지?"

"그렇지."

"정말 날 죽여야겠어? 이 한심한 인간아."

"응. 더 이상은 널 참을 수가 없어. 아니, 널 죽이고 싶은 욕망을 더
는 견딜 수가 없어."

"이혼해줄게. 이번엔 정말이야."

"그건 돈이 너무 많이 들어. 그리고 내 오랜 구상이 너무 덧없잖
아?"

"나쁜 자식."

"마음대로 욕해. 그럴 시간도 이제 얼마 안 남았으니까."

그녀가 입술을 깨물었다. 나는 영선의 아름다운 옆모습을 슬쩍 살
폈다. 너구리는 정말 저 아름다운 육체를 끝장내려는 걸까? 그녀는
청순하고 조신한 자세로 다리를 포개고 앉아 비극적인 표정으로 약
봉지를 손에 쥐었다. 나는 약봉지를 물끄러미 내려다보았다. 월 스
트리트에서 성공한 놈은 역시 달랐다. 협상력이 한 수 위였다. 백 퍼
센트의 확률로 죽는 총이냐, 그래도 그나마 희망이 있는 약이냐의
양자택일. 그런데 만약 저 약이 치명적인 독약이라면 살인자에게는
참으로 유리한 살해 방법이다. 누가 봐도 음독자살이다. 소설에서라
면 별로겠지만 현실에서는 꽤 쓸 만한 플롯이다.

"그럼 마지막으로 한 가지만 부탁합시다. 미완성이지만 부디 교정

과 교열에 신경을 많이 써주세요. 참고로 말씀드리면 그래도 내 원고는 수지가 잘 봅니다."

사장은 종이와 펜을 내게 던졌다.

"약을 먹는다고 반드시 죽는 것은 아니라니까. 자, 약을 먹기 전에 우리 약속을 하나 하자고. 혹시 그 약을 먹고 살아나더라도 오늘 있었던 일은 없던 일로 하는 거야. 그냥 짓궂은 장난을 했다고 치는 거지. 나도 더 이상 둘의 관계를 문제 삼지 않을 테니 두 사람도 경찰에 신고한다든가 하지 말라는 거야. 어때? 그러니 그 종이에 각서를 하나 써줘."

"쓰겠습니다, 쓰겠습니다."

나는 서둘러 펜을 집었다.

"문구는 내가 불러줄게."

나는 펜을 더욱 굳게 쥐었다.

"모든 것을 용서한다. 그 어떤 용서 못할 일도 다 용서하니 여러분도 나를 용서해주길."

"어, 그건 너무 유서 같은데요?"

나는 항의했다.

"뭐, 관점에 따라서는 그렇게 볼 수 있는 여지도 있겠지."

사장은 입가를 슬쩍 올리며 웃었다. 그러고는 총을 들어 내 미간을 겨누었다.

"얼른 안 써?"

시키는 대로 쓸 수밖에 없었다. 이제 유서까지 있으니 그야말로 완벽해졌다. 나는 고개를 들어 사장을 바라보았다. 그제야 그가 달리 보였다. 그는 분노에 사로잡힌 오쟁이 진 남편이 아니었다. 그의 계획은 빈틈없고 완벽했다. 단 하나의 아귀도 어긋남이 없이 딱딱 맞아들어간다. 그러고 보면 영어의 플롯은 음모로도, 그리고 구성으로도 번역된다. 범죄자와 작가는 비슷한 구석이 있다. 은밀히 계획을 세우고 그것을 실행에 옮긴다. 계획이 뻔하면 덜미를 잡힌다는 점에서도 그렇다. 때로는 자기 꾀에 자기가 속는다는 점도 그렇지. 이 아파트에서 내가 쓰고 있던 소설은 정해진 플롯이라고는 없는 중구난방의 이야기라고 할 수 있었다. 반면 사장의 음모는 아주 짜임새 있는, 그러나 바로 그렇기에 저급한 추리소설의 냄새를 풍긴다. 그런데도 승자는 사장이라니. 이것은 혹시 잘 짜인 플롯이 결국에는 중구난방 요령부득의 서사를 이긴다는 것을 의미하는 것일까? 너무 비약인가? 나는 내 곁에서 조용히 죽음을 받아들일 준비를 하고 있는 영선을 바라보았다. 이 범죄 치정극의 마지막 퍼즐. 그런 소설에는 꼭 등장하는 절대 미모의 팜므 파탈, 그런데 이 여자. 너무 얌전하다. 죽음을 목전에 둔 사람치고는.

"잠깐만요!"

나는 손을 들었다.

"또 뭐야?"

"부인하고 약을 바꾸면 안 될까요?"

"왜?"

"똑같은 약이라면 바꿔도 상관없을 것 같아서요. 왜요? 안 되나요? 안 된다면 왜 안 되죠?"

사장은 인상을 찌푸렸다.

"후회하지 않을 자신 있어?"

영선은 약봉지를 움켜쥐고 내놓지 않았다.

"이리 내놓으시지."

나는 억지로 그녀의 약을 빼앗아 내 것과 바꾸었다.

"그런다고 결말이 달라질 거라고 생각해?"

사장이 물었다.

"그럴 수도……"

"음…… 당신의 문제가 뭔지 알아? 인생에 대한 진지함이 부족하다는 거야. 이게 지금 당신이 쓰고 있는 소설 속인 줄 알아? 여기서 당신은 작가가 아니라 등장인물이야! 종속변수라고. 알아?"

종이 봉지를 뜯자 흰 알약 하나가 굴러나왔다.

"자, 이제 약을 삼켜. 이번에는 정말 쏠 거야. 나 화장실 가야 되거든. 자, 셋 셀 동안에. 어서! 하나, 둘……"

그가 권총을 들어 나를 겨누었다. 나는 눈을 질끈 감고 약을 입안에 털어넣었다. 약은 혀에 닿자마자 쓴맛을 내며 녹기 시작한다. 이봐, 너구리. 내가 등장인물일 뿐이라고? 무슨 소리! 나는 언제나 내 인생이라는 난해하고 음란하고 해체적인 책의 저자였어. 이렇다 할 줄거리도 없고 누구도 출판해주지 않을 이야기의 주인공이기도 하지. 내가 종속변수라고? 천만의 말씀, 만만의 콩떡. 내가 바로 저자이고 일인칭 시점 화자이고 이야기의 종결자야. 너나 네 마누라가 아니라 내가 죽어야 끝나는 거지. 그래야 마지막에 '끝'이라고 쓸 수 있는 거라고.

그런데 왜…… 안 끝나지?

　나는 천천히 눈을 뜬다. 방이 조금 커졌다는 느낌이 든다. 아니, 아주 커졌다. 천장이 아주 높고 현관도 멀어 보인다. 어느새 아파트의 가구들도 모두 사라져 있다. 의자도, 침대도, 심지어 창문도 없다. 마치 감옥에 있는 것 같다. 저기 보이는 줄무늬, 저것은 철창인가, 아니면 벽지의 문양인가? 나는 고개를 돌려 사장이 있던 쪽을 본다. 사장의 모습이 이상하다. 서서히 변해가고 있는 것 같다. 정수리에서 붉은 볏이 자라나오기 시작하더니 입도 점점 튀어나와 짧고 날카로운 부리가 된다. 옆에서도 푸득푸득 하는 소리가 들린다. 영선 역시 변신 중이었다. 가느다란 팔은 날개가 되고 아름다운 발은 세 조각으로 나뉘어 갈라진다. 두 마리의 거대한 닭이 매서운 눈길로 나를 내려다본다. 나는 오금이 저려 점점 더 작아지고 방은 더욱 커진다. 구륵구륵구륵. 두 마리의 닭이 목을 울리며 기괴한 소리를 낸다. 구륵구륵구륵. 두렵다. 너무도 두렵다.
　……
　마침내 아득한 의식의 안개를 뚫고 하나의 문장이 서서히 형체를 드러낸다. 나는 그 문장을 소리 내어 읽는다.
　나는 옥수수가 아니다.
　나는 옥수수가 아니다.
　나는 옥수수가……

자선 대표작

김영하

그림자를 판 사나이

어린 시절에는 누구나 한 번쯤 이런 의문을 품는다. 저 별빛은 어디에서 오는가. 내가 태어나기도 전, 아니 내 할머니와 그 할머니의 할머니가 태어나기도 전에 생겨난 것일 텐데, 그렇다면 저 별은 도대체 지구로부터 얼마나 멀리 있는 것일까. 소년의 궁금증엔 해답이 없다. 그는 들고 있던 플래시의 불을 밝혀 별을 겨눈다. 이 빛도 언젠가 저 별에 가닿겠지. 내가 죽고 내 손자가 죽고 그 손자의 손자가 죽으면…… 물론 이런 가정은 터무니없는 것이다. 그렇게 약한 빛이 수만 광년을 날아가 반짝일 리가 없는 것이다. 그것보다 훨씬 더 강렬한 빛도 흔적 없이 사라지는 게 우주다.

어리석은 의문은 또 있다. 창공의 새에게도 그림자가 있을까? 저렇게 작고 가벼운 것에게 어찌 그림자처럼 거추장스런 것이 달려 있으랴 싶은 것이다. 그러나 새에게도 분명 그림자가 있다. 날아가는 새 떼를 보고 있노라면 가끔, 아주 가끔, 뭔가 검고 어두운 것이 휙 지나간다. 너무 찰나여서 신경을 곤두세우고 있지 않으면 잘 모르기 십상이다. 달이 해를 가리는 걸 일식이라 하는데 그렇다면 새가 해를 가리는 이런 현상은 무어라 할까. 물론 나는 모른다. 그렇지만 가끔 새 그림자가 해를 가리는 일도 있다는 걸 말해두고 싶은 것이다.

헬리콥터에서 내려다보면 날아가는 것들에게도 그림자가 있다는 것을 분명하게 알 수 있다. 검은 카펫을 닮은 형체가 지표면에서 넘실거리며 집요하게 따라붙는다. 그림자는 광원과 자신 사이를 가로막은 물체를 결코 놓치지 않는다. 빛을 가로막으면 그 뒤엔 그림자가 생긴다. 그리고 그 둘 사이엔 언제나 내가 있다.

제 그림자에 놀라던 소심한 어린아이는 어느새 자라 소설가가 되었다. 글을 써서 밥을 벌어먹고 살게 된 것이다. 아침에 일어나 조간신문을 읽고 자신을 위한 밥상을 차리고 창을 열어 안과 밖의 공기를 바꾸고 철 지난 음악을 듣는 삶. 얼마 전 옆집으로 이사 온 노인은 녹차에 밥을 말아먹으라 일러주었다. 차를 끓여 밥에 부어먹으라는 것인데 청외지처럼 너무 짜거나 맵지 않은 밑반찬을 곁들이면 좋다. 입맛 없는 봄날, 혼자 먹는 밥상에 그만이다. 간소한 식사가 끝나면 찻주전자에 뜨거운 물을 부어 차를 또 한 번 내린다. 선승의 공양처럼 깔끔하다. 그런 아침에도 마음을 살짝 흔들어놓는 것들이 있다. 이를테면 대학시절의 연애 상대가 신문에 나와 대학생활은 그저 암울했을 따름이라고 말한다든가 하는.

마당으로 나가면 담장 아래 철쭉들이 때늦은 추위에 짓눌려 잔뜩 웅크리고 있다. 담벼락에 줄줄이 꽂혀 있는 깨진 병조각들의 위세도 오늘따라 초라해 보인다. 벽과 담 사이엔 폐타이어와 빈 화분, 스티로폼 상자 들이 눈을 인 채 처박혀 있다. 언제 한번 다 들어내고 청소를 하긴 해야 할 테지만 그건 봄이나 되어야 가능한 일일 것이다. 마당 한쪽에 쳐둔 천막 아래엔 고물 자전거가 비를 긋는 처녀처럼 날카로운 자세로 서 있다. 그걸 꺼내 툭툭 안장의 먼지만 털고 대문 밖으로 끌고 나간다. 페달을 밟으며 앞으로 나아가자 찬바람이 볼을 때린다. 이월 말이니 봄이라고 하기엔 좀 이르다.

신문지와 전단지를 묶었던 끈들이 어지러이 널려 있는 보급소의 문을 밀고 들어간다. 부스스한 얼굴의 중년 여자가 미닫이문을 열고 내다본다. 이불이 허리에 걸쳐져 있다. 잠시 눈을 붙이고 있었던 모양이다.

"신문을 그만 봤으면 해서요."

자는 이를 깨워 미안했지만 오래전부터 마음먹고 있던 일이었다. 매일매일의 흉사에서 벗어나고 싶었다. 아침부터 마음이 어수선하면 하루를 그냥 공치는 게 작가의 일이다. 언젠가부터 신문들은 거의 모두 조간이 되어버렸다. 아침에는 신문을 보고 저녁에는 텔레비전 뉴스를 보는 것이 평균적인 사람들의 삶이다.

"주소가……"

보급소의 여자는 의외로 선선하게 절독 신청을 받아준다.

"34-2번집니다. 행복슈퍼 옆 붉은 벽돌집."

여자는 장부를 뒤적이더니 서비스 받은 것도 없으니 구독료만 정산하고 가면 된다고 했다. 나는 지갑에서 만이천 원을 꺼내 건네주고 영수증을 받았다. 여자는 내가 나가기도 전에 이불을 목까지 끌어당기며 문을 닫았다. 이렇게 간단할 줄 알았으면 진작 왔을 것을, 모두들 신문 끊기가 쉽지 않다고 하여 이제껏 망설여왔던 것이다. 나는 다시 자전거를 몰고 상가까지 나갔다. 앞 바구니에 양파와 카레 분말, 감자, 포장된 닭가슴살을 싣고 집으로 돌아왔다. 어딘가에서 아릿한 비린내가 풍겼다. 자전거를 멈추고 킁킁거리며 여기저기 냄새를 맡아보았다. 나에게서 나는 것은 아니었다. 마침 부스럭 소리가 들려 뒤를 돌아보니 털이 북슬한 더러운 개 한 마리가 음식물쓰레기 봉지 옆에서 눈을 번득이고 있었다. 나는 다시 페달을 밟았다.

집에 돌아와 닭고기를 저미고 양파를 썰고 물을 끓였다. 카레 분말을 곱게 개어 끓는 물에 붓고 한쪽에선 당근과 양파를 볶았다. 고소하고 맵싸한 냄새가 온 집 안에 풍겼다. 뜨거운 김이 모락모락 나는 밥에 카레를 부어먹었다. 저민 닭가슴살은 부드러웠고 당근도 몰캉몰캉 씹는 맛이 있었다. 그러다 한때 밥을 함께 먹던 사람들이 하나하나 생각나 울컥, 저 깊은 곳에서 무언가가 울렁거렸다. 그리고 심하게 어지러웠다. 식탁 위의 접시들마저 이리저리 움직이는 것만 같았다. 집 전체가 마치 달리는 지하철 안에 들어 있기라도 한 것처럼 가볍게 덜컹거렸다. 나는 숟가락을 놓고 눈을 감았다. 혼자 밥 먹은 게 하루이틀도 아니면서 왜 이래? 어린애도 아니면서! 마음이 조금 가라앉았다. 다시 숟가락을 들었다. 그리고 묵묵히 카레와 밥, 닭고기와 익힌 야채 들을 입속으로 퍼넣었다.

접시들을 개수대에 처박고 있을 때 전화벨이 울렸다. 앞치마를 두르려다 전화를 받으러 갔다.

"여보세요?"

"나야."

"……미경이?"

"응."

"오랜만이네."

"괜찮아?"

"뭐가?"

"방송 못 들었어? 진앙은 옹진반도에서 삼십 킬로쯤 떨어진 곳이래. 몰랐어?"

그거였군, 그 흔들림은.

"진도는 얼마래?"

"몰라. 이 점 몇이라던가 삼 점 몇이라던가."

"너네 집은 별일 없어?"

"고양이가 집을 나갔어. 지진 나기 직전에. 고양이 찾으러 나갔다가 휘청했지 뭐야. 빈혈인 줄 알았어."

"잘 지내지?"

"응."

"……"

"오늘 좀 만날 수 있을까?"

달력을 봤다. 마감이 코앞이었다. 그리고 어쩐지 미경을 만나면 모든 일이 꼬여버릴 것 같았다.

"글쎄……"

"왜? 바빠?"

"아니, 그냥. 마감이 있어서. 무슨 일이라도 있는 거야?"

"아냐, 괜찮아. 일은 무슨. 그냥 심심해서."

"마감 지나면 전화할게."

"그래."

전화는 끊어졌다. 이 년 만에 전화를 걸어온 오랜 친구한테 아무래도 좀 가혹한 응대였다는 생각이 들었다. 그렇지만 그녀와 나 사이엔 원래 서로 일정 거리 이상의 접근은 허용하지 않는다는 묵계 같은 것이 있어왔다. 원래 저런 친구가 아닌데, 아마 지진 때문이었을 것이다. 나는 앞치마를 둘렀다. 그리고 카레가 묻은 접시를 깨끗이 씻어 건조대에 올려놓았다. 미경의 전화가 마음 한구석에서 자꾸 서걱거렸다. 어쩌면 지진은 한갓 핑계였을지도 몰랐다. 그럼 고양이를 찾자고 부른 거였나. 하지만 나는 고양이를 끔찍하게 싫어한다. 찾으러 다니는 일은 더더욱. 고무장갑을 벗어 싱크대에 걸쳐놓고 책상 앞에 앉았다. 책상 위에 올려져 있는 십사 인치 텔레비전을 켰다. 지진 얘기는 어디에도 없었다. 바둑 두는 사람, 자반고등어의 맛을 보는 사람, 러닝머신 위에서 뛰는 사람들만 나왔다. 뉴스채널도 스포츠 소식만 전하고 있었다. 텔레비전을 껐다. 그때 다시 전화벨이 울렸다. 나는 수화기를 들었다.

"여보세요?"

"스테파노?"

"바오로구나."

"그럼 누구겠냐. 별일 없지?"

"응, 멀쩡해. 그냥 좀 흔들렸을 뿐이야."

"흔들려?"

"지진 얘기 하는 거 아냐?"

"지진이 났었나?"

"그럼 무슨 얘기야?"

"아니, 그냥. 안부."

"미사는?"

"다 지나갔어. 오늘 저녁은 우리 대빵이 들어가."

"잘 지내?"

"매일 똑같지 뭐. 오늘 저녁에 뭐 해?"

"마감이야. 내일모레까지 단편 하나 끝내야 돼."

"하나도 안 쓴 거야?"

"아니, 거의 다 쓰긴 했는데 좀 고치기도 해야 하고."

사실은 거의 새로 써야 할 판이었다.

"그래도 좀 보면 안 될까? 신부 말 안 들으면 벌 받아, 인마."

그 협박에 굴복한 건 아니었다. 그러나.

"그럼 우리 집으로 와."

"알았어. 술은 준비하지 마."

금방 후회했지만 이미 어쩔 수 없었다. 하루에 두 명이나 매몰차게 돌려세울 수는 없었다. 순서가 바뀌었더라면 아마도 미경과 만나게 되었을지도 몰랐다. 에라 모르겠다. 컴퓨터를 껐다. 소설이야 어떻게든 되겠지. 꺼진 모니터의 검은 화면에 내 얼굴이 비쳤다. 나는 눈을 질끈 감았다. 어디선가 피아노 소리가 들려왔다. 옆집의 여중생이 모차르트 소나타를 연습하고 있었다. 엄한 선생한테 배우는지, 얼마 나가지 못하고 번번이 같은 소절을 반복하고 있었다. 어릴 적 대나무 자로 손등을 때려가며 피아노를 가르치던 선생이 떠올랐다. 뚱뚱한 몸매에 볼품없는 턱을 가졌지만 신경은 언제나 날카로웠다. 어느 날 선생은 언제나 박자를 틀리는 한 남자아이의 뺨을 미친 듯이 때려댔다. 강습생 모두 공포에 질려 울었다. 남자아이의 엄마가 찾아오자 선생은 사과를 하기는커녕 거품을 물다가 기절해버렸다. 남자아이는 선생이 죽었다고 생각했다. 아이는 선생 곁에 무릎을 꿇고 대성통곡을 했다. 대성통곡이 효험이 있었는지 선생은 곧 깨어났다. 얼굴이 하얗게 질린 남자아이의 엄마는 피아노 선생이 던져주는 반달 치 강습료만 받아들고 집을 나섰다. 그로부터 여섯 달 후, 피아노 선생은 일본 남자와 결혼하여 오키나와로 떠났다. 엄마들은 아파트 복도에 모여 선생이 사이비 종교에 빠졌다고 수군거렸다.

바오로는 이른 저녁, 아직 해도 채 떨어지기 전에 왔다. 오른손에 발렌타인 병을 들고 있었다. 굵고 짙은 눈썹, 딱딱한 턱선 때문에 마치 엘리트 장교처럼 보였다. 그러나 발그레한 볼이 그런 딱딱한 인상을 중화시켜주었다. 그런 야누스적 풍모 덕이었는지 그는 여자애들에게 인기가 있는 편이었다. 여자애들은 편지를 보내고 그의 집 앞에서 죽치고 앉아 사람이 왜 그렇게 차갑냐며 엉엉 울었다. 짝사랑치고는 요란들 했다. 사춘기의 그 모든 난리법석은 그가 신학교에 들어가면서 끝이 났다. 그 뉴스는 너무나 충격적이어서 그가 원서를 낸 지 몇 시간 만에 온 성당에 알려졌다. 바오로가 신학교에 간대! 여자애들은 대놓고 훌쩍였고 남자애들은 입을 비쭉거렸다. 만인의 연인이 되겠다는 건가. 남자애들은 발치의 돌을 힘껏 차 굴렸다.

그러던 그도 서른다섯을 넘기면서 그런 아도니스적 매력을 잃어가고 있었다. 배도 나오고 턱선도 조금씩 무너지고 있었다. 눈의 총기는 희미해지고 가늘고 길던 손에도 살이 붙었다. 사파이어 반지가 손가락을 파고들고 있었다.

"앉아. 면 삶고 있으니까 뭐 좀 보고 있어."

나는 냄비에서 면을 건져 먹기 좋게 둥근 접시에 담아 미리 만들어 놓은 토마토소스를 얹어 내갔다. 동네 슈퍼에서 사온 마주앙 스페셜을 곁들였다. 포도주 마시는 게 직업인 그는 빤히 포도주병을 쳐다 보다 킥킥 웃었다.

"왜 웃어?"

"마주앙이 한국 천주교 공식 포도주잖아."

"그랬었나? 맛은?"

"좀 다르지, 아무래도."

포크에 면을 감아 돌리다가 문득 고개를 들어보니 그가 나를 빤히 보고 있었다.

"좋다."

"뭐가?"

"친구하고 스파게티 먹고 있으니까."

"왜 이래, 징그럽게."

그는 돌돌 만 면발을 입에 넣었다. 붉은 소스가 그의 베이지색 카 디건 깃에 튀었다. 나는 냅킨을 건네주며 슬쩍 찔렀다.

"너, 연애하냐?"

바오로는 아무 말 없이 씩 웃었다.

"그것도 직장인데, 너 그거 그만두고 뭐 먹고살 거라도 있나?"

"없지. 눈 깜짝할 사이에 무능력자가 되어버렸더군."

"원래 사제란 직종이 다 그렇잖아. 어느 사회든."

"나도 글 좀 써볼까?"

"글은 아무나 쓰는 줄 아냐?"

"사회적으로 무능력하기는 마찬가지잖아."

"무능력한 모든 인간이 글을 쓰는 건 아니야."

"하긴."

그는 마주앙을 홀짝거렸다.

"어떤 여자야?"

"대학생."

"미쳤구나."

"네가 무슨 생각 하는지 알겠는데, 그거하고는 달라."

"내가 무슨 생각 하는데?"

"무슨 생각을 하든, 하여튼 그건 아냐."

"그럼?"

"그냥, 내 미사 때마다 맨 앞에 와서 앉아 있어. 고등학교 때부터 그랬어."

"그게 전부야?"

"전부야."

"고백성사는 보러 안 와?"

"들어와. 그러곤 아무 말도 안 해. 말을 하라고 다그치면, 자기가 모르는 죄를 사해달래."

"예뻐?"

"예뻐. 청년단체들 엠티 갈 때 지도신부라고 따라가잖아. 한번은 청평으로 갔는데 추워서 강이 꽁꽁 얼었거든. 강 위에서 청년들이 썰매도 타고 게임도 하고 노는데, 신부님도 오세요, 그러면서 나도 끌고 들어가는데, 자꾸 걔만 보이는 거야. 그런 느낌 너는 알 거 아냐? 그 애가 지나가면 어떤 광채가 지나가는 것 같아. 그 애가 다른 남자애들과 장난을 치고 있으면 차마 볼 수가 없어. 하루는 배구를 하는데, 그 애가 내 앞에 있었어. 여자치고는 키가 큰 편이거든. 그 애가 블로킹을 하려고 점프를 할 때마다, 나 미쳤나봐, 청바지 속에 들어 있는 그 작고 단단한 엉덩이가, 올라갈 때는 잔뜩 긴장했다가 착지할 땐 살짝 출렁이잖아, 그런 게 보이는 거야. 아니, 느껴져. 마치 내가 손을 대고 만지고 있는 것처럼. 그런데 한번은 그 애가 점프를 했다가 넘어졌어. 옆에 서 있던 남자애들이 팔을 붙잡아 일으켜 주더라구. 그 애, 까르르 웃으며 일어나면서 글쎄 오른손으로 제 엉덩이에 묻은 흙을 툭툭 털어내는 거야. 다시 흔들리는 두 덩어리의 그……"

"너 좀 심하구나."

"나도 알아."

"근데 걔가 너 좋아하는 거 확실해?"

"아니면 평일 미사까지 꼬박꼬박 챙겨서, 그것도 맨 앞자리에서……"

"그건 그래."

"사실은 이메일도 보내와."

"내용은? 설마 자기 누드 같은 거 담아서 보내는 건 아니겠지? 날 좀 어떻게 해주세요, 신부님!"

그가 씁쓸하게 웃었다. 그의 굵은 눈썹이 마치 위험을 감지한 곤충처럼 살짝 일그러졌다. 그는 반쯤 남은 채로 식어가는 면발을 포크로 뒤적이며 말했다.

"스테파노, 너 요즘 상태 안 좋구나."

"내용이 뭐냐니까?"

"그냥 이런저런 얘기. 상담을 가장한 연서."

"자꾸 나오네. 딴 건 없어?"

"딱 한 번 술 같이 마셨어."

"잠깐만."

나는 식탁 위의 빈 접시를 치웠다. 그리고 간단하게 술상을 보아 응접실의 소파로 자리를 옮겼다. 그러는 동안 바오로는 멍하니 앉아 내 책장 쪽을 보고 있었다. 나는 그가 가져온 스카치위스키의 봉인을 뜯었다. 아무래도 맨정신으로 듣기에는 힘든 얘기였다. 하는 사람이야 오죽하랴.

"내가 신부 같다야."

"될 뻔했잖아."

"아냐. 나는 금방 그만뒀을 거야. 연애도 맘대로 못하고 그게 뭐냐."

"저녁 미사 끝나고 나면 무지하게 공허할 때 있거든. 할머니들 앉혀놓고 기계적으로 영성체하고 복음 읽고, 복사들 데리고 들어갔다 나왔다 하다가 사제관에 오면, 문득, 이 생이 이대로 끝난다는 생각이 목을 죄어오는 거야. 나는 젊다는 게 뭔지도 모르고 토마스 아퀴나스나 파다가 이십대를 보냈어. 그런 생각 하다 보니 갑갑해져서 옷 갈아입고 술집에 갔지. 바에 앉아서 막 병마개를 따는데 옆에 누가 와서 앉더라구. 걔였어. 확 향수 냄새가 풍기는데 그야말로 아찔하더군."

"굶고 사니 감각만 발달하는구나. 그래서?"

"성당 앞을 지나다 봤나봐. 아님, 미행을 했는지도 모르지. 어쨌든 둘이 말없이 앉아 술을 마셨어. 술이 좀 도니까 그 여자애가 조잘조잘 말을 하는 거야. 그 작은 볼로 숨이 드나들고 그 숨이 말이 돼서 내 귓가에 살랑거리는 게……"

"그래서, 잤어?"

바오로가 나를 빤히 쳐다봤다. 나 역시 그 눈길을 피하지 않았다. 거짓말을 하려고 망설이는 눈빛은 아니었다. 그는 고개를 저었다.

"아니."

"신부가 신자하고 자는 건 반칙이겠지? 네 등 뒤에 매달려 있는 예수 백으로 하는 거니까. 일종의 후광효과지."

"나도 알아."

"다행이다."

그는 소파에서 일어나 내 서가 앞으로 걸어갔다. 그러곤 손으로 책등들을 건성으로 훑었다. 드르르륵. 책들이 떨리는 소리가 들렸다.

"근데, 거기서 세실리아 봤어."

"세실리아? 미경이 말이야?"

"응, 혼자 와서 술 마시고 있더라구. 날 진작에 알아본 모양인데, 내가 어린 여자애하고 있으니까 등 돌리고 있었나봐. 화장실 가다가 딱 마주쳤어. 쪽팔리더구만."

"아침에 전화 왔었는데."

"그래?"

바오로가 몸을 돌렸다. 그때 문득, 새 그림자가 내 위를 획 지나가는, 차갑고 선뜩한 느낌이 덮쳐와 나는 천적을 만난 설치류처럼 몸을 조금 웅크렸다. 그는 그 어린 여자애 때문에 온 것이 아니었다. 아무 근거도 없이 그런 확신이 들었다. 미경이었다. 지진이 있었고 미경이 전화를 해왔다. 그리고 바오로는 우리 집에 와 있다. 이 모든 일이 우연은 아닌 것 같았다.

"맥주 없니?"

나는 냉장고에서 카스 캔을 꺼내 갖다주었다.

"잔도."

그는 내가 갖다준 잔에 맥주를 따르고 그 위에 살짝 양주를 부었다.

"사제관에서 먹는 방식이야. 근데 아침에, 세실리아가 별말 안 하디?"

"내가 바쁘다니까 그냥 다음에 보자고 하던데."

바오로와 미경이 화장실 앞에서 조우하는 사이, 어린 여자애는 슬며시 술집을 빠져나갔다고 했다. 미안해, 나 때문에. 미경이 사과했고 그는 괜찮다고 했고, 근 십 년 만에 만난 둘은 자리에 앉아 새로운 술을 시켜 마시기 시작했다는 얘기. 그건 너무나 자연스런 일이었다. 고등학교 때부터의 오랜 친구, 게다가 술까지 센 두 남녀가, 일대일로 만났으니 술 한잔하는 것이 문제될 것은 없었다. 게다가 미경은 고등학교 시절, 바오로를 향해 연정을 불태우던 그 수다한 여자애들 중에서 단연 발군이었고 결국 인생의 한 시기, 바오로와 연인으로 지내는 영광을 누렸다. 지금까지도 그걸 영광으로 생각하는지는 모르겠지만 그때는 그랬다. 여자애들은 그녀에 대한 루머를 퍼뜨렸고 소문 속에서 미경은 수십 번 애를 낳고 유기했다. 전교 일이등을 다투는데다 미모까지 출중한 여자애가 인기 제일의 남자애와 사귀고 있었으니 그럴 법도 했다.

바오로와 나, 미경은 곧잘 함께 어울려 다녔다. 미경과는 바오로 얘기를 했고 바오로와는 미경이 얘기를 했다. 나는 아무것도 아니었지만 그랬기에 둘과 별 마찰 없이 지낼 수 있었다. 질투가 전혀 없었다면 거짓말이겠지만 그건 엄밀히 말하면 미경이라는 특정한 여성에 대한 욕망이 아니라 그런 관계에 대한 선망이었다고 할 수 있다. 사춘기에만 가능한 그 낯간지러운 진지함이 나는 부러웠다. 물론 미경은 예뻤다. 분명한 의지를 드러내는 콧날에 동그랗고 검은 눈동자가 어우러져 마치 네덜란드산 도자기인형 같았다.

　　"미경이가 그 동네에 살아?"

　　"친정이 그 동네잖아. 왔다가 들렀대."

　　"아, 맞다. 근데 남편은 어쩌고?"

　　나는 미경의 남편도 알고 있다. 그냥 알고 있는 정도가 아니라 한때 꽤 친했다. 그랬으니 미경에게 소개도 해주었겠지. 바오로가 신학교에 가겠다고 선언하자 미경은 더 이상 바오로 앞에 나타나지 않았다. 그리고 상당히 높은 점수가 필요한 대학에 여유 있게 진학했다. 딱 한 번, 신학교 기숙사가 오픈하우스 행사를 하던 어느 봄날에 나와 함께 바오로를 만나러 간 적이 있었다. 그때도 바오로는 그녀를 세실리아라 불렀다. 그들의 관계는 성당 주일학교에서 시작되고 끝났으므로 그게 자연스러웠다. 그러나 나는 대학에 들어가서도 미경과 자주 만났고 간혹 남자를 소개해주거나 내 친구들과 어울려 술을 마시고 놀았으므로 더 이상은 세례명으로 부를 수 없었다. 그 봄날, 미경은 바오로가 자는 방의 침대에 앉아 시트를 손으로 쓸어보고 있었다. 마치 바오로의 무언가를 가져가겠다는 듯이. 그것은 일견 에로틱한 장면이어서 바오로와 나는 짐짓 그녀를 외면한 채 애써 쾌활하게 봄을 맞은 교정의 아름다움에 대해 떠들어대고 있었다.

"그만 나가자. 답답하지 않니?"

우리 셋은 교정으로 나가 벚나무 아래 벤치에 앉았다. 바람이 불 때마다 꽃잎이 떨어져 날렸다. 그중 하나가 미경의 블라우스와 쇄골 사이 틈으로 떨어졌다. 그녀가 숨을 쉬자 꽃잎이 그녀의 가슴속으로 내처 들어가버렸다. 나는 아무 말도 하지 않았다.

"뭘 좀 마실까?"

나는 자진하여 음료수를 사러 나갔다. 둘은 말리지 않았다. 내가 일어나자 그들도 일어나 벚나무 아래를 걸었다. 미경에겐 묻고 싶은 게 있었을 것이고 바오로에겐 답하고 싶은 게 있었을 것이다. 신학교의 교정은 그걸 하기에 적당한 곳이었다. 그들이 그날 나누었을 내밀한 대화를 나는 애써 캐내지 않았다. 그러지 않아도 그들 인생의 궤적을 통해 자연스럽게 알 수 있었다. 뭐 별거 있었겠는가. 가정을 만들기 두려워하는 남자, 지나치게 형이상학적 고민이 많은 남자와 그걸 이해하는 척해야 하는, 자기가 또래의 그 누구보다도 통제력이 강하고 지적이라고 믿고 있는 여자는 벚꽃 흩날리던 교정에서 풋사랑의 여운을 곱씹으며 서로의 앞날을 축복했을 것이다. 그리고 그 후로 그 둘은 서로 어떤 인연도 맺지 않았다. 가끔 우연이 그 둘을 마주치게는 하였으나 그게 전부였다.

셋이 정식으로 다시 만난 것은 미경의 결혼식이었다. 식장은 서초동 성당이었는데 하객이 많았다. 신부는 아름다웠다. 고등학교 때처럼 예쁘지는 않았지만 하얀 웨딩드레스 안에 들어 있어 얼굴이 앙증 맞아 보였다. 미경의 남편은 내게 다가와 양복을 사주겠다고 말했다. 나는 그러지 않아도 된다고 했다. 그는 돈이 굳었다며 좋아했다. 식이 끝나자 그들은 〈한여름 밤의 꿈〉에 맞춰 힘차게 팔짱을 끼고 걸어나왔다. 둘은 행복해 보였다. 미경의 남편, 홍정식은 이미 공인회계사 시험에 합격하여 회계법인에서 연수를 겸하여 근무하고 있었다. 미경 역시 대학 졸업과 동시에 여의도에 있는 라디오 방송국에 프로듀서로 입사했다. 그야말로 잘나가는 선남선녀의 만남이었다. 피로연장에서 갈비탕을 먹고 있는 우리에게 다가와 미경과 정식이 반갑게 인사했다. 우리는 그들의 행복을 빌어주었다.

"애 낳으면 영세 받으러 갈게."

미경이 농담을 걸자 아직 부제였던 바오로가 웃었다. 그러나 정식은 웃지 않았다.

"너네 본당 놔두고 왜 애한테 오냐? 그나저나 정식아, 잘해 인마. 너 땡잡은 거야. 회계사 주제에!"

정식은 그제야 웃었다. 그의 아버지는 시골 고등학교 교사였다. 그나마도 무슨 일인가로 때려치운 후, 그가 대학에 갈 무렵에는 농사를 짓고 있었다. 늘 새로운 농법을 시도했기에 부침이 심했다. 그는 어렵게 대학을 졸업했고 그래서 더더욱 회계사 시험에 매달렸다. 그리고 결국 시험에 패스했다. 좀 재미없는 녀석이었지만 이상하게 나와는 친하게 지냈다. 1987년도에 시위가 전국을 휩쓸 때에도, 대학 정원의 칠십 퍼센트가 교문 앞에 모여 있을 때에도 그는 도서관에 있었다. 그의 유일한 낙은 소설 읽기였는데 숫자와 재무제표에 지칠 때면 문학상 수상작품집이나 문예지를 읽었다. 훗날 자신이 권해주는 소설이나 겨우 읽던 내가 작가가 되자 그는 가장 먼저 축하 메시지를 보내왔다.

"작가가 되었다는 소식 듣고 내 일처럼 기뻤다. 부디 좋은 작품 써서 나같이 방황하는 청춘들을 구원해주렴."

나는 그가 방황했다고 한 번도 생각해본 적이 없었는데 소설을 읽던 그 시간들이 그로서는 꽤나 힘겨운 시간이었겠거니 생각하니 조금 쓸쓸해졌다. 게다가 아직도 문학이 '방황하는 청춘을 구원'할 수 있다고 믿고 있는 모습이 새삼 감동적이었다. 편지의 말미에 그는 어느 나라 민요에서 따온 구절이라며 이런 글을 덧붙였다.

"별은 빛나고 우리들의 사랑은 시든다. 죽음은 풍문과도 같은 것. 귓전에 들려올 때까지는 인생을 즐기자."

아마 미경과 연애할 때에도 그 말을 써주었을 것이다. 생긴 건 럭비선수처럼 건장했지만 내면은 소심하기 짝이 없던 그는 소설과 시의 갈피갈피마다 밑줄을 긋고 그걸 노트에 베껴쓴 후, 지하철에서 남몰래 그 구절들을 외우는 버릇이 있었다. 회계법인에 들어간 후로도 한동안은 문학에 뜻을 두고 소설깨나 써왔던 것 같은데 어느 순간, 아마 내가 작가가 된 직후일 텐데, 문학에는 관심을 끊었다. 그들 부부의 집에 초대받아 가면 그는 여전히 문학을 화제에 올렸지만 모두 오래전에 나온 책, 이제는 활발히 활동하지 않는 작가들이었다.

"그래도 네 건 읽어."

"장하다."

그들의 살림집은 아담했다. 둘의 수입이 상당했으므로 그들은 얼마 되지 않아 강남에 작은 아파트를 마련할 수 있었다. 몇 년 지나지 않아 미경은 자기 프로그램을 맡았고 정식은 점점 더 바빠졌다. 연말이라도 되면 부부끼리도 밥 한 끼 같이 먹기 어려울 만큼 바빴다. 그때쯤부터는 나한테도 연락이 오질 않았으므로 나는 서서히 정식과 소원해졌고 당연히 친구의 아내와도 그렇게 되었다. 미경이 만드는 라디오 프로그램을 들을 때도 있었지만 프로그램 어디에서도 그녀의 냄새는 찾을 수 없었다. 고등학교 때 자주 듣던 노래라도 하나 틀어주었으면 했지만 한 번도 그런 적은 없었다. 언제부턴가 미경은 십대 아이돌 스타들이 진행하고 또 그런 애들이 출연하는 저녁 시간대의 음악방송만 맡고 있었다. 내가 더 이상은 들을 수 없는 그런 방송들을. 그렇게 우리는 자연스럽게 멀어져갔다. 하긴, 고등학교 주일학교 친구를 서른이 넘어서까지 만난다는 것은 부자연스런 일일 것이다. 나는 점점 더 작가와 출판사 관계자들만 만나는 사람이 되어갔다.

무언가 우당탕 넘어지는 소리가 났다. 발렌타인 병이 쓰러져 쿨럭쿨럭 내용물을 토해내고 있었다. 나는 병을 다시 세우고 휴지로 탁자를 닦았다. 바오로는 벌써 심하게 취해 있었다. 눈은 이미 풀렸고 자세도 허물어지기 직전이었다. 폭탄주 때문일 것이다.

"나, 미경이하고 잤다."

커다란 새가 날개를 펼치고 내 머리 위를 지나갔다. 어느 정도 예상했으면서도 나는 힘이 쭉 빠졌다.

"왜 그랬어? 그러면 안 되잖아."

"그럴 수밖에 없었어. 미경이가 너무 불쌍해서, 그것 말고는 어떻게 해줄 수 있는 게 없어서, 그래서 그랬어. 야, 씨팔, 그럼 어떻게 하냐. 불쌍한데."

"그래, 알았어. 뭐가 그렇게 불쌍한데? 과부라도 된 거야?"

"넌 몰라도 돼. 아니, 몰라야 돼."

그는 세차게 고개를 젓더니 노적가리 쓰러지듯 소파에 뻗어버렸다. 나는 스트레이트 잔에 술을 따라 단숨에 들이켰다. 그렇게 되었구나. 그렇게 될 거였구나. 그렇게 되지 않으면 안 될 것이었구나. 그러려고 그렇게…… 나는 화장실에 가서 오줌을 누고는 비척비척 침대에 가 몸을 뉘었다.

아침이 되자 그는 이미 사라지고 없었다. 거실 탁자도 깨끗했다. 술잔과 술병은 모두 싱크대에 옮겨져 있었다. 나는 바닥에 떨어진 것들을 주워 쓰레기통에 넣었다. 그는 너무 많은 걸 흔들어놓고 가버렸다. 아마 며칠은 소설에 손도 대지 못하리라. 그러다 보면 마감도 지키지 못할 텐데. 나는 잡지사에 전화를 걸어 이번 계절에는 소설을 넘기지 못할 것 같다, 정말 미안하고 죄송하다고, 수화기에 대고 머리를 조아렸다. 편집부에선 아직 며칠 시간을 더 줄 수 있는데 왜 이러냐며, 이번 호는 가뜩이나 소설이 없어서 난리인데 당신마저 그러면 안 된다며 붙잡았다. 마음 약한 나는 결국 그럼 다시 한 번 써보겠다고 말했지만 속은 영 개운하지 않았다. 숙취, 지킬 가망 없는 약속, 혼자만 간직해야 하는 비밀. 모두 지긋지긋한 것들이었다.

나는 집 밖으로 나갔다. 속이 쓰렸지만 차가운 공기를 마시니 좋았다. 개천가에 만들어놓은 보도를 따라 걸었다. 자전거와 인라인스케이트를 탄 사람들이 바람을 일으키며 나를 앞서갔다. 힘이 좋은 시베리안 허스키 종의 개 한 마리가 주인을 거의 끌고 가다시피 하고 있었다. 개는 잠시 내 발치의 냄새를 킁킁거리며 맡더니 금세 흥미를 잃고 다시 주인을 끌고 앞서나갔다. 어깨가 시려오기 시작했다. 사람들은 산책로에서도 하나같이 활기찼다. 모두 뛰거나 바삐 걸으며 어딘가로 가고 있었다. 다리 밑까지만 갔다가 다시 돌아오리라. 나는 속도를 조금 높였다. 다리 밑에 다다르니 못 보던 천막이 하나 쳐져 있었다. 사오인용 주황색 천막 안에선 불빛이 흘러나왔다. 누군가가 있는 것이었다. 두런두런 말소리도 들려왔다. 밤이면 몹시 추울 텐데 용케도 여기서 버텼다 싶었다. 나는 주머니에 손을 꽂고 한참이나 그 천막을 내려다보고 있었다. 부욱, 지퍼가 열리며 남자가 얼굴을 내밀었다.

"뭐야?"

남자는 노골적으로 적의를 드러내고 있었다. 나는 당황하여 손을 내저었다.

"아닙니다. 그냥 지나가다가……"

열린 틈으로 여자의 얼굴도 얼핏 비쳤다. 스물이나 되었을까. 어려 뵈는 얼굴에 약이라도 먹은 듯 눈이 풀려 있었다. 세상 어떠한 것에도 관심이 없는 눈길이었다. 추운 줄도 더운 줄도 모를 얼굴로 그녀는 잠시 나를 응시하더니 다시 고개를 안으로 쑥 집어넣었다. 자전거를 탄 어린아이들이 나와 그들 사이를 가르며 지나갔다. 그 틈을 타 나는 집 쪽으로 되돌아가기 시작했다. 내 등에 대고 남자가 뇌까렸다.

"미친놈."

'여기서 한강까지 4.5km.' 개 한 마리가 표지판 밑동에 오줌을 갈기고 있었다. 나는 집으로 돌아와 따뜻한 물을 받아 몸을 담갔다. 괜히 아침부터 욕을 얻어먹었다는 생각에 누구에게랄 것도 없이 화가 났다. 나는 욕조에서 발로 물을 첨벙거리기 시작했다. 물이 사방으로 튀었다. 거울에도 변기에도 수납함에도 수건걸이에도 비눗물이 튀었다. 나는 손으로도 물을 튀겨올렸다. 그리고 있는 힘을 다해 소리를 질렀다. 아아아아아!

욕조에서 나와 몸을 닦고 간단한 아침을 먹었다. 옷장에서 마른 수건 몇 장과 건조대에 말려둔 걸레를 집어들고 욕실에 들어가 청소를 했다. 내가 하는 일이 이렇다. 화도 제대로 못 내고 혼자 저지른 일, 아무도 모를 일이나 조용히 뒷감당을 한다. 알고 보면 다들 별다르지 않을 것이다. 하고 싶은 대로 하고 사는 사람 몇이나 되냐. 그건 엄마의 말버릇이었다. 그렇지만 엄마는 대체로 하고 싶은 걸 다 하고 살았다. 남편도 셋이나 두었고, 여행이며 쇼핑이며 대체로 아무 생각 없이 저지르고 보는 스타일이었다. 이상한 것은 그렇게 살고도 별로 끝이 험하지 않았다는 것이다. 엄마는 헤어진 남편들에게 언제나 당당하게 생활비나 여행비, 쇼핑 대금 대납을 요구했다.

"내가 잘 살아줘야 다들 편한 거 아냐?"

엄마가 그렇게 말하면 다들 꼼짝을 못했다. 죄의식이 없는 여자에게 남자들은 약했다. 결혼을 마치 홈쇼핑처럼 여기는 여자를 어찌 당하랴. 엄마는 결혼이라는 제도의 소비자였다. 언제나 턱을 당당하게 쳐들고 자기 권리를 요구했다. "물러줘." "망쳐놨으니 책임져." 엄마는 그 몇 마디로 평생을 대체로 잘 살았다. 자식에 대해서도 별다르지 않았다. 나로선 편한 면도 있었다. 이를테면 엄마는 내 결혼을 결코 재촉하지 않았다.

"너 좋을 대로 해. 결혼, 그거 남자한텐 손해야."

내가 아파트 전셋값이라도 요구할까봐 엄마는 늘 전전긍긍했다. 내가 지금껏 결혼하지 않은 게 엄마 탓만은 아니지만 그렇다고 전혀 책임이 없다고는 할 수 없었다. 엄마는 끝없이 요구하는 빚쟁이, 입을 벌리며 달려드는 아귀라는 흥미로운 여성상을 보여주었다. 내가 소설가가 되었다는 소식을 전하자 엄마는 자기가 아는 얼마 안 되는 영어단어를 다 동원하여 축하했다.

"브라보, 굿! 유어 마이 릴리 릴리 그레이트 썬!"

그리고 이렇게 충고해주었다.

"여자들을 위하는 문학을 하렴. 그럼 일생이 평탄할 거야. 여자는 아름답게 그려주고 남자들은 죽일 놈들로 만들어. 그럼 아무도 널 미워하지 않을 거다."

가끔 엄마의 그 이상한 충고를 생각하면 묘한 기분에 빠져든다. 여자를 위하는 문학? 그런 게 있기는 한 걸까? 엄마, 살아 있었다면 남편을 둘은 더 갈아치웠을 엄마. 잠재적 경쟁자인 모든 여자에 대해 험담을 아끼지 않던 그녀는 미경에 대해서도 좋은 말을 하지 않았다. 대학시절, 카페에서 우연히 마주친 엄마는, 엉덩이를 들이밀고 앉아 미경과 맥주 몇 잔을 나누어 마시다가 그녀가 화장실에 간 사이, 입이 석 자는 나와 있는 내게 짤막한 인물평을 남겼다.

"실속은 없을 상이야. 똑똑한데 남자 복이 없어. 지 속만 태우다 사십도 되기 전에 얼굴이 쭈글쭈글해질 거야. 엄마 말 틀리나 봐라."

애인이 아니라는 말은 아예 듣지도 않고 엄마는 만나기로 한 남자들과 어울려 카페를 나갔다. 물론 맥주 값도 내지 않은 채였다. 미경역시 엄마에 대한 우회적인 평을 날렸다. 야, 너네 엄마, 끝내준다! 근데 엄마 맞아? 무슨 엄마가 이모 같아? 나는 얼굴이 벌게져 맥주만 들이켰다. 미경과 어떻게 해볼 생각도 없었지만 막상 엄마의 말을 듣고 보니 뭔가 모욕을 받은 느낌이었다.

욕실 청소가 모두 끝났다. 나는 텔레비전 앞에 앉아 이리저리 채널을 돌려가며 시간을 보냈다. 써야 할 소설은 머릿속에서 맴돌기만할 뿐, 구체적인 인물을 보여주지 못하고 있었다. 그렇게 밤이 되었고 다시 아침이 되었고 또 밤이 되었다. 출판사 편집부에서 전화가두 통 왔을 뿐, 아무도 날 찾지 않았다. 나는 수화기를 들고 미경에게전화를 걸었다.

"여보세요?"

"나야."

"정말 전화했네. 안 할 줄 알았는데."

"볼까?"

"그래."

미경은 먼저 나와 기다리고 있었다. 우리는 커피를 마시며 그녀가새로 맡은 프로그램이며 내 소설에 대한 얘기를 나누었다. 그녀는라디오에서 텔레비전 쪽으로 옮겼다고 했다. 교양제작국으로 소속이 바뀌어 좀 바쁘다고 했다. 오랜만에 본 그녀의 얼굴은 정말 충격적이었다. 나는 엄마의 예언을 생각하지 않을 수 없었다. 이제 서른다섯이어야 할 그녀의 얼굴은 족히 마흔다섯은 되어 보였다. 확연하게 드러나는 눈주름, 힘없이 처진 볼, 퀭하고 어두운 눈, 윤기 없이 부스스한 머리카락을 보면 누구라도 나처럼 생각할 것이었다. 나름 대로 명랑하게 떠들어대고 있었지만 연신 다리를 떨고 있는 것으로 보아 뭔가 심각한 문제가 있는 것 같았다. 나는 손을 들어 그녀의 말을 제지했다.

"미경아."

"응?"

"이런 얘기 때문에 만나자고 한 건 아니지?"

"글쎄, 나도 잘 모르겠어. 내가 널 왜 만나자고 했을까?"

"자리를 옮길까?"

나는 그녀를 내 차에 태워 강변으로 데리고 갔다. 그녀는 더 이상 내 얼굴을 마주하지 않게 된 게 편안한 모양이었다. 나는 라디오를 켰다. 진행자는 브라질 음악을 소개하고 있었다. 브라질을 흔히 삼바의 나라라고 하지요. 오늘 그 정열의 나라로 떠나볼까요?

"미경아, 왜 정식이 얘기는 안 해?"

미경이 신비한 자연현상이라도 본 것처럼 내 얼굴을 빤히 들여다보았다. 증오, 분노, 이해 불가능, 애처로움, 체념과 같은 감정들이 그녀의 눈빛에 드러났다가 빠르게 사라져갔다.

"너…… 몰라?"

"뭘?"

"아, 몰랐구나. 그랬구나. 바보, 왜 넌 알고 있을 거라고 생각했지?"

그녀는 차창에 머리를 가볍게 부딪쳤다.

"난 그런 줄도 모르고 네가 잔인하다고 생각했어. 뭐 마감? 나쁜 자식. 그게 그렇게 중요해? 이러면서 너 되게 미워하고 있었어."

나는 라디오를 껐다. 삼바가 사라지고 적막이 찾아왔다. 데자뷰. 옛날에도 이런 순간들이 있었다. 미경은 찾아와 울고, 들어보면 바오로 얘기였다. 바오로가 찾아와 우는 때도 있었는데 들어보면 미경 얘기였다. 그들은 털어놓아야 할 뭔가가 있었다. 나는 그들이 부러웠다. 나에겐 누군가의 영혼에 어둠을 드리울 그 무언가가 없었다.

"내가 요즘 뭐 만드는지 알아?"

그녀는 핵심으로 나아가지 않고 화제를 돌렸다.

"다큐멘터리 만든다면서?"

"응."

"무슨 다큐야? 날아가는 철새라도 찍는 거야?"

"아니."

"그럼?"

"1994년, 영광군의 어느 국도변에서 가로수를 들이받은 차가 있었어. 화재가 발생해서 운전자는 즉사했고 차는 전소됐지. 운전사는 해산물 도매업자였어."

"그런데?"

"경찰은 사고 원인을 운전 부주의로 결론짓고 사건을 종결했어. 또, 1997년 제주도 순환도로에 세워져 있던 렌터카에서 화재가 발생했어. 신혼부부였는데 남자는 차 안에서 불타죽고 여자는 전신에 화상을 입고 도망쳐나왔는데 지금 정신병원에 있어."

뜬금없는 이야기였다. 나는 그런 끔찍한 얘기는 본래 질색이었다. 미경은 창밖으로 담배연기를 훅 내뿜었다.

"참, 우리 집 고양이 돌아왔어."

"그래?"

"근데 다리를 절어. 나갔다가 어디서 떨어졌나봐. 바보 같은 녀석. 세상엔 참 알 수 없는 일들이 많아."

"설마 〈엑스파일〉 같은 거 만드는 건 아니겠지?"

"〈엑스파일〉 좋아해?"

"아니, 난 로맨틱 코미디가 좋아. 투닥거리지만 마지막엔 모든 게 용서되잖아."

"미안해, 이런 얘기해서……"

"괜찮아."

"2001년에 강원도 평창군의 한 목장에서 소를 돌보던 남자가 화상으로 사망했어. 주변에 인부들이 여럿 있었는데 증언이 희한해. 소들이 갑자기 펄쩍펄쩍 뛰며 달려오기에 봤더니 그 남자가 온몸에 불이 붙어 고통스러워하더라는 거야. 그 남자의 주머니에선 어떤 발화물질도 나오질 않았어. 휘발유나 시너 같은 것도 검출되지 않았고. 그런데 그 남자는 뭘 뒤집어쓰기라도 한 것처럼 순식간에 불길에 휩싸여 죽어버린 거야. 그 남자의 팔과 다리는 채 불타지 않고 남았대."

"정말 끔찍하다."

나는 숨을 몰아쉬며 절레절레 고개를 저었다. 미경은 버튼을 눌러 차창을 열고 바깥 공기를 들이마셨다. 수족관의 물고기처럼 뻐끔거리며.

"2002년 가을엔 야근을 하고 나오던 한 회계사가 지하 주차장에서 차를 빼다가 역시 차 안에서 불에 타 숨졌어."

어린아이들이 연줄을 잡고 우리 앞을 뛰어 지나갔다. 연은 별로 하늘 높이 날지도 못한 채 아이들의 손에 이끌려 이리저리 펄럭였다. 아이들과 연이 시야 밖으로 나가버리자 강변은 다시 고요해졌다. 어쩐지 통속적인 TV 드라마 속에 들어와 있는 느낌이었다.

"그 회계사, 너도 알고 나도 아는 사람이야."

나는 미경의 손을 잡았다. 그러는 게 예의라고 생각했다. 그녀의 눈물이 담배에 떨어져 담배 허리가 젖어들었다. 곧이어 손등에도 눈물이 떨어졌다.

"도대체 어떻게 된 거야?"

"조사 중이야. 근데 희한한 건, 발화점이 이상하게도 사망자의 심장 부근이라는 거야. 있을 수 없는 일이거든. 그런데 그렇대. 안에서부터 타들어가면서 몸 전체를 태우고 그게 자동차나 집을 태운 거야. 그것도 순식간에."

"설마."

"보통 화상을 당하면 피부가 가장 큰 손상을 입는데 이런 경우엔 내부 장기가 더 심한 손상을 입는다는 거야. 안 믿어지지? 나도 그랬어. 우리들은 이런 사건을 자연발화라고 불러. 라이터도, 휘발유도 없이 그냥 한 인간의 내부에서 불이 타올라 모든 걸 태워버리는 거야."

"미경아. 나 좀 봐."

미경이 젖은 눈으로 나를 바라보았다. 나는 조심스럽게 물었다.

"너, 요즘 회사 나가지?"

미경이 고개를 끄덕였다. 그리고 억지로 웃어 보였다.

"나 정상이야. 네가 그렇게 생각하는 것도 무리는 아니야. 근데 미국에서 이런 유형의 사건에 대한 다큐가 만들어진 적이 있어. 어떤 카우보이는 사람들이 모두 지켜보는 가운데 갑자기 불길에 휩싸여 죽었어. 사람들이 달려들어 담요로 불을 껐지만 역부족이었어. 역시 손과 발, 머리는 별로 타지 않은 채로 남았어. 우리가 그냥 단순한 화재로 알고 있는 사건 중에는 분명 이런 사건들도 섞여 있어. 누군가 운전대를 잡고 콧노래를 흥얼거리며 가다가 갑자기 불길에 휩싸이는 거야. 그럼 가로수를 들이받고 쾅. 보험회사 조사팀과 경찰 교통사고 조사반은 운전 미숙으로 인한 추돌사고로 정리하는 거지. 그런데 아까 그 해산물 도매업자의 차에는 연료가 거의 남아 있지 않았어. 신혼여행 중이었던 그 신부, 정신병원에 있다는 그 여자는 지금도 자연발화를 주장하고 있어. 갑자기 신랑의 몸에서 불이, 마치 휴대용 가스버너가 폭발하듯 타올랐다는 거야."

"정식이는?"

"역시 연료가 거의 없었어. 야근이 계속돼서 기름 넣을 시간도 없이 바빴거든. 너도 알잖아. 정식이는 담배도 안 피웠어. 주차장 폐쇄회로 화면을 봐도 외부에서 접근한 흔적은 없어. 그냥 정식이는 가방을 들고 차에 올라타 시동을 걸었어. 잠깐 예열을 하고 차를 몰고 앞으로 나오는데 차가 멈추더니 잠시 후 차에서 연기와 화염이 보여. 그리고 나오지도 못하고……"

미경은 더 이상 말을 잇지 못했다. 나는 미경의 어깨를 감싸안으며 함께 울어주었다. 아무런 죄도 짓지 않고 성실하게 하루하루를 살던 남편이 제 속에서 타오른 불길로 죽었다는 걸 어떻게 쉽게 받아들일 수 있겠는가. 미경의 어깨를 안고 있으면서도 나는 핑크플로이드의 앨범, 《Wish You Were Here》의 표지를 생각하고 있었다. 몸에 불이 붙은 한 남자와 멀쩡한 한 남자가 황량한 거리에서 악수를 하고 있는 그림이었다. 당시의 우린 모두 핑크플로이드와 그 앨범을 사랑했다.

"그래도 회사에서 너한테 이런 프로그램을 맡긴 건 좀 온당치 못하다는 생각이 드는데."

"맞아. 다큐 만든다는 건 거짓말이야. 생각만 해도 온몸이 벌벌 떨리는데 어떻게 만들어. 너무 우중충한 소재여서 아마 내가 하겠다고 해도 회사에서는 오케이 안 했을 거야."

"그렇게 몹쓸 회사는 아니구나."

"그냥 나 혼자 알아보고 있어. 나 말고도 꽤 돼, 그런 사람들이. 모여서 정보도 교환하고 피해자 주변 사람들도 만나보고 그래. 모두 그런 거라도 안 하면 안 되는 사람들이야. 근데 모여서 맨날 불, 불, 불 얘기만 하니까 힘들었어."

"나한테도 불 얘기만 하고 있잖아."

"그랬나?"

미경이 피식 웃었다. 나는 바오로 얘기는 하지 않았다. 그럴 만했으니 그랬을 것이다. 세상에는 알 수 없는 일들도 많고 말할 필요가 없는 일들도 많다. 어느새 하늘에는 별이 보이기 시작했다. 여의도의 불빛이 많은 별을 집어삼켰지만 그래도 몇몇 행성과 항성들은 살아남아 오래전에 쏘아보낸 그 빛들로 반짝이고 있었다.

"그이가 죽고 나니까 문득 그 사람에 대해서 아무것도 몰랐다는 생각이 들더라구. 그냥 착한 사람이었다는 거, 애를 갖고 싶었지만 끝내 못 가졌다는 거, 아버지를 무척이나 좋아했다는 거, 야구라면 사족을 못 썼다는 거. 그 정도야. 허깨비랑 살았다는 기분이야."

"묘는 어디야?"

"납골당이 있어. 파주 쪽에."

"언제 같이 가자."

미경이 내 손을 꼭 잡아왔다. 바닥은 축축하고 등은 거칠었다.

"안 돼."

"왜 안 돼?"

"같이 가면, 너 나랑 결혼해야 돼."

미경은 처음으로 활짝 웃었다.

"미쳤구나."

"거 봐, 안 되잖아. 그러니까 너 혼자 가."

이것도 데자뷰. 똑같은 일이 그 옛날에도 있었다는 생각이 든다. 그러나 정식이 죽은 것은 처음이다. 그리고 마지막이다. 그러니 그랬을 리는 없는 것이다. 그런데도 어쩐지 이 일이 처음이 아닌 것만 같다. 나는 고개를 젓는다. 그리고 아무 말 없이 빌딩 위에서 빛나는 행성들을 바라본다. 나는 씩 웃으며 차에 시동을 건다. 부르릉. 뭔가 활기가 생기는 느낌이다.

미경을 바래다주고 집으로 돌아오는 길에 문득, 미경과 살아보는 것도 나쁘지 않겠다는 생각이 들었다. 막상 함께 지내보면 까짓, 아무것도 아닐 것이다. 같이 아침 먹고 바쁜 그녀를 출근시키고 녹차를 마시고 소설을 쓰고 음악을 듣고 퇴근하는 그녀와 저녁을 먹는 것이다. 오늘 많이 썼어? 그녀가 물으면 나는 그녀가 나간 사이에 쓴 소설들을 보여주리라. 우리 둘 다, 더 이상은 어떤 것에도 흔들리지 않으며 한동안 살아갈 수 있으리라. 그렇게 누군가와 옥닥복닥 부대끼며 지내다 보면, 어쩌면 내게도 그림자가 생길지 모른다. 그렇게 멋진 그림자가 생기면 사제관으로 불쑥 찾아가 얄밉도록 잘생긴 바오로 신부의 뒤통수를 한 대 툭 치며 내 아이의 영세를 부탁하게 될지도 모른다. 멋진 세례명 하나 지어줘. 바오로 같은 거 말고. 일 년에 한 번은 정식의 제사도 지내주리라. 자식도 없이 죽은 녀석이 아닌가. 그 생각을 하는 사이 거대한 새 그림자가 내 머리 위를 지나간다. 하늘을 본다. 이상하다. 달도 없는 밤에 웬 새 그림자. 몸이 다시 움츠러든다. 덕분에 쓸데없는 상상은 끝. 나는 옷만 벗어던지고 침대 속으로 들어간다.

그리고 운다.

• 출처 | 《오빠가 돌아왔다》(문학동네, 2010) 중에서

김영하

글만 안 쓰면 참 좋은 직업

작가들이 흔히 하는 농담 중에 이런 말이 있습니다.

"글만 안 써도 되면 참 좋은 직업인데 말이야."

물론 이것은 말이 안 됩니다. 왜냐하면 글을 안 쓴다고 해서 작가가 작가가 아니게 될 수는 없기 때문입니다. 가능하지 않은 일을 가능한 것처럼 말하기 때문에, 즉 청자의 예측에서 벗어나기에 농담인 것이겠지요.

직업으로서의 작가는 이상합니다. 흔히 글을 쓰는 사람을 작가라고들 하지만 글을 쓰지 않고 있어도 작가라고 불립니다. 단 한 작품만 남기고 죽은 사람도 작가로 불릴 자격이 있습니다. 저만 해도 글을 쓰고 있을 때보다 쓰지 않고 있을 때가 더 많습니다. 사실 책상 앞에 앉아서 글을 쓰는 시간은 별로 길지 않습니다. 책을 읽거나 산책을 하거나 구상을 하는 시간이 일상의 더 큰 부분을 차지합니다. 몇 년 동안 한 권의 책, 한 편의 단편소설도 안 쓰는 경우도 있습니다. 그런데도 동네 사람들은 저를 작가라고 생각합니다. 그렇다면 작가는 글을 쓰고 있는 사람이라기보다 글을 써야 한다고 믿는(혹은 그렇게 믿어지는) 사람인지도 모릅니다. 써야 하는데, 써야 하는데, 생각하며 살아가는 사람들. 즉 작가는 글을 쓴다는 행위로 규정되는 것이 아니라 어떤 의무를 짊어진 존재를 일컫는 것 같습니다. 다시 말해 작가는 하나의 직업이기 이전에 일종의 신분이며, 스스로 글을 써야 한다고 생각하는 한, 이 신분으로부터 벗어날 수가 없습니다.

　다시 그 농담으로 돌아갑니다. 이 농담에는 뭔가가 더 있을 것만 같습니다. 그것에 대해 생각해봅니다. 우선 이 농담은 글쓰기에 직면한 작가들의 뿌리 깊은 두려움을 위로해주는 것 같습니다. 글을 쓰고 쓰지 않고의 문제를 통제 가능한 직업적 자유의 차원으로 간주하는 것은 잠시나마 우리의 마음을 편안하게 해줍니다. 그러나 이 잠깐의 위안, 이 얇디얇은 감정의 살얼음 아래로 흐르는 것은 달라지지 않습니다. 곰곰이 생각해보면 이 농담은 '글을 쓰지 못하고 있어 지금 나는 불행하다'라는 전제를 아래에 깔고 있습니다. '글만 쓰지 않으면 참 좋은 직업이지만 그러나 나는 글을 써야만 한다. 그래서 괴롭다'라는 말이 숨어 있는 것입니다. 이것이야말로 이 농담을 주고받는 작가들이 얻는 감정적 이득일 것입니다. 나만 괴로운 것은 아니다, 모두가 힘들다, 라는 것을 서로의 웃음에서 확인합니다. 그러므로 이 농담은 '쓰지 못하는' 죄책감을 안주로 삼아 술잔을 기울이는 술자리에서 가장 적절할 것입니다. 날마다 출근부에 도장을 찍는 직장인들처럼 성실히 작업하는 사람들만이 작가일 수 있고 글을 쓰지 못하는 그 순간부터 더 이상 작가로 불릴 수 없는 것이었다면, 이런 농담은 아예 존재하지 않았을 것입니다. 무위의 날들을 견디고, 어쩌다 한 편의 글을 착상하고, 책상 앞에 앉아 어떻게든 써내려가고, 끝내는 책으로 묶어내는 일의 고통과 기쁨을 공유하는 이들만이 이 농담에 웃을 수 있습니다.

저는 한 편의 소설을 시작했고, 계속했고, 완성했습니다. 그것으로 이미 충분한 보상을 받았습니다. 쓰지 못해 괴로웠고 쓰는 동안 두려웠고 쓰고 나서는 잠시 행복했습니다. 그런데 이렇게 상을 받았습니다. 문학상은 작가라는 신분, 문학이라는 예술의 본질의 바깥 어딘가, 그러나 그렇게 멀리 떨어지지는 않은 곳에 있다고 생각합니다. 달은 지구를 중심으로 돌지만 지구는 아닙니다. 그러나 달이 없는 지구를 상상하고 싶지는 않습니다. 고맙습니다. 작가로서가 아니라 한 인간으로서 그렇습니다. 지금껏 잘 살아왔다는 동료 문인들의 격려로 여기고 '해야만 한다고 믿는' 그 일로 다시 돌아가겠습니다.

감사합니다.

문학적 자서전

김영하
나쁜 버릇

장소 : 349호 면담실

일시 : 2038년 1월 10일

조사자 : 교정 담당관 이우리나

피조사자 : 김영하(70)

밝고 환한 방. 검은 옷을 입은 교정 담당관 이우리나가 먼저 도착해 있다. 잠시 후 문을 열고 김영하가 들어온다. 홍채 인식을 통해 피의자의 신원을 확인한 이우리나가 의자를 당겨 앉는다.

"여기 왜 오셨는지는 알고 있습니까?"

이우리나는 긴 머리를 모아 끈으로 묶는다. 이목구비가 또렷하지만 차갑다는 인상만 줄 뿐, 미인이라는 생각은 들지 않는 얼굴이다.

"변호사가 아직 도착하지 않았소."

김영하가 주변을 두리번거리며 말한다.

"변호사가 오기로 되어 있었던가요?"

이우리나가 허공에 손을 젓는다. 그녀의 일정이 허공에 홀로그램으로 나타난다.

"아, 변호사가 오기로 돼 있군요. 그럴 필요가 굳이 없을 것 같은데요."

그 말이 끝나자마자 변호사가 들어온다. 간단한 인사를 나누고 김영하 옆에 앉는다.

"자, 시작할까요? 지금부터 진행되는 모든 대화는 녹화됩니다."

"알겠습니다."

초로의 변호사는 고개를 끄덕인다. 간밤에 잠을 설쳤는지 피곤한 기색이 역력하다.

"피의자는 정신개량법 3조를 지속적으로 위반해오던 중, 지난해 12월 25일에 긴급체포되었습니다. 맞습니까?"

"네. 맞습니다. 성탄절이었습니다. 혼자 저녁을 먹고 있는데 기동경찰들이 창문을 부수고 들어왔습니다."

김영하가 답한다.

"혹시 신을 믿으십니까?"

이우리나가 묻는다.

"아니오."

"항소를 하시겠다고요. 맞습니까?"

"그렇습니다."

변호사가 답변한다.

"오늘의 이 면담은 항소에 앞서 피의자에게 1심의 판결을 신속하게 적용할 것인가, 아니면 항소 이후로 미룰 것인가를 결정하는 자리입니다. 이 면담을 통해 얻은 제 판단은 판사에게 제출될 것입니다. 피의자는 동의합니까?"

"아니요. 저는 그 법 자체에 동의하지 않습니다."

"왜죠?"

"그 법은 제가 만들지 않았습니다."

이우리나가 어이가 없다는 듯이 웃는다. 변호사는 민망한 듯 외면한다.

"그 법은 국민의 대표인 상원과 하원이 통과시켰고 국민의 절대다수가 지지합니다. 한반도 유일의 정통 합법 정부는 국민의 뜻에 따라 이 법을 충실히 집행하고 있습니다. 당신은 국민이 아닙니까?"

"나는 국민이기 이전에 작가입니다."

"개인으로서의 작가는 이제 존재하지 않습니다. 그리고 설령 그렇다고 해도 작가이기 이전에 당신은 국민입니다. 만약 그것에 동의하지 않는다면 이 나라를 떠나야 합니다."

변호사가 끼어든다.

"무의미한 논쟁은 서로 피합시다. 저의 고객이 정신개량법에 동의하지 않는다는 것은 이미 제출한 항소이유서에 적혀 있지 않습니까. 그리고 이 양반은 칠순의 고령입니다. 나라를 떠나기에는 너무 늦었습니다."

"항소이유서는 항소이유서고 면담은 면담입니다. 저는 저대로 피의자의 생각을 제 귀로 들을 필요가 있습니다."

"잠깐, 잠깐이요. 아까 말입니다. 오늘 면담의 결과에 따라 1심의 판결을 신속하게 적용할 수도 있다고 하셨는데 그게 무슨 뜻입니까?"

김영하가 묻는다.

"1심 판결 못 들었습니까? 정신개량법 3조를 위반해서 이렇게 거듭 처벌받는 것은 피의자에게는 못할 짓이고 국가로서는 불필요한 낭비 아닙니까? 그러므로 뇌에서 그런 문제를 일으키는 부분을 간단한 전기 자극과 약물치료를 이용해 제거해드리겠다는 겁니다."

"제가 원하지 않는데도요?"

"왜 원하지 않지요? 원하세요. 마음의 평화를 얻으세요. 피의자와 같은 처지에 있던 많은 이들이 이 시술을 받은 이후에 마음의 평화를 얻었다고 증언하고 있습니다. 한번 보시겠습니까?"

"보지 않겠습니다."

김영하는 고개를 돌린다.

"제 고객은 사회에 피해를 줄 의도가 전혀 없습니다. 워낙 중독성이 강한 행위이고, 또 혼자 살다 보니 옆에서 누가 제어해줄 수도 없고……"

변호사가 변명하듯 말한다.

"외롭기도 하시겠고요."

이우리나가 비아냥거린다.

"……그렇죠. 중독성이 강하다고 해서 다 금지할 필요는 없는 것 아니겠습니까?"

"변호인께서는 지금 법률 자체를 문제 삼는 겁니까? 정신개량법 3조는 분명히 규정하고 있습니다. 개인이 국가의 허가 없이 소설이나 희곡, 영화 대본과 같이 이야기가 있는 작품을 창작하거나 이를 시도하는 것은 명백하게 불법입니다. 학계의 오랜 논의를 거쳐 49편의 장편소설과 139편의 단편소설, 999수의 시를 정전으로 정하고 이 이상의 무절제한 창작은 금하기로 이미 오래전에 결정을 내리지 않았습니까? 모든 국민이 아무 불만도 없이 이 법률을 준수하고 있는 마당에 이게 무슨 뚱딴지같은 항변입니까? 뭘 하라는 것도 아니고 그냥 하지 않으면 되는 일인데 그게 그렇게 어렵습니까? 혹시 국가의 권위와 국민적 합의에 그냥 도전해보고 싶은 겁니까?"

"제 고객은 그런 법률이 제정되기 이전부터 작가였습니다."

변호인이 말한다.

"그때는 국가조차도 문학 창작을 장려했습니다."

김영하도 조심스럽게 끼어든다. 이우리나가 얼굴이 벌게지도록 분노하며 책상을 친다.

"이거 보세요. 말이 되는 소리를 하세요! 문학은 이미 20세기부터 골칫덩어리였습니다. 마약이었다고요. 국가 경제와 국민 복지에 도대체 문학이 무슨 역할을 했습니까? 성실한 경제활동에 참여할 의사가 없는 실패자들이 골방에서, 그리고 곰팡내 풍기는 어두운 술집에서 끼리끼리 모여 퇴폐적인 글들, 보통 사람들은 이해할 수도 없는 글들을 지어내서 전파하여 한창 나라의 기둥으로 자라나야 할 젊은 영혼들을 타락시키지 않았습니까?"

"저는 그렇게 생각하지 않습니다. 문학은 꼭 필요합니다. 그러나 문학은 그 필요를 간단하게 설득할 수가 없는, 이 지상의 몇 안 되는 지적 산물입니다."

김영하가 고개를 들며 항변해보지만 이우리나는 들으려 하지 않는다.

"피의자가 낸 책을 봅시다. 첫 장편이…… 아, 여깄군요.《나는 나를 파괴할 권리가 있다》. 제목만 봐도 어떤 책인지 알겠네요. 뻔뻔하게 이런 책을 내놓고도 문학이 꼭 필요하다, 뭐, 그런 말이 나옵니까?"

"제목으로만 판단할 수는 없지요."

변호사가 이의를 제기한다.

"내용도 가관입니다. 자살안내인이 사람들을 만나 자살을 설득하는 내용 아닙니까? 시작하자마자 인물들은 폭설이 내린 강원도의 도로에 고립된 채 카섹스를 하더군요. 지저분해. 도대체 자동차에서 섹스를 할 이유가 있습니까? 상상만 해도 불결하군요. 이런 글이 어디에 필요하다는 겁니까?"

"문학은 때로 독자를 불편하게 만들 수도 있습니다."

"불편한 물건이 이 세상에 존재할 이유가 뭐가 있습니까? 불편한 의자, 불편한 가방, 불편한 비행기를 좋아할 수 있습니까?"

"문학은 다릅니다."

"이 소설은 1996년에 발간되었군요."

이우리나가 기록들을 살핀다.

"네."

"그런데 저희가 조사한 바에 따르면 피의자는 1994년에 《오늘예감》이라는 잡지에 '나에게는 나를 파괴할 권리가 있다'라는 제목의 특집을 기획하고 이에 참여한 바가 있더군요. 맞습니까?"

"그렇습니다."

"특집의 제목들을 보면 충격적입니다. 타인에게 피해를 주지 않는 한, 환각을 보는 것 자체는 개인의 자유이니 허용해야 한다면서 이른바 '환각의 자유'를 옹호하고 있군요. 말이 그렇지 실은 마약을 합법화하라는 거죠. 그리고 투표하지 않을 권리, 노동하지 않을 권리에 관한 글도 있습니다."

"그걸 모두 제가 쓴 것은 아닙니다. 물론 그 특집에 대한 논의에 참여하기는 했습니다. 당시에 프랑수와즈 사강이 공항에서 마약소지 혐의로 체포될 때 한 말이 인상적이어서 그걸 특집 제목으로 하자고 하기는 했었습니다. 결국 이 년 후에 제 장편소설의 제목이 되기도 했고요."

"반성의 기색이 전혀 엿보이지 않는군요. 무슨 아름다운 추억에라도 잠긴 분 같습니다."

이우리나가 비꼰다. 가쁜 숨을 몰아쉬는 노쇠한 김영하는 힘겹게 말을 이어간다.

"1994년에는 잡지가 그런 기획을 한다는 것 자체가 의미가 있었습니다. 1989년에 베를린 장벽이 무너지고 1993년에는 3당 합당을 한 김영삼이 대통령이 되었습니다. 그 잡지는 민중후보 백기완 선거운동본부에서 문화 쪽 일을 했던 친구들이 주도했습니다. 정치적 분위기는 암울했지만 경제는 거품이 잔뜩 끼어 있었습니다. 돈은 넘쳐

나는데 정신은 탈출구가 없던 시대였습니다. 80년대 운동권의 집단적이고 키치적인 문화도 싫었고 기성의 고답적인 문화에도 진절머리를 내고 있었기 때문에 일종의 위악적인 선언들을 전면에 내세우면서 나름의 돌파구를 모색하고 있었던 겁니다."

"무슨 소리인지 도무지 모르겠군요. 어쨌든 그 잡지에서 피의자는 어떤 역할을 했습니까?"

"저는 그 선거운동에도 참여하지 않았고 그 잡지를 창간하는 데도 관여하지 않았습니다. 나중에 우연히 피시통신으로 만난 사람들을 통해 그들을 알게 되어 몇 편의 짧은 소설과 산문을 기고하고 어울려 술을 좀 마신 게 전부입니다. 저는 그 특집을 만든 일 년 후인 1995년에 〈거울에 대한 명상〉이라는 소설로 등단을 했습니다. 잡지 시절에 형성된 태도랄까 철학이랄까 하는 것들이 이후에도 오랫동안 제 문학에 영향을 끼쳤습니다."

"그런 것 같더군요. 〈거울에 대한 명상〉이 소설도 읽기가 아주 악질이더군요. 두 남녀가 한강변을 따라 걷다가 폐차된 자동차의 트렁크에 장난삼아 들어간다. 그런데 여자가 트렁크를 닫는 바람에 둘은 거기에 갇히게 되고 절망적인 섹스를 계속하다 거기에서 죽는다. 뭐 그런 내용이죠? 도대체 이런 퇴폐적이고 암울한 소설을 쓰는 저의가 뭡니까? 보통 데뷔작이라면 뭔가 진지한 어떤 것을 쓰는 것이 보통인데 피의자는 처음부터 아예 사회를 망칠 작심을 하고 나선 것 아닙니까?"

"밤에 잠이 오지 않아 친구와 전화 통화를 하고 있는데 문득 한강변에 버려진 폐차 트렁크에서 섹스를 하는 남녀가 떠올랐습니다. 그래서 전화를 끊고 밤을 새워 그걸 썼지요. 무슨 특별한 목적을 위해 쓴 것은 아닙니다."

"나쁜 버릇의 뿌리가 아주 깊군요. 그러니까 이십대 중반부터 이미 아무 목적도 없이, 사회와 국가에 기여할 그 어떤 선한 의도도 없이, 오직 자기만족만을 위해 써왔다는 거지요? 공익이라는 개념은 아예 피의자의 머릿속에 들어 있지 않았군요."

"아까도 말했듯이 그때는 정신개량법이 존재하지 않았습니다. 그때는 오히려 그런 태도를 상찬하기도 했습니다. 어떤 의도도 목적도 없이 자기 골방에 틀어박혀 신들린 듯이 작품을 쓰는 모습은 사람들이 흔히 떠올리곤 하는 작가의 전형이었습니다."

"이해할 수가 없군요. 어떻게 그런 시대가 존재할 수 있었는지. 하긴 그렇게 모순이 극에 달했으니 오래지 않아 그 시대가 종말을 고하고 이렇게 건전하고 활기찬 새로운 시대를 맞이할 수 있었겠지요."

이우리나는 스스로 감정에 겨워 몸을 떤다. 김영하가 무슨 말인가를 하려 하자 변호사가 옆구리를 찌르며 만류한다. 마음을 가라앉힌 이우리나의 말이 이어진다.

"그 이후로도 피의자는 계속 이상한 소설들을 써왔더군요. 〈거울에 대한 명상〉 이후에 발표한 게 〈나는 아름답다〉였죠? 이것도 자살에 관한 이야기군요. 자살하는 여자를 사진작가가 사진으로 찍는다는 얘기 맞죠? 그러고는 남편이 흡혈귀라고 의심하는 여자, 벼락을 맞으러 다니는 동호회원들, 십자드라이버를 숭배하는 연쇄살인범…… 혹시 정신이 어떻게 된 것 아닙니까? 정말 무슨 마약이라도 했던 겁니까?"

"그것은 초기작들입니다. 제 고객이 이십대에, 그러니까 테스토스테론이 과다 분비되던 시절에 쓴 거라는 점을…… 삼십대에 들어서면서 《검은 꽃》이라든가 《빛의 제국》 같은 장편에 집중하면서 좀 달라집니다. 그런 점도 주목을 하셔야……"

김영하가 이의를 제기한다.

"달라진 것 없어요. 내 소설들은 자세히 보면 다 이상합니다. 뭐가 달라졌다는 겁니까?"

이우리나가 피의자의 말꼬리를 잡아챈다.

"그렇게 이상할 수밖에 없었던 어떤 계기라도 있었습니까?"

"군대 생활을 헌병대 수사과에서 보냈습니다. 배치된 첫날, 고참이 네거티브 필름과 사진 한 다발을 던져주고는 '좋은 사진'을 골라 놓으라고 하더군요. 확대해서 부대 게시판에 붙여놓아 병사들의 경각심을 고취시키려는 것이었습니다. 사진은 현장에 출동한 헌병대 수사관들이 자동카메라로 찍어온 것들이었습니다. 지뢰에 다리가 날아간 사진, 철로에 뛰어들어 자살한 사진, 목을 매달아 자살한 사진, 독을 마시고 방에 쓰러져 있는 사진, 총으로 자기 머리를 날려버린 사진들이었습니다. 일단 사진 더미 속에서 '좋은' 사진, 그러니까 가장 끔찍한 것들을 골라낸 후엔 네거티브 필름들을 루페도 없이 들여다보며 해당 사진의 원본 필름을 찾아야 했습니다. 네거티브가 뭔지 담당관님은 모르시겠지요. 그게 말이죠. 맨눈으로는 잘 보이지가 않습니다. 명암도 반대로 뒤바뀌어 있고 크기도 작으니까요. 집중해서 살피지 않으면 엇비슷한 엉뚱한 필름을 고르게 되니 사진의 세부 하나하나를 유심히 살펴야 했습니다. 하루 종일 그거 들여다보고 있자니 욕지기가 자꾸 올라와 한 이틀은 밥도 제대로 먹을 수가 없었습니다."

"그때는 얼굴 인식하는 기능이 없었나 보죠?"

"워드프로세서용 컴퓨터가 겨우 사단 본부에나 보급되기 시작하던 때의 일이니까요."

"계속 말씀하시죠."

"그 시절에 죽음을 많이 봤습니다. 특히 자살이 많았습니다. 훈련소 동기였던 친구도 약을 마시고 죽었습니다. 그 사건의 조서도 제가 타이핑을 했지요. 제 소설에 죽음이 많이 나오는 것도 그래서일 겁니다."

"지금 변명하시는 겁니까?"

"마음속에서 어떤 변화가 일어나는지는 시간이 지난 후에야 알게 됩니다. 그리고 그것을 가장 잘 알게 되는 것은 자신이 쓴 소설을 통해서입니다. 아주 오랜 시간이 지나서야 왜 그 소설을 썼는지를 알게 되는 것입니다. 그래서 문학을 자기 구원의 예술이라고 부르는 것입니다."

이우리나가 코웃음을 친다.

"자기 구원이라고요? 지금은 2038년입니다. 마음의 문제는 곧 뇌의 문제라는 걸 세 살 먹은 어린애들도 다 알고 있어요. 뇌에 저장된 부정적인 정보와 트라우마는 얼마든지 기술적으로 제거할 수가 있는 시대입니다. 도대체 마음속에 그렇게 어두운 것을 그토록 오래 담아두었다가 그것도 모자라 글이라는 전근대적 미디어로 남겨야 할 이유가 뭔지 도무지 모르겠군요. 타인에게 쓸데없이 부정적인 영향을 끼치고 싶어하는 변태라면 모를까. 정말 이해가 안 되는군요."

"이해받을 거라는 기대는 없습니다."

변호사가 손을 든다.

"고객과 잠시 대화를 좀 했으면 합니다."

"잘됐군요. 그러지 않아도 좀 쉬려던 참인데. 손 좀 씻고 올게요."

이우리나가 밖으로 나가자 변호사는 김영하에게 몸을 기울이며 속삭인다.

"쓸데없는 말을 너무 많이 하지 마십시오. 왜 저 여자가 잠자코 듣고 있겠습니까? 지금까지 하신 얘기가 밖으로 흘러나간다고 생각해 보세요. 난리가 날 겁니다. 분명히 언론에 흘려서 경각심을 심어주는 사례로 삼을 겁니다. 봐라. 정신개량법이 시행된 지가 언제인데 아직도 이런 정신적 테러범이 지하에서 암약하고 있었다. 경계를 늦춰서는 안 된다. 여기 국민정신의 타락을 꿈꾸며 신념을 갖고 행동하는 확신범이 있다. 이런 식으로 선전할 겁니다."

"그런다 해도 상관없습니다. 살 만큼 살았습니다."

"이건 제가 궁금해서 그러는데요. 도대체 발표도 못할 글을 국가의 허가도 없이 계속 쓰는 이유가 뭡니까? 솔직히 이제 소설을 읽는 사람도 없지 않습니까?"

"쓸 수 있으니까요. 그리고 그것밖에 할 줄 아는 일이 없으니까요."

"그래도 시대가 바뀌었는데 좀 참을 수도 있는 것 아닙니까. 굳이 사서 고초를 당할 이유가 있습니까?"

"나는 구시대의 사람입니다. 맞습니다. 나도 압니다. 지금 같은 시대에 굳이 텍스트라는 불편하기 짝이 없는 도구로 소설이라는 무용한 것을 만들어낼 이유가 없지요. 지금 사람들에게 필요한 것은 몇 개의 손가락입니다. 그것으로 선택만 하면 됩니다. 선택, 선택, 선택. 사람들은 끝없이 뭔가를 선택합니다."

"요즘은 뇌파로 선택합니다."

변호사가 정정하지만 김영하는 개의치 않는다.

"그놈의 기술, 기술, 기술. 현대는 기술의 파시즘입니다. 문제는 사람들이 그게 파시즘인 줄도 모른다는 거예요. 어쨌든 소설을 쓴다는 것은 그것과 전혀 다른 종류의 일입니다. 소설은 무에서 시작해 스스로에게 선택을 부과합니다. 수백 갈래의 선택들을 거친 후에 그 선택의 흔적들을 삭제해나가는 것입니다. 그게 소설 쓰기입니다. 선택을 해나가는 것은 맞지만 처음부터 끝까지 그것들을 스스로 만들어간다는 점에서 다릅니다. 그래서 소설을 쓰는 사람의 뇌에서는 전혀 다른 일이 벌어집니다. 아주 신비로운 것입니다. 나는 그것에서 벗어날 수도 없고 그럴 생각도 없습니다. 이미 나의 정신이 그렇게 조직되어 있단 말입니다. 남이 선택하라고 정해놓은 아이콘만 손가락으로 누르면서는 살 수가 없어요."

"글쎄, 요즘은 뇌파로 한다니까요."

"지금 그게 중요한 겁니까?"

"물론 그건 아니죠. 어쨌든 여기 갇혀 있는 한 아무것도 할 수가 없잖아요? 그 좋아하시는 걸 계속하기 위해서라도 일단 저들에게 협력하는 척이라도 해서 빠져나가는 게 급선무입니다."

"빠져나가도 저들은 다시 잡아들일 겁니다. 내 뇌를 스캔해보기만 해도 내가 글쓰기를 그만두지 않았다는 걸 알 수 있을 테니까요."

이우리나가 돌아온다. 자리에 앉으며 옷매무새를 가다듬고 피의자에게 시선을 던진다.

"기록에 보니 어려서 기억을 잃으셨다고요."

"네."

"그때 뇌에 무슨 충격을 입은 것 아닐까요?"

"그건 연탄가스 중독 사고였습니다. 열 살 때의 일입니다. 육군 소령이었던 아버지는 부대에 있었고 어머니와 저는 양평의 한 단칸방에서 잠들어 있었습니다. 군인 가족들에게 세를 놓으려고 날림으로 지은 그런 셋방들이 많았습니다. 아침에 주인이 발견해서 병원으로 옮겼습니다. 우리는 고압 산소통에 들어가는 처치를 받았습니다. 그때는 그런 사고가 많아서 시골 병원에도 그 정도의 설비는 있었습니다. 내가 먼저 깨어났고 어머니는 나중에 깨어났습니다. 정신을 차려보니 어머니가 흰 시트 위에 죽은 듯이 누워 있던 모습이 최초의 기억입니다. 거기서 바나나라는 것을 처음 먹었습니다. 맛있더군요."

"그 이전의 기억이 없다는 걸 발견한 건 언제인가요?"

"작가가 된 이후입니다."

"그 이전에는 몰랐습니까?"

"아이들은 과거를 즐겨 회상하는 존재가 아닙니다. 현재와 미래만 생각합니다. 마치 요즘 사람들처럼요. 군인인 아버지를 따라 계속 옮겨다녔기 때문에 적응은 저에게 아주 중요한 문제였습니다. 낯선 곳에서 새로운 친구들과 살아야 했습니다. 스물여덟 살에 작가가 되고 나서야, 그러니까 뭔가 유년의 기억을 더듬기 시작한 후에야, 내 유년의 한 부분이 뭉텅이로 삭제됐다는 걸 알게 된 겁니다."

"아마 그때 피의자의 뇌에 뭔가 큰 충격이 가해졌던 게 분명합니다. 그러니까 지금도 이렇게 범죄 충동을 억제하지 못하는 것 아닐까요?"

그 얘기를 들은 김영하가 방에 들어온 이후 처음으로 입가에 웃음을 머금는다.

"원래는 천재였는데 그 사고 이후로 평범한 애가 됐다. 이게 제 친척들이 믿고 있는 것이고요. 원래는 바보였는데 그 사고 이후로 그나마 이 정도의 지능을 갖게 됐을 것이다. 이게 제 친구들이 주장하는 이론입니다."

"본인은 어떤 쪽입니까?"

"이전의 기억이 없으니 알 도리가 없지요. 저는 강원도 화천에서 태어나 대구, 전라도 광주, 진해, 양평, 파주, 서울을 옮겨다니며 자랐는데 양평 이전의 기억만 깨끗하게 소거돼 있습니다."

"그게 범죄 성향, 그러니까 정신개량법을 상습적으로 위반하는 데 어떤 영향을 끼쳤다고 보는 건가요?"

"유년이 그렇게 텅 비어 있다는 것을 생각할 때마다 기묘한 기분에 빠져들게 됩니다. 돌아가야 할 곳이 없다는 기분. 닻이 없는 상태로 끝없이 항해 중이라는 기분. 영원히 안정감을 느낄 수가 없습니다. 모성에 대한 원초적 기억도 없고 고향이나 가족에 대한 회귀의 충동도 없습니다. 영혼 어딘가에 커다란 구멍이 뚫려 있다는 느낌입니다. 소설은 그 깊고 어두운 구멍에 뭔가를 던져넣는 행위입니다. 아무리 기억이 없다고 해도 내 삶이 양평의 고압 산소통 속에서 시작됐을 리가 없지 않습니까? 뭔가가 있겠죠. 글을 쓰고 이야기를 만들어냄으로써 실은 제 과거를 창작하고 있는 겁니다. 그 구멍을 메우고 있는 거라고요."

"그래서 멈출 수가 없으시다?"

"아, 잠깐."

변호사가 손을 들어 제지한다. 대답을 하지 말라는 눈짓을 김영하에게 한다. 그러나 김영하는 입을 연다.

"그렇습니다."

변호사가 고개를 절레절레 저으며 몸을 의자의 등받이에 기댄다. 이우리나가 의미심장하게 웃으며 질문을 이어간다.

"과거의 트라우마가 없는 사람이 어디 있겠습니까? 다른 사람들은 국가와 세계가 인정한 다른 위대한 작가들의 작품, 즉 고전으로부터 더 나은 위안과 통찰을 얻고 있는데 왜 당신만은 자기가 쓴 작품이 필요하다고 주장하는 겁니까? 과대망상입니까?"

"제가 쓰는 것들이 그 작품들보다 위대하다고 말하는 게 아니라 제가 제 손으로 글을 쓰는 과정이 필요하다고 말하는 겁니다."

"면담은 여기서 마치기로 하지요."

이우리나가 허공에 떠 있는 화면들을 정리하며 말한다.

"결과는 언제 알 수 있습니까?"

변호사가 묻는다.

"지금 알려드리겠습니다. 피의자는 정신개량법 3조를 준수할 의사가 전혀 없는 확신범으로 1심의 판결대로 즉각적인 치료와 구금이 요구된다는 게 제가 제출할 의견입니다. 제가 이 일을 많이 해봐서 아는데 막상 치료를 받은 수감자들의 만족도는 대단히 높습니다. 엄선된 고전들로 둘러싸인 아름다운 도서관에서 적응 기간을 거치게 되는데요. 거기서 감히 자기 글을 쓰려는 자는 아무도 없었습니다. 다들 독서만으로도 충분한 기쁨을 얻고 있었습니다. 단 한 명만이 고전에 주석을 다는 방식으로 글을 써오다가 다시 처치를 받기는 했습니다만 정말 드문 예지요. 가끔 약물이 뇌에서 거부반응을 일으키는 경우가 있거든요. 부작용은 어디에나 있게 마련이니까요."

경비원이 들어와 김영하의 양팔을 잡는다. 김영하는 발버둥을 치며 소리를 지르지만 경비원이 수면장치로 뇌를 잠재우자 곧 얌전해진다. 변호사가 항소하겠다고 말하자 이우리나는 자신만만하게 대꾸한다.

"쓸데없는 짓이라는 거 잘 아시잖아요? 항소에서 승소해봐야 그때 저분은 이미 전혀 다른 사람이 되어 있을 테니까요. 그리고 저 양반이 그런 일을 처음 겪는 것도 아니잖아요? 잘 적응할 겁니다."

모두 퇴장하자 방에 불이 꺼진다.

작가론 · 작가가 본 작가

염승숙 · 소설가

마음을 설명한다는 것

집 밖으로 나서니 눈이 내리고 있더군요. 놀랄 일은 아닙니다. 일월이고, 겨울이며, 오늘은 아침 기온이 영하 9도에 이를 것이라는 일기예보를, 어제저녁의 뉴스를 통해 이미 알고 있었으니까요. 하지만 기상캐스터가 눈이 온다는 소식까지 알려주지는 않았으므로 현관문이 열린 뒤 아, 하고 잠시 걸음을 멈춘 것만은 사실입니다. 글쎄요, 딴 데 정신을 팔다 어쩌면 곳에 따라 눈이 오겠습니다, 라는 말을 제가 깜빡 듣지 못했는지도 모를 일입니다. 어쨌거나 일월 중순이고, 한겨울에, 눈이 오는 게 다시 말하지만 딱히 놀랄 일은 아닙니다.

저는 다만 아, 하고 제자리에 멈춰섰을 뿐입니다. 그리고 다시 걸었습니다. 몇 발짝을 더 떼니 눈발이 한층 거세졌습니다. 바람도 강하게 불어서 저는 옷깃을 여미고 목도리를 입까지 끌어올리며 종종걸음을 쳤죠. 어디로든 가야 한다, 라는 생각만으로 집을 나선 것은 맞지만 하필이면 왜 이렇게 눈이, 하고 생각한 순간 저는 이 겨울이, 오늘이, 눈이, 이상하다고 다시금 생각할 수밖에 없었습니다. 분명 눈이 내리고 바람은 찬데, 한여름의 여우비처럼 햇볕이 쨍쨍하도록 내리쬐고 있었으니 말입니다.

집에서 가까운 어느 곳이든 가자, 사실은 그런 마음뿐이었습니다. 집에서 텅 빈 모니터만 바라보며 뒹굴어봤자 머릿속이 하얗기만 하니, 밖으로 좀 나가야 써질 것만 같았죠. 정확히 말하자면 부디 써지기를, 하는 탄식과 기원의 마음이었다고 할까요. 부끄럽지만 이 원고, 말입니다. 말하자면 이 원고가 써지지 않아서, 이 원고를 쓰기 위해, 하늘은 새파랗고 햇볕마저 쨍쨍한 오후에 눈보라가 휘몰아치는 거리를, 종종대며 걸었다는 얘기입니다. 아무리 봐도 참 이상하기만 했어요. 발갛게 언 콧등 위로 뜨거운 볕과 차가운 눈송이가 동시에 내려앉는 느낌이, 놀랍지는 않고, 다만 이상했습니다.

이상하다, 고 중얼거리며 저는 애초에 가고자 했던 곳을 지나쳐 무작정 좀 더 걸었습니다. 이상한 오늘의 이 거리를, 볕이 강한 오후의 눈보라를, 이상하다 여기며 오래오래 걷다가, 이상하다는 건 정말이지 이상한 것이군, 생각했던 것입니다. 그리고 아, 하고 저는 또다시 잠깐 제자리에 멈춰섰습니다. 이런 이상한 일도 벌어지는데, 내가 이 원고를 쓰는 일이 이상하다고 해서 그다지 이상할 건 없겠지, 하는 이상한 생각이 들었거든요.(아귀는 좀 안 맞지만 그러고 보니 이것은 이상 문학상.) 그래서 허둥지둥 찻집에 들어와 자리 값으로 잘 먹지도 못하는 커피 한 잔을 주문해놓고, 노트북을 켠 뒤 이렇게 검은 활자가 증식해나가는 광경을 바라보고 있습니다.(사실 제 맞은편에 앉은 바퀴벌레 한 쌍이 오밀조밀한 애정행각을 보이고, 뒷자리에서 양복 입은 샐러리맨이 큰 소리로 통화하고 있는 터라 자리를 옮길지 말지 고민하고 있습니다.)

김영하와, 김영하의 소설에 대해 이야기하는 작가론을 청탁받는 전화 통화에서 저는 화들짝 놀랐습니다. 제가요, 하고 의아히 되물을 수밖에 없었죠. 동문이랄지, 동년배랄지, 하다못해 어떤 가느다란 친분의 끈도 없는 제가요, 라는 의미가 포함된 반문이었습니다. 글쎄요, 라고 머뭇거리다가 죄송합니다, 라는 말을 하려는 순간 수화기 너머로 그런 이야기가 들려왔습니다. 김영하 선생님을 좋아하신다고 하셨잖아요, 제가 분명히 봤습니다. 저는 아, 아, 소리만 내뱉다 별다른 대꾸를 하지 못하고, 전화를 끊었습니다. 딱히 반박할 수 있는 성질의 것이 못 되었습니다. 아, 하고 잠시 숨을 멈추었을 뿐이죠. 김영하 선생님을 좋아한다, 김영하 선생님의 소설을 좋아한다, 저는 분명히 어떤 인터뷰에서 그렇게 말했고, 그것을 누군가 보았고, 그 사실을 부정할 수가 없었던 것입니다. 명백히 그것은 사실이니까요.

무엇 혹은 누구를 좋아한다고 말할 때, 매번 논리가 앞서는 것은 아닙니다. 감정이란 심장의 동요이기에 그것은 강 위의 돛단배처럼 찰나에 덜컹이기도, 오랜 시간에 걸쳐 천천히 유동하기도 합니다. 잔물결이 일렁였을 수도, 소금기 가득한 바람이 불어왔을 수도, 갈매기 한 마리가 날아와 앉았다고도 말할 수 있을 테지만 어떠한 것이든 조목조목 이유를 설명한다는 건 어렵습니다. 호감好感은 더욱 그렇습니다. 좋다, 옳다, 마땅하다, 아름답다고 느껴 마음이 움직이는 태도를 두고, 왜냐고 묻는 것은 순진하도록 난처한 일이죠. 그래도 설명해야만 하는 때가, 오는 것입니다. 좋다, 옳다, 마땅하다, 아름답다고, 말해야만 전달되는 마음이란 것도 있는 법입니다. 그리고 지금 이 순간 또 한 가지를 깨닫게 됩니다. 상대를 좋아하는 마음을 설명하기 위해서는 나의 이야기도 해야만 한다, 라는 것을요. 아니, 아니로군요. 상대를 좋아하게 되면서, 상대를 좋아하게 된 제 자신이 어떤 인간인지를 새삼 알게 되는 것일지도 모르겠습니다.

등단 이전에는 소설가를 꿈꾸며 소설 쓰기를 배우던 학생이었으므로, 제게 소설가 김영하는 파헤치고 들여다보아야 할 텍스트의 대상이었습니다. 그의 문장 구조와, 서사 구성 방법과, 인물의 특이성과, 그가 촘촘히 구축해놓은 하나의 소우주를 뼛조각처럼 분리한 뒤 다시 되돌아 맞춰가는 과정에서 소설 읽기의 즐거움을 느꼈죠. 그는 소설의 서두에 시 구절을 인용하길 즐기고, 말미의 시서늘한 반전을 노리며, 소설 전반에 걸쳐 미술과 음악, 역사, 문학적 지식을 새로이

의미화해 녹여내었으므로, 읽는 이로 하여금 좀 더 세심한 주의를 필요로 했습니다. 그것은 그것대로 소설을 공부하는 학생에게는 당연히 기꺼운 일이었습니다.

그러다 보면 고백하건대 일순간 뼈의 감옥에라도 갇힌 듯 빠져나오지 못하는 때도 있었죠. 문장이나 작법이 아닌 인물과 서사 그 자체에 몰두해 몇 번이고 반복해 읽거나, 구절을 노트에 베껴적거나 하는 것입니다. 그러나 몰두 이상으로 마음을 빼앗겼다고 생각하게 되는 때는 이따금씩 그의 작품들이 머릿속에서 인장처럼 도도록이 솟아오르는 순간입니다. 그러지 않으려고 해도 그의 소설 제목을 떠올리지 않을 수 없을 때— 가령 도시에서라면 지나치달 정도로 자주 마주치게 되는 클림트의 그림을 볼 때라든가, 엘리베이터 문이 열리지 않아 오 분쯤 갇혀 있었을 때라든가, 폭우가 쏟아지는 밤에 벼락이 번쩍 내리칠 때라든가, 그가 '미즈'라고 불렀던 지우개만 한 소포장 아이스크림을 까먹을 때라든가, 하물며 멕시코나 1905년, 오빠, 퀴즈, 라는 단어를 듣기만 해도 그렇습니다. 집 앞으로 말도 없이 불쑥 찾아온 옛 연인과 마주쳤을 때처럼 그것은 낭패, 라고 느껴지기도 하지만 저로선 냉연히 떨쳐버릴 수만은 없는 일이기도 합니다. 처음 읽고 난 뒤로 기분이 울적한 날이면 늘 저도 모르게 습관처럼 "왜 멀리 떠나가도 변하는 게 없을까. 인생이란"이라던 《나는 나를 파괴할 권리가 있다》의 마지막 문장을 곱씹어보게 되니 말입니다. 그랬으므로, 등단 이후에 김영하 선생님을 처음 만나게 된 자리에서 저는 얼마나 마음이 떨리던지요. 조심스레 이름을 말씀드린 제게 돌아온 대답은 다정하고도 담백한 것이었습니다. "네, 이미 알고 있습니다. 저는 김영하입니다"라는 말이었죠.

참, 재미있는 일화가 한 가지 있는데 말씀드려볼까요. 대학교 2학년 1학기 때니까 2002년의 봄날쯤 되었을 겁니다. 저랑 단짝이었던 친구가 김영하 선생님을 아주 좋아했습니다. 김영하의 빅팬을 자처하면서 소설과 에세이는 물론이고, 그가 연재 중이던 잡지들도 모두 섭렵해 학과 내에서 김영하, 하면 다들 그 친구의 이름을 떠올릴 정도였죠. 저는 계절이 바뀔 즈음이면 문예지에 발표되는 대부분의 소설들을 복사해 읽은 뒤 후배들에게 나눠주곤 했는데, 김영하의 소설만은 따로 챙겨 그 친구에게 선물처럼 건네주곤 했습니다. 어떠한 상황에서든 리액션이 좋은 활달한 그 친구가 소설이 복사된 종이뭉치를 받아들고 "우와, 김영하다!"라고 소리치는 모습을 보는 건 즐거운 일이었어요. 그러던 어느 날 저녁엔가 그 친구로부터 전화가 걸려왔습니다. 흥분된 목소리였는데, 요점만 말하면 지하철 3호선 약수역에서 김영하 선생님을 만나 사인을 받았다, 는 내용이었죠. 김영하 선생님의 사인이 적힌 흰 종이는 그다음 날 바로 학과 실습실 벽에 붙여졌습니다. 워낙에 엉뚱하고 유쾌 발랄한 친구였기에 과 학우들이 우르르 모여들어 친구의 무용담 아닌 무용담을 깔깔대며 들었습니다. 몇 날 몇 시에 소설가 김영하로 보이는 남자를 긴가민가하며 저도 모르게 뒤쫓았는데 말을 걸어보니 정말 김영하 선생님이 맞았다, 떨렸지만 용기를 내어 사인을 받아왔다, 나 잘했지, 하는 얘기였습니다. 사인지는 꽤 오랫동안 실습실의 복사기 위쪽 벽에 붙여져 오가는 많은 학우들이 눈을 빛내며 들여다보았던 것으로 기억합니다. 그래서일까요, 소설가 김영하를 떠올리면 가장 먼저 생각나는 것이 바로 그 풍경입니다. 회색 시멘트벽에 작고 투명한 테이프로 붙여진 종이 한 장, 어린 학생들이 반짝이는 눈길로 바라본 이름 세 글자. 그 이름을 가진 소설가라는 것입니다. 그러니 그 이름의 무게에 대해, 질량에 대해, 중력에 대해, 때로는 소설을 펼쳐들고 곰곰

고민도 해보게 되는 것입니다. 중심을 잡지 못하고 결국엔 꾸벅 기울어지고야 마는 이 호되고도 호된 마음의 정체에 대해, 정도에 대해, 근원에 대해, 다시 또 그 이름의 무게에 대해, 질량에 대해, 중력에 대해.

사실 말이 나왔으니 하는 말입니다만,(말과 활자는 증식의 성질이 강합니다. 멈출 수 없는 때가 있는 것입니다.) 소설 읽기의 즐거움을 맛본 사람이라면 이것 또한 꽤 중독성이 강한·일종의 운동이라는 생각을 하게 됩니다. 힘이 들지만, 전신의 근육과 혈관과 세포가 반응하고 단련되는 일입니다. 특히나 동시대의 한국 소설을 읽는다는 것은, 외국문학을 읽을 때와는 조금 다른, 기실 어떤 영혼의 돈독한 교류랄지 하는 느낌을 받습니다. 모국의 소설이라는 것은 당연히 모국어로 쓰인 이야기이므로, 내가 사용하는 언어로 동시대의 배경과 인물, 사건이 흥미로이 펼쳐지는 또 한 세계를 맞닥뜨려 공유하는 일은 경이롭습니다. 이를테면 이것은 단순히 허무맹랑한 이야기가 아닌, 소설가와 나누는 어떤 다감하고도 농밀한 대화, 라는 착각을 하게 되는 것입니다. 같은 시간, 같은 공간적 배경을 공유하며 내가 보았음 직한, 겪었음 직한 인물과 사건들을 소설가는 이야기하니까요.(공감은 호감의 전초이기도, 전부이기도 합니다.) 그는 흥미진진하게, 심도 있게, 결연하게, 절절히, 읽는 이에게 말을 걸고 있습니다. 동시대의 한국 소설을 읽는다는 것은 이런 느낌입니다. 책을 펼치면, 그 안에서 내게 손짓해 이런 이야기가 있는데 말이야, 하고 유연한 대화를 시작하는 사람이 있습니다. 소설가란 그런 사람인 것입니다. 손 건네듯 말 붙이는 사람.

그중에서도 김영하의 소설은 단연코, 그러합니다. 말하려니 다소 두루뭉술해질 우려가 있습니다만 그가 만들어내는 호두 속 같은 인물, 공간, 이야기들은 허구임이 분명한데도 낯설지 않고 친숙합니다. 남녀노소 어떤 인물도 억지스럽지 않으며 그가 말하는 상황 속으로 능청스레 끌어들이는 묘한 기운을 담고 있습니다. 내 이웃의 누구, 내 곁의 누구인 것만 같고, 우리 사회의 어떤 이라도 지금 이 순간에 그렇듯 엉뚱하고 서글프고 선득하고 우스꽝스런 상황에 처해 있을 것만 같습니다. 이질적이지 않습니다. 우리에게 익숙하지 않은 무엇을 '의미 있음'의 영역으로 끌어들이는 매력이 있는 것입니다. 혹 그의 소설을 볼펜의 원리에 빗대볼 수 있을지 모르겠습니다. 볼펜은 펜 끝에 끼운 조그만 강철 알이 종이 따위와 마찰하는 대로 굴러서 펜대 안의 유성잉크를 새어나오게 만든 필기도구입니다. 움직임이 부드럽고 자연스럽습니다. 움직이면 움직이는 대로 잉크가 흘러나옵니다. 어디서나 사용되고, 어디서든 필요하죠. 그의 소설을 펼쳐 읽으면 그런 기분이 듭니다. 말이 안 되지만 또 한편 어디에든 있기도 할 법한 그럴듯한 이야기가 볼펜 안에 충만히 담긴 잉크처럼 자연스레 흘러나옵니다. 손에 쥐기 적당한 두께의 볼펜을 움직여 적어나간 듯 부드럽고도 날카로운, 어디에나 존재할 법한 그럴듯한 이야기. 아무리 황당무계한 설정을 끌어오더라도 그 상상력 또한 아 이거 꼭 그럴듯하다, 새롭다, 고 믿게 만드는 이야기.(소설가에게 있어 "이 소설 참 그럴듯한데"라는 말은 가장 기분 좋은 찬사가 아닐까요.) 그가 종이 위에 부려놓은 알싸한 잉크 냄새가 채 가시기도 전에 그러니 우리의 머릿속은 이미 그의 소설 속 공간과 인물들 사이를 종횡무진 넘나들게 되는 것입니다.

　왜일까, 생각해보면 두 가지 결론에 이릅니다. 하나는 그가 데뷔 이후 끊임없이, 너무나 바지런히 소설을 발표해왔다는 점이고, 또 하나는 그가 발표해온 소설들이 끊임없이, 너무나 감각적으로 우리네 세상살이를 투영, 반추해내고 있다는 점입니다. 이 두 가지는 일견 쉽고도 당연한 듯 여겨질 수 있지만 그렇지 않습니다. 용접공이 매일 용접을 하듯, 회사원이 정해진 시간에 출퇴근을 반복하듯 무릇 소설가라면 날마다 일정시간 소설을 쓰는 것이지, 라고 단정할 수도 있겠지만 소설 쓰기란 그렇게 되지 못하는 경우가 허다합니다.(저는 매일 아침 일어날 때마다 소설을 쓴다는 것은 너무 어렵다, 라고 생각합니다.) 그러나 그는 부지런하다 싶을 정도로 장·단편을 가리지 않고 왕성한 필력을 보여왔습니다. 그럴 때마다 저는 제 자신이 소설 쓰는 사람이 되었으면서도 여전히, 회색 시멘트벽에 붙여진 사인지를 바라보는 심정으로 그가 내놓는 신작을 꼼꼼히 들춰보게 됩니다. 그 속에 오롯이 살아 움직이는 동시대의 사람들을, 동세대의 감각들을 마치 요지경의 그것과도 같이 마른침을 삼키며 눈이 휘둥그레져 들여다보게 되는 것입니다. 핍 쇼(peep show). 그렇습니다. 핍 쇼의 한 장면인 양 그의 소설은 기기묘묘한 정서적 반응을 촉발시키는 지점을 제시해 줍니다.

그는 소설을 통해 자유자재로 과거를 소환하고, 현재를 조망하며, 미래를 포착합니다. 물론 소설적 텍스트는 인간이 과거와 현재와 미래를 가지고 있다는 사실을 전제로 하며, 소설이란 인간을 역사적 사회적인 방법으로 의미하는 첫 예술이라지만(미셸 제라파), 그의 소설 세계는 특히나 내밀하고 '발견'적입니다. 어쩌면 삶은, 개인이 혼자서는 결코 도달할 수 없는 반복적이고도 불변의 성질을 지녔을 것입니다. 온 힘을 다해 살아가도 도무지 어찌할 수 없는 무엇에 부딪혀 피를 흘리고 마는 것일지도 모릅니다. 보다 구체화된 언어로 개인성을 묘파하며 시간, 죽음, 역사, 인과관계의 사회학을 재생하는 그의 소설이 매력적인 이유는 여기에 있는 것입니다.

그가 들려준 수많은 이야기 가운데 "진정한 재난은 인간의 상상력

저 너머에서 진군해올 것"이라던,《빛의 제국》속의 구절이 문득 떠오르는군요. 그 소설을 연거푸 읽던 시간에 저는 상상력 너머에 진정한 재난이 있다는 말에 대해 긴 시간 생각했던 것으로 기억합니다. 인간이 결코 상상하지 못하는 영역에 상처받은 이의 그것처럼 웅크려 있을 진정한 재난이란 어떠한 모양새일까, 재난의 코기토란 명제 그 자체만으로도 아찔하게 느껴졌죠. 그것은 결국 상상하지 않는 인간에게 재난이 닥쳐올 것이라는 전언처럼 들렸습니다. 인간의 상상력 저 너머를 노리는 그의 호기로움으로도 읽었다면 그것은 부러움 때문이었을 겁니다. 소설가답다, 등허리가 따끔거리는 것을 느끼며 주섬주섬 그런 생각을 했으니 말입니다. 그래서 아직도 잘 잊히지가 않습니다. "정말 인간이 그렇게 대단한 것 같으냐?"던 질문 말입니다. 이 또한 같은 소설에 나오는 것인데 단순하면서도 일상화된 어투의 이 의문문이, 소설의 마지막 장을 덮고도 어떤 동요의 징후로서 한동안 제 머릿속을 옭았죠. 우리 모두가 허망한 꿈을 꾸며 살아가는 문어 단지 속의 문어임을 부정하기란 불가능했으니까요.

　김영하의 소설적 외피는 다면적이고 다각적이며 다층적, 다중적인 의미망을 겹겹이 두르고 있습니다. 개인과 사회, 국가와 이념, 역사와 탈脫역사의 이데올로기를 넘어 삶과 죽음, 필연과 우연, 젠더와 젠더 주체, 도시화와 가족제도, 시장과 자본주의, 정상과 비정상, 현실과 비현실의 경계를 부단히도 체현하고 배회하는 동시에 번민하고 은유하며 또 교란해내죠. 그의 소설 속에서 전경화되고 있는 문화 세계의 질서와 그에 따른 상징적 장치들을 읽노라면 어느 순간 차마 반박할 수 없는 추궁을 당하는 것만 같은 심정이 되곤 합니다. 그리고 가만 고개를 끄덕여도 보는 것입니다. 단단한 하나의 세계를 추동하는 소설가의 이토록 집요한 관찰의 눈이란 어쩌면 단순한 허무주의의 표출이 아닌, 동시대의 삶과 사람과 필연을 향한 절절한 구애求愛의 고백일 수도 있겠다, 하고 말입니다. 한 편의 좋은 소설이란 '주어진 환경 속에서의 어떤 열정의 연구 상태'(알랭 로브그리예)라는 말도 있으니까요. 그러니 더 읽고 싶다, 그의 그치지 않는 구애와 지속적인 열정을 더 읽고 싶다, 끝내 그런 마음만이 절실해집니다. "유독하고 매캐한, 조금은 중독성이 있는, 담배 같은 소설을 쓰고 싶"다던 그의 말을 떠올리며 언제든, 언제까지든, 그가 써내는 소설을 더 읽고 싶다고 생각하게 되는 것입니다.

고개를 드니 어느새 커피 한 잔은 차게 식어 있군요. 어느 곳이든 가자, 하는 마음으로 밖에 나와 이상하다, 라는 말을 몇 번이고 중얼대며 걸어왔는데 햇볕과 눈송이가 동시에 내려앉던 시간은 온데간데없이 사라지고 창밖은 이미 어둑해진 채입니다. 눈보라도 그쳐버렸습니다. 어쩐지 서운합니다.(뒷자리에 앉았던 양복 입은 샐러리맨은 어디론가 가버렸고, 맞은편의 바퀴벌레 한 쌍은 여전히 다정하게 서로의 어깨를 안고 있네요. 그들의 눈엔 커피를 마시지도 않고 어깨를 한껏 옴츠린 채 손가락을 움직여대는 제가 오히려 이상해 보였을 수도 있겠습니다.) 이상한 날씨에 걸맞은 이상한 글을 적어놓은 것이나 아닌지 모르겠습니다. 불안합니다. 말해야만 전달되는 마음도 있다지만, 저란 사람은 좀처럼 섬세하질 못해서, 마음을 설명해 보이는 것은 역시나 어렵고 난처한 일이라는 사실만을 거듭 확인합니다. 그렇게 생각하니 아, 하고 잠시 숨이 멈춰집니다.

작품론 · 〈옥수수와 나〉의 작품세계

그들은 그것을 알지 못한 채 행하고 있다[1]
― 김영하의 〈옥수수와 나〉에 부치는 단상

1. 믿음의 객관성

김영하의 〈옥수수와 나〉는 소설가인 '나'가 '필자 관리'를 당하는 것으로 이야기를 시작한다. '나'는 데뷔작의 영광 이후 열세 편의 책을 낸 인정받는 작가였지만 지금은 '계약금만 받고 원고 안 넘긴 필자들 명단'의 맨 앞에 이름을 올린 신세다. 출판사는 월 스트리트에서 온 신임 사장이 의욕적으로 사업 재정비를 하는 터라 계약 불이행 작가 정리에 나섰고, 이에 '나'는 소송도 불사하겠다는 출판사의 위협에 직면한다. 이로써 반강제적인 소설 집필 작업을 위한 동기부여는 이미 충분히 이루어졌다. 그러나 작가는 '나'가 본격적으로 집필에 나서기까지 작품 전체의 절반에 해당하는 분량을 할애하여 소설을 쓸 것인가 말 것인가 주저하는 제법 긴 우회로를 설계하였다. 그러한 우회로를 거치는 동안 작가는 하나의 트릭을 설정함으로써 상상력의 체계를 작동시키고 있다. 필자 관리를 하러 온 출판사 직원이 하필이면 이혼한 전처라는 설정이 모든 것의 단초이다.

"이상하게 수지를 만나면 나는 그 옛날의 철없던 시절로 돌아가버리고 만다'라는 말에서도 알 수 있듯이 '나'는 이혼한 전처에 대한 미련을 버리지 못하고 있다. '나'는 전처와의 사이에는 더 이상 부부 간의 정조 의무 따위는 남아 있지 않음을 잘 알고 있을뿐더러 전처

---

1 마르크스, 《자본론》(슬라보예 지젝, 《이데올로기라는 숭고한 대상》, 이수련 역, 인간사랑, 2002, 60면에서 재인용).

의 사생활에 참견해서는 안 된다는 사실도 잘 알고 있다. 그럼에도 불구하고 '나'는 혹시 그녀가 다른 남자와 가깝게 지내지는 않나 촉각을 곤두세운다. '모든 걸 궁금해하는 프루스트 형 소설가'라는 변명 속에서 '나'는 사소한 그녀의 말 한마디 한마디를 포착하기 위해 애쓴다. '나'는 반복되는 유치한 말꼬투리 잡기와 그에 따른 상대방의 반응을 통해 전처의 사생활에 관한 정황 증거들을 수집하고, 그것을 나름대로 분석하고 해석하기에 여념이 없다. 이러한 행동은 전처인 수지의 표현에 따르자면 '찌질한' 것이고, '나'의 주장에 따르자면 '예리한' 것이다. 여느 수사관들 못지않을 정도의 세심한 관찰과 추리를 통해 전처가 사장과 섹스를 한다는 '믿음'은 점점 굳어가고, 때로는 친구인 '철학'이나 '카페'와의 대화를 통해 섹스 파트너에 대한 연구(?)를 시도하기도 한다.

"내가 영혼을 걸레처럼 쥐어짜서 쓴 소설 덕분에 수지는 회사에서 능력 있는 편집자로 인정을 받겠고 수지와 내연의 관계에 있는 사장은 떼돈을 벌겠지?"

"잠깐! 제수씨하고 사장하고 그런 사이 아니라며?"

"그런 사이 맞아. 확실해."

"정말이야?"

"내 육감은 속일 수가 없어."

(…)

"그런데 만약 안 팔리면 그들은 나를 술자리의 안주 삼아 씹어대겠지. 그 인간은 작가로서 끝났다. 이혼하기를 정말 잘했다. 그것도 소설이라고 쓰고 있냐. 그런 진부한 소설로 21세기에 살아남겠냐? 어쩌고 저쩌고."

전처와 사장의 관계를 의심하면서 증거를 수집하던 '나'는 급기야 그들이 내연관계에 있다고 확신하게 된다. 이러한 확신 끝에 '나'는 작품의 첫머리에서 자신을 강하게 압박하던 집필 독촉이 전처를 차지하기 위해 꾸민 사장의 비겁한 덫이라 믿게 된다. 또한 자신이 어떻게든 소설을 쓸 수밖에 없는 상황에서 "잘 써도 낭패, 못 쓰면 개쪽"이라는 딜레마에 빠졌다고 믿는 것 역시 전처와 사장이 섹스 파트너라는 확고한 믿음에 바탕을 두고 있다. 더욱이 이러한 딜레마를 극복할 수 있는 유일한 방법이 "도저히 제정신으로는 출판할 수 없는 난해하고 어지러운 소설"을 씀으로써 역으로 사장을 딜레마에 빠뜨리는 것이라 믿게 되고, 비로소 소설 집필에 착수할 수 있게 된다. 결국 이 작품에서 제법 긴 우회로가 설정된 것은 '나'의 소설 집필이 전처와 사장이 섹스를 한다는 '믿음'에서 출발한다는 것을 보여주기 위함이다.

이 작품의 묘미는 작품 초반부의 우회로를 거치면서 형성된 '나'의 확고한 믿음이 작품 후반부에 가서 붕괴되는 지점에 있다. 미국으로 찾아온 사장이 총을 겨누고 자신의 부인과의 관계를 추궁할 때 '나'는 사장 또한 자신의 전처와 섹스를 하지 않았는가라고 되물으면서 "조심스럽게 반격을 해보았다". 간통 현장을 급습당하고 목숨마저 위태로운 상황에서 '당신이나 나나 마찬가지로 오쟁이 진 것, 피장파장이라는 것'이라 논리를 펼치는 것은 사장 부인과의 섹스가 결국 전처와 사장에 대한 질투 때문이라는 것을 간접적으로 입증하는 것이기도 하다. '서로의 것'을 빼앗고 뺏겼으니 없던 걸로 치자는 대담한 제안은 전처 수지가 만나던 남자는 사장이 아니라 자신의 친구 '철학'이었다는 실제의 사실 앞에서 힘없이 무너지고 만다. 자신의 예민한 관찰력을 총동원하여 합리적으로 구성한 끝에 도달한 믿음이 실제로는 어이없는 착각에 불과하다고 판명되는 순간 그토록 신봉하던 믿음의 근거들은 일시에 붕괴되고 만다. 더욱이 '나'는 소설가란 관념을 다루는 존재가 아니라 구체성을 추구하는 '문학계의 육체노동자'라며 자신의 인식 근거가 실체에 기반하고 있음을 자랑하였던 터라 충격의 강도는 더욱 높다.

여기에 이르면 작품의 첫머리에 등장했던 '옥수수와 닭 이야기'가 일정한 의미를 부여받게 된다. (작품 내에서도 주석을 통해 언급되고 있는) 지젝은 자신을 옥수수라 생각했던 멍청이 일화를 소개하면서 "믿음은 순수하게 정신적이고 '내밀한' 상태가 아니라 항상 우리의 실제 사회활동 속에 구체화되어 있다는 점"[2]에 주목해야 한다고 주문한 바 있다. '나'는 어디까지나 자신이 관찰하여 포착한 감각의 파편들을 기반으로 믿음의 체계를 구축한 인간의 전형이다. 자신이 본 것이 옳다고 믿었지만 실제로는 자신이 보고 싶은 것을 보았을 뿐이다. 그러나 실제의 현실 속에 펼쳐진 사실은 근본적으로 주체 외부에 존재하는 객관적 성질의 것이다. 자신을 옥수수라 생각하는 인간은 자신의 믿음에만 눈을 돌리고 있을 뿐 외부에 엄존하는 사실에는 눈을 감고 있다. 그렇기에 거대한 닭 두 마리에 둘러싸인 옥수수 한 알은 객관적인 실제 사실을 외면한 채 자신이 본 것이 진실이라 여긴 자가 처하게 되는 모습으로 해석될 수 있다.

이렇게 어긋나는 일에는 익숙해져 있었지만 사장과의 대화는 유독 많이 엇갈렸다. 내 책의 여백에 자기 나름의 대안적 스토리를 자꾸 적어넣다 보니 마치 그것이 원래 스토리였던 것처럼 착각하고 있는 것 같았다. 아니면 내가 잘못 기억하고 있는 것일 수도 있다. 이제 나는 그런

---

2 슬라보예 지젝, 《이데올로기라는 숭고한 대상》, 이수련 역, 인간사랑, 2002, 73면.

일에 별로 개의치 않는다. 독자가 어떻게 기억하고 있든 그게 나와 무
슨 상관이란 말인가.

 사태의 진실을 파악하지 못하는 착각의 과정은 '나'와 사장의 첫
만남에서 이미 예견되어 있었던 바이다. '나'의 소설을 전부 초판으
로 수집하고 있을 정도로 '광팬'임을 자처한 사장은 독자로서 자신
이 생각한 대안적 스토리를 소설의 여백에 기입해 넣었다. 그러나
그러한 주관적 감상이 기입된 결과 원래의 스토리와 자신의 머릿속
에서 나온 스토리가 혼재되어버리고 결국 원래의 것과 구분하지 못
하게 되는 현상이 발생한다. 이 대목에서 '나'의 말처럼 소설의 스토
리를 착각하는 일 따위는 그다지 신경 쓸 만한 것이 못 된다는 점은
분명하다. '나'가 믿는 스토리와 사장이 믿는 스토리가 다르다고 해
서 무슨 심각한 사건이 발생하는 것은 아니기 때문이다. 그러나 무
심코 넘어갔던 사장과의 생각(믿음)의 차이는 미국에서 이루어지는
'나'와 사장의 두 번째 만남에서는 자신의 목숨을 좌우할 만큼 중요
한 의미를 가지고 작품의 전면으로 부상한다. 열흘 동안의 영적인
엑스터시 속에서 써낸 '나'의 작품이 쓰레기냐 걸작이냐 판정되는
것은 오로지 권총을 든 사장이라는 주체 외부의 판단(믿음)에 달려 있
기 때문이다.

 2. 갇힌 회로

 외부의 실제 사실과 절연된 채, 자신이 본 것만을 믿고, 이제 자신
이 모든 것을 안다고 여기던 존재는 '나' 뿐만이 아니다. 섹스 파트너

에 대해 이야기를 들려주던 친구인 '철학'과 '카페' 역시 '나'와 비슷한 인물들이다. 그들은 '섹스 파트너를 마련하는 일'(바람피우는 일)을 누구보다 잘 알고 있노라 자신한다. '철학'은 섹스 파트너라는 이름의 상자를 공유할 뿐 결코 그 뚜껑을 열지 않기 때문에 안전할 수 있다고 말하고, '카페'는 서로 들러붙지 않게 하기 위해 프라이팬에 기름을 둘러야 한다고 충고해준다. 그러나 그들은 자신과 자신의 섹스 파트너 사이의 관계나 그 속에 작동하는 욕망의 원리에 대해 잘 안다고 믿고 있지만, 정작 '카페'는 자기 아내가 자기 아닌 다른 남자와 섹스를 하고 있다는 것을 '모르고' 있으며, '카페의 아내'와 '철학' 역시 '카페'가 여군 장교와 섹스를 하고 있는 것을 '모른다'. 물론 여기에는 그들이 모르는 비밀을 혼자만 알고 있다고 믿던 '나' 역시 자신의 전처가 '철학'의 섹스 파트너라는 사실이 드러나는 순간 모르는 것이나 다름없어지고 만다는 아이러니가 반짝이고 있다.

그렇다고 그들 세 사람이 아무것도 모른다는 의미는 아니다. 오히려 어떤 문제에 대해서는 '그들은 자기가 하고 있는 것을 잘 알지만, 여전히 그렇게 행한다'. 세 사람은 작가라는 공통점을 지니고 있다. 그들은 문학이 자본가에게 이용당할 위험을 잘 알고 있다. "넌 그러니까 순진하게 자본가에게 이용당하는 거야"라는 '나'의 조롱에 강하게 반발하는 '철학'의 모습에서, 그들이 자본주의 체제 내에서 작가가 처한 위험을 공식적으로 드러내고 토론할 정도로 충분히 잘 알고 있음을 알 수 있다. 그러나 그들은 자본의 위력을 잘 알고 있으면서도 실제로 행함에 있어서는 마치 그것을 몰랐다는 듯이 행동한다. "글이 안 써져. 안 써지는 걸 어떡해? 글을 써야 돈을 벌고, 돈을 벌어야 줄 거 아냐?"라는 '나'의 말은 "얼른 소설을 써. 그 길밖에 없어. 당신이 돈 버는 재주는 그것밖에 없잖아"라는 편집자의 말을 이미 승인하고서 이루어지는 발언에 불과하다. 작가를 사랑하는 사람으로서 돈은 중요하지 않으니 좋은 소설 하나만 써달라며 침까지 튀기며 흥분하는 사장의 속이 빤히 보이는 거짓말을 들은 '나'는 "사장의 흥분에 나도 모르게 감염되어 덜컥 그러마고 대답을 하고 말았다"라고 솔직히 고백한다. '나도 모르게' 사장의 논법에 감염되고 그것을 승인하게 되는 '나'의 모습은 자본의 위력과 위험을 충분히 인지하고 있으면서도 결국 자본의 질서에 말려드는 주체의 모습을 여실히 보여주고 있다.

한편 미국에서 집필의 무아지경을 경험하고 나서 문학은 밥벌이 도구가 아니라 신성한 무언가라고 여길 때에도 '나'가 자본가에게 이용당하기는 매일반이다. 불륜 현장을 급습한 사장은 제대로 집필을 하고 있었는지 확인하려 들고, 이에 '나'는 권총을 겨누고 있는 사장을 상대로 적극적인 해명에 나선다. 처음에 계획했던 일제시대 곡마단 이야기가 아니지 않느냐는 사장의 질문에 자신의 작품은 《율리시스》와 비슷한 부류의 작품이라 변명하면서, 문학이란 무엇인가에 대해 설명을 늘어놓는다. 이때 거듭하는 변명과 설명은 자신의 작품이 '쓰레기'가 아니라 예술성이 담보된 걸작임을 강조하는 데 초점을 맞추고 있다. 실제로 그 작품을 쓰면서 "이제야 비로소 진짜 작가가 됐다는 강한 확신이 들었"으므로 '나'의 말은 적어도 거짓은 아니다. 그러나 작품의 예술성에 대한 판단은 자본가를 대표하는 사장에게 전적으로 일임되어 있다. '작가는 곧 채권, 계약금만 받고 원고를 넘기지 않는 작가는 악성 채권'이라 여기는 사장은 처음부터 '악성 채권 회수'에만 관심이 쏠려 있었을 뿐, 작품의 예술성 따위에는 아무런 관심이 없었다. 예술성 있는 작품이라면 이윤이 발생할 것이고, '쓰레기'라면 출판도 해보지 못할 것이니 이윤은 0이거나 마이너스다. '나'의 발화의도와는 무관하게 사장의 귀에 '나'의 변명은 '당신은 이 작품으로 이익을 볼 수 있을 것입니다'로 번역되어 들릴 수밖에 없다. '나'가 지고한 예술혼을 강조할수록 사장에게는 '돈이 될 만하니 구입하는 것이 어떤가?'라고 호객행위를 하는 것이 되어버리고, 결과적으로는 자본가에게 이용당하고 말게 된다.

천 페이지가 넘는 요령부득의 소설로 사장을 난처하게 만들겠다는 발상은 또 어떠한가? 다음을 보면 사장은 전혀 난처해하지 않고 있으며, 심지어 그 소설로 벌어들일 수 있는 돈을 계산하는 모습에서 사장을 '엿 먹이려던' 애초의 의도는 완전한 실패로 귀결되었음을 확인할 수 있다. 자본가에게 이용당하는 작가가 되어서는 안 된다는 '나'의 믿음 또는 지식과는 상관없이 '나'가 쓴 소설은 사장의 배를 불리게 될 것이 분명해 보인다.

작가 박만수의 마지막 작품. 미완성 유고 소설이라고 선전하면 계약금은 회수할 수 있겠지. 뭐, 운이 좋다면 꽤 많이 팔릴 수도 있겠어. 아, 뉴욕에서 총 맞아 죽기 전까지 쓰던 소설이라고 언론에서 떠들면 좀 더 나가려나? 이미 원고지 천 매가 넘는 것 같던데. 그럼 신국판으로 뽑아도 삼백 페이지는 나올 거고, 오히려 어설픈 후반부가 없으니 독자들은 마음대로 상상하겠지. 아, 완결됐다면 걸작이 되었을지도 모르는데, 하면서 아쉬워도 하겠고. 아무리 봐도 이게 최선이야. 박 작가는 이쯤에서 요절해주는 게 그간 써온 작품들의 운명을 위해서도 좋을 거야.

어떠한 논리를 펼치더라도 결국 자본가에게 이용당하고 만다는 아이러니가 '나'와 사장 사이의 권력 관계를 상징적으로 보여주고 있다. 여기서 '옥수수와 닭 이야기'의 두 번째 의미가 도출될 수 있다. 사실적 현실의 차원에서는 옥수수이거나 사람이거나의 양자택일의 문제로 환원될 뿐이지만, 정체성은 결국 상징계의 질서에 귀속된다는 것이다.[3]

즉 자본주의사회에서의 주체는 상징적 질서가 부여한 정체성(상징적 정체성)을 받아들이게 되는 자, 대타자가 말하는 바가 되고 만다. 이 작품에서 '나'가 자신의 작품을 두고 "모든 창작자들이 애타게 찾아헤맨다는 에피파니의 순간" "뮤즈가 강림한 것"의 결과로 만들어진 것이라 아무리 주장해도, 여전히 닭으로 표상된 자본주의의 질서가 그 작품을 판매부수와 손익분기점으로 물화시켜버린다면 결국에 자본가에게 이용당하고 말게 되는 구조에 갇히게 된다. 옥수수가된 자의 두려움은 탈출이 불가능해 보이는 갇힌 회로의 폐쇄성에서 비롯되는 것이다.

3. 퍼즐과 환상의 가능성

이제 유서까지 있으니 그야말로 완벽해졌다. 나는 고개를 들어 사장을 바라보았다. 그제야 그가 달리 보였다. 그는 분노에 사로잡힌 오쟁이 진 남편이 아니었다. 그의 계획은 빈틈없고 완벽했다. 단 하나의 아귀도 어긋남이 없이 딱딱 맞아들어간다. 그러고 보면 영어의 플롯은 음모로도, 그리고 구성으로도 번역된다. 범죄자와 작가는 비슷한 구석이 있다. 은밀히 계획을 세우고 그것을 실행에 옮긴다. 계획이 뻔하면 덜미를 잡힌다는 점에서도 그렇다. 때로는 자기 꾀에 자기가 속는다는 점

---

3 슬라보예 지젝, 《까다로운 주체》, 이성민 역, b, 2005, 525면 참조.

도 그렇지. 이 아파트에서 내가 쓰고 있던 소설은 정해진 플롯이라고는 없는 중구난방의 이야기라고 할 수 있었다. 반면 사장의 음모는 아주 짜임새 있는, 그러나 바로 그렇기에 저급한 추리소설의 냄새를 풍긴다. 그런데도 승자는 사장이라니. 이것은 혹시 잘 짜인 플롯이 결국 중구난방 요령부득의 서사를 이긴다는 것을 의미하는 것일까? 너무 비약인가?

영어로 플롯은 범죄자의 음모도, 작가의 구성으로 번역될 수 있다는 것. 전처와 사장이 섹스를 하였으므로 나도 사장의 부인과 섹스를 하는 것은 피장파장 아니냐는 '자기 꾀'에 속고 말았다는 것. 더욱이 그것은 '나' 스스로의 눈으로 파악하여 축조한 믿음이 실상은 착각에 불과했다는 것. '나'는 사장의 플롯을 완성시키기 위한 유서를 작성한 직후 자신의 패배를 깨끗이 인정한다. 승부는 플롯의 치밀함 정도에 달려 있다. 그러나 여기에는 실제 작가의 계략이 감추어져 있다. 작품 속에서 요령부득의 음란하고 난해한 소설을 쓴 소설 속 인물로서의 '나'와 구별되는 실제 작가 말이다. 〈옥수수와 나〉의 실제 작가는 허구적 이야기 속 작가가 패배에 이르는 플롯을 구현함으로써 자신의 플롯을 완성시키고자 하고 있으며, 그 관건은 '아주 짜임새 있는' 플롯을 구성하는 데 달려 있다.

아주 짜임새 있는 것은 퍼즐 게임이 대표적이다. 실제 작가의 플롯을 따르는 〈옥수수와 나〉에는 퍼즐 맞추기와 같은 작업이 은근슬쩍 삽입되어 있다. '나'가 전처 수지와 만나는 장면에서 "수지는 먼저 와서 스도쿠를 하고 있었다. 그녀는 스도쿠나 십자말풀이처럼 빈칸에 뭘 채워넣는 퍼즐 게임을 좋아했다". 그뿐만 아니라 '나'는 자신의 목숨이 위태롭게 된 순간을 "이 범죄 치정극의 마지막 퍼즐"이라 부르고 있다. 뉴욕의 아파트에서 쓰던 소설의 모델은 《율리시스》였고, 제임스 조이스는 자신의 작품 속에 많은 수수께끼와 퀴즈를 감추어두었다고 공언하지 않았던가.[4] 그런데 퍼즐 같은 플롯으로 이루어졌다는 것은 곧 독자와의 대화적 가능성을 활짝 열어두고 있음을 의미한다. 무릇 퍼즐은 그것을 푸는 사람에게 힌트를 주는 것을 기본으로 한다. 아예 힌트가 없으면 푸는 사람의 흥미가 생기기 않고 퍼즐 풀이라는 대화적 관계는 성립할 수 없다. 이에 이르면 이 작품의 독자는 실제의 작가가 마련한 퍼즐 게임의 힌트를 하나씩 짚어가면서 복기해야 할 의무를 지닌 존재가 된다.

첫 번째의 복기 사항은 인물 간의 대화이다. 의심하는 '나'가 던진 유도심문, 그리고 그것에 대한 수지의 답변. 수지의 답변은 시종일관 '나'의 '찌질함'을 탓한다. 처음부터 말도 안 되는 소리를 한다는 것이다. 전처와 사장의 관계에 대한 '나'의 의심과 이어진 확고한 믿음은 전처의 일관된 대답만을 주의 깊게 살펴보면 처음부터 착각이었음이 바로 드러난다. 작가는 독자를 속이고 있었던 것이다. 이러한 작가의 속임수는 '나'와 '철학'의 대화에서도 여지없이 발휘된다. '철학'은 '나'에게 "너의 그 확신이 나는 불길해." "정말이야?" "제수씨가 그렇게나 대단한 여자야?"라고 끊임없이 반문하고 있지 않았던가. 독자들은 일인칭 화자의 서술이 신뢰할 만한 것이라는 일반적 독서 관습을 '믿고' 따라갔으며, 그 결과 착각을 진실인 양 믿고 있던 '나'와 한 치도 다를 바 없는 존재가 되어버린다.

두 번째의 복기 사항은 작가의 '영업 비밀' 누설이다. 이것은 작가로 설정된 '나'의 발언을 독자가 거부감 없이 진실이라 받아들이

---

4 제임스 조이스, 《율리시스》, 김종건 역, 범우사, 1988, 20면. "나는 《율리시스》 속에 굉장히 많은 수수께끼와 퀴즈를 감춰두었기에, 앞으로 수세기 동안 대학교수들은 내가 뜻하는 바를 거론하기에 분주할 것이다. 이것이 자신의 불멸을 보장하는 유일한 길이다."

게 만드는 역할을 한다. "모든 작가는 편집자에게 이렇게 거짓말을 한다", "구상을 편집자에게 말할 때는 마술적 리얼리즘이나 초현실주의를 슬쩍 언급해주는 게 좋다. 그러면 편집자는 자기 마음대로 스토리를 상상하기 시작하고, 곧 그것을 마음에 들어 한다", "작가라고 자기가 쓴 책의 내용을 전부 기억하는 것은 아니다" 등등. 작가의 '영업 비밀'은 독자들이 평소 접하기 힘들었던 진실에 가까이 다가가고 있다는 착각을 불러일으키기에 안성맞춤이다. 처음 만난 사장이 '나'로부터 신뢰를 얻고 집필 수락을 얻어내기 위해 사용한 한 가지 방법이 월 스트리트의 '영업 비밀' 누설이었다는 것을 떠올린다면 쉽게 이해될 수 있을 것이다. 은밀한 비밀을 공유한다는 의식의 환기야말로 독자를 인물에 근접하게 만드는 유력한 방법 중 하나이며, 실제 작가는 실제로는 착각에 불과한 '나'의 믿음이 마치 진실인 것처럼 지속적으로 독자를 속이고 있다.

나는 천천히 눈을 뜬다. 방이 조금 커졌다는 느낌이 든다. (…) 마치 감옥에 있는 것 같다. 저기 보이는 줄무늬, 저것은 철창인가, 아니면 벽지의 문양인가? 나는 고개를 돌려 사장이 있던 쪽을 본다. 사장의 모습이 이상하다. 서서히 변해가고 있는 것 같다. 정수리에서 붉은 볏이 자라나오기 시작하더니 입도 점점 튀어나와 짧고 날카로운 부리가 된다. (…) 나는 오금이 저려 점점 더 작아지고 방은 더욱 커진다. (…) 두렵다. 너무도 두렵다.
마침내 아득한 의식의 안개를 뚫고 하나의 문장이 서서히 형체를 드러낸다. 나는 그 문장을 소리 내어 읽는다.
나는 옥수수가 아니다.
나는 옥수수가 아니다.

나는 옥수수가……

독자를 '나'의 착각으로 유인하는 작가의 속임수는 작품의 대미를 장식하는 환상을 제시하기 위해 예비된 것이다. 옥수수와 닭의 이야기가 작품의 첫 대목에서 소개되었을 때 그것은 단지 현실을 구분하지 못하는 미치광이에 관한 '농담'일 뿐이었다. 작가는 퍼즐 게임의 구성을 이용해서 독자를 '나'에 근접시켰고, 마지막에 와서 맨 앞에 있던 농담을 재소환한다. 그러나 이제는 그것이 더 이상 웃음을 유발하지 않을뿐더러 기이함과 서글픔마저 불러일으킨다. 소설 문장 종결의 기본인 과거형으로 이어지는 서술은 이 대목에 이르러 현재형으로 전환되고, 자신이 믿고 있는 것이 진실이라 확신에 차 있고 다분히 냉소적인 측면을 지니고 있던 '나'의 어조는 지극히 제한된 시야만을 가까스로 포착할 수 있는 약소한 존재의 어조로 추락해버렸다. 독자들이 듣게 되는 것은 한없이 나약한 옥수수 한 알을 압박해오는 거대한 닭의 구르륵거리는 소리이다. 농담은 기이하고 서글픈 환상으로 화학적 변화를 이룬 것이다.

'나'의 두려움은 의미론적 층위를 벗어난 공허에서 비롯한다. 그러한 두려움은 자본주의 체제가 개인을 강박할 때 발생하는 것이라고 설명할 수 있을지도 모른다. 그러나 이러한 해석은 문학에서 "환상은 현실을 도려내고 거기에 부재하는 것, '큰타자', 말해질 수도 없고 보여질 수도 없었던 것을 드러내"는 역할을 한다는 주장[5]을 떠올릴 때, 다소 한정된 측면만을 보고 있다고 할 수 있다. 비록 착각이었지만, 자신의 관찰을 통해 진실에 도달할 수 있다는 자신감에 넘치던 작가인 '나'는 순진하게 자본가에게 이용당하지 말아야 한다는

5 로즈메리 잭슨,《환상성: 전복의 문학》, 서강여성문학연구회 역, 문학동네, 2001, 237면.

것을 '이미' 알고 있는 인물이었다. 또한 '나'는 그러한 상징계의 강박을 잘 알면서도 '그럼에도 불구하고' 그 상징계의 질서를 수용하던 인물이기도 했다. 특히 사장의 총구 앞에서도 '나' 특유의 시야와 어조는 '완벽하게 오쟁이 진 사내' 치고는 여전히 유머러스하고 냉소적이었다.

따라서 '나'의 시야는 점점 축소되고, 어조는 점점 자신감을 잃어가는 환상의 장면은 서술의 측면에서 급진적인 변화의 결과이다. 이 장면은 인간으로서의 육체적 통일성도 갖고 있지 못하며, 이전의 "자기 자신과 일치하지 않는다는 것에 두려움을 느낀다"[6]라는 그레고르 잠자의 환상적 변화를 떠올리게 만든다. 환상의 급격한 서술적 변화에 수반하여 현실은 해체되고 고요와 두려움이 부유하고 있을 따름이다. 그리고 독자의 입장에서 할 수 있는 과제는 한 알의 옥수수로 변해가는 변신의 과정을 숨죽여 바라보는 것뿐이다. 때로는 자신의 믿음이 지닌 허약함을 절감하고, 때로는 갇혀진 회로에서 탈출할 수 없었던 '나'의 존재론적 한계에 대한 인식은 '나'의 의식이 점차적으로 사그라지는 환상의 장면 속에서 "그들은 자신들이 행동하면서 환영을 쫓고 있다는 것을 알고 있지만 여전히 그것을 행한다"[7]는 명제의 여운과 함께 오롯이 독자의 몫으로 돌려지고 있다.

---

6 앞의 책, 213면.
7 슬라보예 지젝, 《이데올로기라는 숭고한 대상》, 이수련 역, 인간사랑, 2002, 69면.

2부
우수상 수상작

함정임
저녁식사가 끝난 뒤

1964년 전북 김제에서 태어나 이화여대 불문과와 중앙대 대학원 문예창작학과 박사과정을 마쳤다. 1990년 《동아 일보》 신춘문예에 단편 〈광장으로 가는 길〉로 등단했다. 소설집 《이야기, 떨어지는 가면》 《밤은 말한다》 《동행》 《당 신의 물고기》 《버스, 지나가다》 《네 마음의 푸른 눈》 《곡두》, 중편소설 《아주 사소한 중독》, 장편소설 《행복》 《춘하추 동》 《내 남자의 책》, 산문집 《하찮음에 관하여》 《지금 살아 있다는 것은》 《나를 미치게 하는 것들》 《나를 사로잡은 그녀, 그녀들》 《소설가로 산다는 것》(공저), 예술기행서 《그리고 나는 베네치아로 갔다》 《인생의 사용》, 번역서 《불 멸의 화가 아르테미시아》 《행복을 주는 그림》 등이 있다. 현재 동아대 문예창작학과 교수로 재직 중.

　　　　　　　순남 씨는 궤에서 은촛대 두 개를 꺼내
식탁 양편에 올려놓다가 헉, 하고 숨이 막혔다. 외출 채비를 하던 남
편 희복 씨가 식당으로 얼굴을 쑥 내밀며, "왜 그래요?" 하고 물었
다. 숨 막히는 소리가 들릴 리 없는데, 함께 오래 살고 볼 일이었다.
순남 씨는 "글쎄, 그게 언제였던가 해서요"라며 상심한 얼굴로 은촛
대를 바라보았다. 희복 씨는 또 시작이라는 듯 어깨를 한 번 으쓱하
고는 구불거리는 머리카락을 세심하게 귀 뒤로 쓸어넘기며 현관으
로 향했다. 그러고는 괘종시계 앞에 잠시 서 있다가 뒤따라나오는
순남 씨를 돌아보며 "뭐가, 언제라는 거요?"라고 물었고, 순남 씨는
대답 대신 "이 은촛대를 제가 언제 마지막으로 꺼냈었죠?"라고 되물
었다. 하얀 습자지로 돌돌 말아 궤 깊숙이 넣어두었는데도 은촛대는
어쩔 수 없이 스며든 세월의 먼지를 막지 못하고 검버섯이 번진 얼
굴처럼 거뭇거뭇한 형상이었다. 희복 씨는 하등 별것 아닌 것에 또
필요 이상으로 신경을 쓰고 있는 순남 씨가 애처롭다는 듯이 고개를
저으며 복숭아뼈까지 올라오는 목이 긴 갈색 구두를 신발장에서 꺼
내 신었다. 그러고는 현관 거울을 들여다보며 구불거리는 머리카락
을 또다시 세심하게 귀 뒤로 넘겼다.

　"일찍 돌아오리다."

오늘 저녁 여섯 시 순남 씨 부부는 먼 곳에 사는 지인들을 맞이하여 저녁식사를 할 참이었다. 초대객은 서울에서 두 명, 일산에서 두 명, 양평에서 한 명, 부산에서 한 명, 모두 여섯 명이었다. 아무리 겨울 해가 짧다고는 해도 저녁식사 시간치고 여섯 시는 좀 이른 편이었다. 바다색이 조금이라도 남아 있는 시간이라는 순남 씨의 뜻에 따른 것이었다. 하루 여행 삼아 바람이나 한번 쐬러오라는 남편의 말에, 초대를 받은 사람들은 평생 바다라고는 못 보고 산 것처럼, 오호 그럼 바다를 볼 수 있겠군요! 라며 선뜻 응했다.

열흘 전 순남 씨 부부는 집 근처의 예술영화 상영관에서 존 휴스턴 감독의 〈죽은 자들〉을 보았다. 제임스 조이스의 소설을 영화로 각색한 것인데, 크리스마스를 맞아 댄스파티를 열어온 늙은 자매의 집이 무대였다. 영화가 끝날 즈음 자매의 조카인 주인공 가브리엘이 숙소인 호텔로 돌아와 죽은 사람들, 또는 곧 죽을 사람들에 대한 회상을 길게 했다. 직접적으로든 간접적으로든 인생길을 함께했던 사람들이 한 사람 한 사람 사라지는 슬픈 회상이었다. 순남 씨는 그 장면에서 그만 목이 메고 말았다. P선생 생각이 났기 때문이었다. 남편도 같은 생각이었던지 P선생과 인연이 있는 지인들을 초대해 저녁식사 한번 하는 게 어떠냐고 제안했다. P선생의 부음 소식을 듣던 날 공교롭게도 순남 씨 부부는 한국에 없었다. 십 년 전 약속했던 겨울 여행 중이었다. 마침 남프랑스 루르마랭에 있는 카뮈의 묘에 다녀오던 길이었고, 순남 씨 부부는 갑자기 날아든 비보에 망연자실해졌다. 그날 밤 순남 씨는 천 리 밖 루르마랭이라는 고원高原 마을에서 늦도록 잠을 이루지 못하고 검은 허공만 바라봤다. 맑은 날 고원의 밤하늘은 별천지였다. 그런데 그날 순남 씨의 눈에는 어떤 별도 눈에 들어오지 않았다. 그저 뿌연 안개밭일 뿐이었다. 새벽에 잠깐 잠이 들었다가 깨어 창문으로 비쳐드는 달빛을 좇아 창가로 가니 멀리에서 새벽별 하나가 깜박깜박 빛을 던지고 있었다. 순남 씨는 풀어헤쳐진 옷깃을 여미고 고개를 숙였다.

*

　손님들을 초대하는 날 순남 씨가 제일 먼저 하는 일은 궤에서 은촛대를 꺼내는 일이었다. 그것은 일 년에 한두 번 있는 특별한 행사를 의미했다. 은촛대는 강재가 고등학생 때 유럽으로 역사탐방을 다녀오는 길에 품고 온 것이었다. 열일곱 살 소년의 취향이라기보다는 어미의 그것에 맞춰진 선택이었는데, 두고 볼수록 마음에 드는 물건이었다. 하얀 습자지에 쌓인 그것을 처음 펼쳐보았을 때 우윳빛이 배어나오는 색감과 부드러운 기둥의 감촉을 잊을 수 없었다. 어떤 사물한테는 특별한 사람에게처럼 정이 가는 일이 있었는데, 순남 씨에게 은촛대가 그랬다. 그런데 어쩌다가 근래에는 어두컴컴한 궤 속에 넣어둔 채 통 꺼낸 적이 없었다. 그 사실조차 까맣게 잊고 있었다. 회한에 두 눈썹 끝이 잔뜩 치켜올라간 표정으로 순남 씨는 은촛대에 딸린 종 모양의 스너퍼를 슬며시 집어들었다. 그때가 언제였더라. 순남 씨는 스너퍼로 켜 있지도 않은 촛불을 끄듯이 탕탕, 촛대를 쳤다. 요즘 부쩍 가까운 기억이 도마뱀의 잘린 꼬리처럼 감쪽같이 사라지는 것을 느꼈다. 대신 먼 기억은 손에 잡힐 듯이 생생하고 또렷

했다. 순남 씨가 아침 내내 기억해내려고 애쓰는 것은 처음 습자지에 쌓인 은촛대를 열어보던 때가 아니라 마지막으로 식탁에 올려놓고 촛불을 붙이던 마지막 순간이었다. 생각날 듯하다가 종잡을 수 없이 사라져버리는 바람에 순남 씨는 마른 애를 먹었다. 앞뒤 각설하고, 작년 시월의 저녁식사는 분명히 기억이 났다. 국제영화제 개막식 날이었다.

그날의 저녁식사 손님은 팔인용 식탁에 맞춰져 구성되었다. 키르기스스탄에서 온 저널리스트 잠비와 그 아버지, 몽고 울란바토르에서 온 가수 자야, 그리고 평생 영화제와는 담을 쌓고 살아온 남편의 직장 동료 셋, 모두 여섯 명이었다. 남편은 어시장에 가서 직접 물 좋은 대게를 골라서는 저녁식사가 시작되기 직전에 배달부처럼 벨을 눌렀었다. 중앙아시아 내륙 출신들에게 특별한 인상을 심어줄 만한 그날의 메뉴로 순남 씨는 갓 쪄온 대게와 차가운 캘리포니아 백포도주를 생각했던 것이었다. 그날 순남 씨의 기억에 특별한 인상을 남긴 사람은 두 사람, 잠비의 아버지와 자야였다. 잠비의 아버지는 작가였다.

잠비는 아버지의 이름을 천천히 발음하며 성심껏 소개했으나 키르기스어는 듣는 순간 잊어버릴 수밖에 없는 매우 이질적인 언어였다. 구소련 체제에서 혹독한 교육을 받았고, 엄격한 검열 속에 작가 생활을 했다는 잠비의 아버지는 대게는 물론 다른 해산물에 일체 손을 대지 않았다. 그것은 세계의 공용어 이전에 적대국이었던 미국의 국어인 영어를 단 한마디도 입 밖에 내지 않는 것과 같은 맥락으로 비쳤다. 먹지 않겠다고 입을 꾹 닫은 아이처럼 완강해 보이는 그에게 누구도 선뜻 음식을 권하기가 난감한 노릇이었다. 보다 못해 순남 씨가 두부 된장찌개를 서둘러 끓여 내오자 그제야 허기를 느꼈던지 그는 숟가락으로 연신 뜨거운 된장 국물을 떠 입에 넣었다. 비쩍 마른 큰 체구에 웃는 법을 잊어버린 노병처럼 경직되어 있던 그는 된장찌개 맛을 본 이후로 화색이 돌고 활기를 찾았다. 그는 대화의 내용을 못 알아들을지언정 진지하게 귀를 기울이고 있다가 딸이 귀엣말로 통역을 해주면 한 박자 느리게 반응하며 우렁차게 웃는가 하면, 다소 우스꽝스럽고 과장된 손짓으로 흔쾌한 기분을 드러내려고 애썼다. 오직 키르기스어만을 고집하는 아버지와는 달리 잠비는 영어와 프랑스어를 유창하게 잘하는, 한국어도 서툴게 구사할 줄 아는 국제적인 감각을 지닌 전문직 여성이었다. 좌중에서 고립되지 않도록 아버지를 살피는 모습이 꼭 아들을 세상에 처음 내놓는 어미처럼 보였다. 잠비와는 그날 이후 한두 번 연락이 오가다 소식이 끊어졌다. 자유로운 영혼의 소유자인 만큼 이 나라에서 잠깐 저 나라에서 잠깐 바람처럼 옮겨다니며 살고 있을 것이었다. 순남 씨는 잠비 생각에 어느새 남편의 서재에 들어와 있었다. 벽 한 켠을 장식하고 있는 세계 전도 중앙에 노란 형광펜으로 키르기스스탄이 칠해져 있었다. 이 년 전 국제교류재단 회의에 갔다가 잠비를 만나고 온 날 밤 남편은 순남 씨의 손을 끌고 가 확인시켜주면서 표시했었다. 잠비가 축구단 스태프로 일할 때 가봤다는 말레이시아 쿠알라룸푸르, 무용수였던 엄마를 따라 살았다던 프랑스 파리, 그리고 최근 증권회사 직원으로 근무했다던 미 서부 샌프란시스코. 순식간에 자신의 다국적인 과거를 술술 풀어놓는 잠비의 화술에 넋이 빠졌던 그때처럼,

그녀의 광범위한 궤적을 짚어보고 서 있자니 그날 저녁의 만남이 신기루처럼 긴가민가했다.

세계 전도 앞에서 잠비를 추억하고 서 있던 순남 씨는 무슨 기특한 생각이라도 떠오른 듯 날렵한 발걸음으로 남편의 서재에서 나와 맞은편 방으로 들어갔다. 강재의 공부방이었으나 지금은 책과 기념품, 시디 등속이 쌓여 있는 골방이었다. 순남 씨는 한참을 책장 앞에서 서성거리다가 중앙아시아 관련서들 속에 끼워져 있던 시디 한 장을 찾아냈다. 자야의 선물이었다. 자야는 훌륭한 저녁식사 초대에 보답하는 뜻으로 순남 씨를 위해 무엇인가를 하고 싶다고 말하고는, 자신이 잘하는 것 중에 연기와 노래가 있는데, 자리가 자리이니만큼 노래를 한 곡 부르겠다고 했다. 오디처럼 검고 초롱초롱한 큰 눈의 자야가 동그랗게 입술을 모았다가 늘이면서 몽골어로 소리를 뽑아내기 전까지 순남 씨는 그토록 마음을 잡아끄는 영적인 소리가 자신의 집에서 울려퍼지리라고는 상상하지 못했다. 내용은 몰라도 자야가 부르는 청아한 음성의 노래는 광활한 대초원의 영혼을 일깨우는 신비로운 초혼가였다. 모두들 숙연한 가운데 자야의 노래가 끝나자 순남 씨의 눈에서 투명한 눈물이 한 줄기 흘러내렸다. 자리에서 일어서서 순남 씨의 눈만을 내려다보며 부르는 자야의 음성과 눈빛이 마치 샤먼의 그것처럼 그동안 잊어버린, 아니 오래전에 잃어버린 소중한 한 생명의 넋을 어루만져주는 것 같았다. 자야에게 집중된 시선들은 순남 씨의 눈물을 보지 못했으나 자야만은 그 의미를 꿰뚫어보고 있는 듯했다. 저녁식사가 끝나고 작별의 포옹을 하던 자야는 가방 속에서 누군가에게 주려고 포장해놓았던 시디를 꺼내어 순남 씨의 품에 안겨주었다. 자야에게는 초원의 건초 향기가 났다.

*

 아~ 히~ 여~, 운터치 토호르쏘~ 혼. 자야가 그날 순남 씨 품에 찔러주고 간 것은 몽고의 요람집이었다. 우르나 차하르 툭치라는 여성 가수의 〈생명〉이라는 앨범이었다. 몽고인 특유의 검은 생머리에 광대뼈가 툭 불거진 야생의 여성 얼굴이 시디의 표지 전면을 장식하고 있었다. 그녀가 우르나였다. 잠비의 말로는 몽고의 혼을 전 세계에 알린 디바라고 했는데, 순남 씨는 처음 들어보는 이름이었다. 그날 자야로부터 건네받고 한 번도 틀어보지 않은 것은 바라보는 사람을 꿰뚫어보는 듯한 그녀의 눈빛이 부담스러웠기 때문이었다. 그런 생각이 이제야 들었다. 순남 씨에게 그녀는 가수라기보다는 샤먼으로 다가왔던 것이다. 우랄알타이어로 읊조리는 내용은 한마디도 알아들을 수 없었으나 순남 씨는 한 음절 한 음절 경청하며 따라 발음해보려고 했다. 아~ 히~ 여~, 운터치 토호르쏘~ 혼. 광활한 몽고의 대초원을 상상하고 있는데, 현관 입구에 서 있는 괘종시계가 종을 치기 시작했다. 종은 일정한 간격과 강세로 열한 번 울리고는 잠잠해졌다. 일곱 시간 후면 초대객들이 현관 벨을 누르기 시작할 것이었다. 그 전에 곧 효주 학생이 도착할 것이었다. 어제 오후 통화하던 중에 효주 학생은, 촛대 닦기는 제 몫인 거 아시죠? 라고 똑 부러지게 확인하듯 말했다. 요즘 아이들과 달리 효주 학생은 순남 씨의 은근히 까다로운 취향을 헤아리고 자연스럽게 맞출 줄 알았다. 이제 겨우 스물셋밖에 안 된 아이가 어떻게 입속의 혀처럼 척척 맞출까 신기하기까지 했다. 효주 학생 말고도 몇몇 청년들이 순남 씨의 집에 드나들었다. 몇 년 전 D대학에 출강하면서 만난 문청들이었다. 이들 가운데 특히 편부 슬하에 자라 자의식이 강하고 대인기피증이 있어 주변 사람들과 잘 섞이지 못하는 효주 학생에게는 딸에게나 느낄 법한 애틋한 감정이 쏠리곤 했다. 그때 그 아이가 살았더라면, 아마 효주 학생 나이겠지. 식당 벽을 장식하고 있는 크고 작은 사진 액자들 중 하나에 순남 씨의 흔들리는 시선이 닿았다. 사진 속 젊은 순남 씨는 야외에서 갓난 강재를 안고 있었다. 햇살을 정면으로 받고 있어서인지 살짝 찌푸린 미간에 시선은 오른쪽 아래를 향하고 있었다. 여자 아기처럼 흰 레이스 모자를 쓴 강재는 호기심 가득한 눈으로 정면을 바라보고 있었다. 그때는 어미 팔뚝보다 작았는데 어느덧 키가 제 아비보다 머리 하나는 더 크게 자라서 순남 씨는 제 배로 낳았으면서도 아들이 낯설어 보일 때가 많았다. 고등학생이 되자, 매일매일 아들이 자신을 떠나가는 생각을 하지 않은 날이 없었다. 그 여자 아기의 이름은…… 강희였다. 순남 씨는 애써 그 이름을 머릿속에서 지워버리려 했다. 오 개월 무렵, 세 살 때, 열 살 때, 열일곱 살 때, 그리고 스무 살 때 아들의 모습이 담긴 사진들을 하나하나 훑어보았다. 강재는 희복 씨가 유학으로 결혼이 늦은데다가 오 년을 애타게 기다린 끝에 얻은 귀한 자식이었다. 처음 의사로부터 이란성 쌍생아라는 소식을 들었을 때 순남 씨는 교인도 아니면서 하느님께 감사했다. 그런데 태어난 지 한 달 만에 여아가 폐렴으로 어이없이 숨을 거두었고, 순남 씨는 혹여 남은 아이마저도 잃을까봐 애면글면

과도하게 쏠리는 마음을 돌리려고 애를 썼다. 순간순간 맹렬하게 번지려는 허탈감과 우울증을 안으로 처연히 다스리며 그럭저럭 순조롭게 살아온 듯했는데, 강재가 성장해 품을 떠나자, 더는 어쩔 수 없이 오랜 지병이 도지듯, 순남 씨의 마음이 산란해졌고, 부쩍 가슴이 답답해지곤 했다.

*

어린 아들이 피아노 레슨을 받는지, 위층에서 며칠째 같은 곡이 같은 시간에 반복해서 들렸다. 순남 씨가 잘 아는 〈엔터테이너〉라는 곡이었다. 피아노를 배우던 일곱 살 무렵 강재도 같은 곡을 반복해서 연주했었다. 순남 씨는 피아노를 식당과 거실 사이에 놓아 강재의 피아노 소리를 들으며 저녁밥을 짓곤 했다. 마흔이 될 때까지 밤이면 원고 마감에 시달리며 뒤늦게 대학원 학위 과정을 밟느라 새벽 두 시경에야 잠드는 고된 생활이었지만, 순남 씨는 아들이 여물어가는 손가락으로 아름다운 소리를 내는 그 순간 행복을 느꼈다. 동시에 그 행복의 순간은 그리 오래가지 않으리라는 사실을 엄정하게 되새기곤 했다. 글이란 바늘 끝처럼 예민한 신경 끝에서 몇 줄 몇 장 씩 어지는 고역이었지만, 순남 씨는 가족에게 내색하고 싶지 않았다. 매사에 낙천적이고 사람 좋아하는 남편은 제자든 친구든, 심지어 은사까지 집으로 모시고 와서 마감에 쫓기는 순남 씨를 곤란에 빠트리곤 했다. 여름 바캉스 철이나 가을 국제영화제 시즌에는 각지에서 일가와 지인들이 찾아오곤 했는데, 그때마다 순남 씨는 팔인용 식탁 위에 은촛대를 꺼내어 저녁 파티를 열었다. 서툰 실력으로 〈엔터테이너〉나 〈브람스의 자장가〉를 치던 강재는 제법 능숙하게 쇼팽이나 슈만의 곡을 연주했고, 초대객들은 인내력을 가지고 경청했다. 꿈같은 시절이었다. 강재만 크면 어디로든 떠나 글에만 전념하리라 벼르곤 했는데, 그것으로 끝나버렸다. 어쩌다가 낯선 사람들이 모인 저녁식사 자리에서 남편이 이 사람은 소설가예요, 라고 소개할라치면, 순남 씨는 얼른 '전직 소설가'라고 남편의 말을 정정하곤 했다. 그러면 저녁식사에 빠지는 법이 없는 남편의 동료 임홍찬 교수는 "전직 교수는 들어봤어도 전직 소설가는 처음 들어봅니다!"라고 껄껄 웃으면서 "한번 작가는 영원한 작가 아닙니까?"라고 치켜세우듯 덧붙였지만, 그럴수록 순남 씨는 민망해서 낯을 못 들 지경이었다. 임 교수는 순진한 건지 얄궂은 건지 "아니, 왜 계속 쓰지 그러세요!"라고 생각해주듯 한마디 더 얹을 때도 있었는데, 그럴 때면 순남 씨는 식탁에서 빈 접시를 찾아들고 보여서는 안 되는 줄 알면서도 등을 지고 돌아섰다. 왜 쓰지 않게 된 걸까. 세기가 바뀌자 쓰는 이든 읽는 이든 모두 속도에 악착같이 매달렸다. 속도는 자극할 뿐 뒤돌아보지 않았다. 속도의 먹이사슬에 갇혀버린 살벌한 현장이 눈에 들어오자 순남 씨는 그곳으로부터 한발 물러서 있는 자신을 깨달았다. 어떤 이유에서든, 그것은 전적으로 순남 씨의 문제였다. 독자라면 몰라도, 독자가 아닌 사람에게 미안해하거나, 변명할 이유가 없었지만, 순남 씨는 슬그머니 물러난 사람처럼 숨어사는 꼴이 되었다. 회상만으로도 자책감이 엄습해 숨쉬기가 벅찼다. 임 교수는 몇 년 전부터 알 수 없는 지병으로 걸핏하면 병원을 찾더니 일찍 퇴직해서 뉴질랜드로 떠났고, 하루 중 서너 시간을 풀밭 위를 걸으며 보냈다. 남편은 교수 임용 동기에다가 국제교류재단 창립 멤버라는 이유로, 서로 식습관이 맞지 않는데도 불구하고 임 교수와 각별한 관계를 이십 년 가까이 유지해왔다. 뉴질랜드로 떠나는 그와 헤어져 돌아오는 길에 남편은 오랜 미국 유학생활에서 햄버거 같은 패스트푸드에 중독이 되어 살아온 결과라고 혀를 찼다. 그리고 몇 년째 일 년에 두세 차례 오가는 국제 통화에서 서로 한번 간다, 온다 안부 인사만 건넬 뿐이었다.

위층에서 피아노 소리가 멎자 순남 씨가 피아노 덮개를 열었다. 두 손을 건반 위에 올린 뒤 왼손 새끼손가락은 '라' 음을, 오른쪽 검지 손가락은 '미' 음을 동시에 눌렀다. 그리고 잠시 음미하듯 눈을 감고 울리는 소리를 들으며 그대로 앉아 있었다. 순남 씨는 처음 피아노를 만져본 열여섯 살 이후로 브람스의 〈헝가리언 춤곡〉을 좋아했다. 피아노 선생은 악보에 적힌 대로 '빠르고 정열적으로' 치라고 주문했으나, 순남 씨는 '느리고 부드럽게' 치곤 했다. 서너 번 교정해줘도 다시 '느리고 부드럽게'로 되돌아오자 순남 씨와 곡이 맞지 않는다며 〈슬라브 춤곡〉으로 넘어갔다. 순남 씨는 옛날 선생이 가르치던 대로 〈헝가리언 춤곡〉을 빠르고 정열적으로 치려고 해보았다. 중간쯤 '더욱 빠르게, 음을 또렷하게' 치라는 부분에서 손가락에 너무 힘을 준 탓에 그만 엇박자가 되고 말았다. 순남 씨가 손을 멈추자 세상이 정지한 듯 갑자기 적막해졌다. 위층에서 누군가 순남 씨의 〈헝가리언 춤곡〉을 듣고 있을 거란 생각이 들자 늙은 희극 배우의 때늦은 등장처럼 멋쩍어져서 건반에서 손을 뗐다. 피아노 덮개를 덮고 일어나려고 하다가, 순남 씨는 다시 앉아서는 역시 '라' 음과 '미' 음으로 시작되는 〈태양은 가득히〉의 첫 도입부를 숨죽이고 작게 쳐봤다. 놀랍게도 끝까지, 음 하나하나가 순조롭게 되살아났다. 지중해의 뜨거운 햇살 아래 시퍼렇게 물결치던 바다, 그 위에 과도하게 넘치던 욕망과 허무한 젊음. 순남 씨는 청춘의 모험에는 파괴적인 충동과 달콤한 자기기만이 뒤따른다는 것을 이 노래를 들으며 되새기곤 했다. 이 영화 때문에 이탈리아의 하늘을, 그리고 그 아래 항구 몽지벨로를 열렬히 꿈꾼 적이 있었다. 한갓 영화 때문에 딴 세상을 꿈꾸다니, 그러나 그럴 나이였다.

*

순남 씨가 이탈리아 땅을 밟은 것은 청춘기를 훌쩍 넘긴 서른여덟 살 때였다. 몽지벨로란 상상 속의 섬이라는 것을 그때 알았다. 남편의 니스 출장길에 동반했다가 따로 시간을 내어 프랑스의 최동쪽 항구 망통을 거쳐 이탈리아 국경을 넘어갔다. 순남 씨가 도착한 첫 이탈리아 땅은 영화의 무대였던 나폴리나 로마가 아닌 산레모였다. 그녀가 어렸을 적 국제영화제로 유명했던 산레모는 인근 항구들이 야자수를 가로수로 심은 것과는 달리 소나무가 많았다. 알 포르테라는 요새 앞 식당에서 이른 저녁을 먹고 돌아오는 길에 남편은 몽지벨로든 나폴리든 십 년 안에 이탈리아 일주 여행을 하자고 약속했다. 지난겨울 여행은 그때의 약속을 이행한 것이었다. 순남 씨 부부는 이탈리아가 아닌 남프랑스의 프로방스를 선택했다. 몽지벨로가 실재하지 않는다는 사실을 알게 된 뒤 순남 씨는 이탈리아 여행에 큰 의미를 두지 않았다. 마지의 섬으로 상상 속에 간직하고 있는 것이 오히려 더 좋았다.

순남 씨 부부가 프로방스 지역의 뤼베롱 산악지대에 있다는 루르마랭이라는 마을을 찾아간 것은 순전히 우연이었다. 지난해 말 남편은 아침 식탁에 신문 기사 하나를 올려놓았는데, 거기에는 루르마랭에 있는 카뮈의 묘지 사진이 실려 있었다. 47세의 나이에 교통사고로 사망한 지 오십 년이 되었다는 것과 그것을 계기로 전 세계에서 학술대회나 강연회가 열리고 있다는 내용이었다. 부부간에는 한 달에 한두 번 머릿속 생각과 가슴속 마음이 일치하는 순간이 있는데, 그날 아침의 카뮈와 루르마랭이 그랬다. 남편은 그동안 프랑스를 셀 수 없이 드나들면서도 어떻게 카뮈의 묘를 찾아볼 생각을 못했을까 의아해하면서도 우연찮게 실수가 횡재로 둔갑하는 경우를 목도한 듯 달가운 표정을 지었다. 그러고는 혼잣말하듯, 하긴 파리에는 찾아볼 죽은 사람이 너무 많기는 해. 내 조상도 그렇게 찾아 인사드리지 못하고 사는 마당에 말이야, 라고 중얼거렸다. 순남 씨는 루르마랭을 찾아가던 지난겨울의 어느 정오 무렵을 떠올리면서 하늘로 붕 떠오르듯이 기분이 고조되었다. 카뮈 묘지 옆에서 묵묵히 서 있던 몇 그루의 사이프러스나무를 보면서, 이다음 나 죽거들랑 내 무덤 옆에 사이프러스나무 한 그루 심어줘, 라고 강재에게 유언을 할 생각까지 했었다. 그러다가 이내 마음을 돌려 화장 분처럼 곱게 빻아서 이른 새벽 바다 위에 뿌려주면 고맙겠다고 생각했다. 이런 생각 저런 생각 끝에는 도리 없이 죽음이 기다리고 있었다. 그때 현관 벨이 울리지 않았더라면 순남 씨의 생각이 어디까지 나아갈지 알 수 없었다.

*

"장어에는 방아가 빠지면 안 된다고 하셨죠?" 현관문을 열어주자
효주 학생은 마치 꽃다발을 내밀듯 싱싱한 방아를 한 아름 순남 씨
에게 안겨주었다. 오늘의 저녁식사 요리로 순남 씨는 백포도주와 방
아 잎으로 맛을 낸 바닷장어요리를 준비 중이었다.

"오랜만이라 잘될지 모르겠네."

진심이었다. 은촛대를 마지막으로 꺼내놓았던 때가 언제였던지
아직도 기억을 살려내지 못한 것을 생각하니 감각과 순발력이 필요
한 장어요리를 망치면 어쩌나 걱정스러운 마음이 들기도 했다. 순남
씨가 남쪽의 B시로 내려와 알게 된 식용 향초가 방아였다. 일산 새
도시에 살 때는 평소 민물장어를 좋아해서 임진강변에 있는 미루나
무집에 자주 가곤 했다. 양념으로 잰 장어를 숯불에 구워 생강 채를
얹어먹는 것이 일품이었다. 그런데 남쪽 기후 탓인지 이곳 바닷가에
서는 흰 살을 그대로 석쇠에 구워 노릇노릇해진 장어를 초고추장을
찍어 방아와 풋고추 등과 함께 상추로 싸먹었다. 방아는 순남 씨가
해 뜰 무렵 산책을 나가는 해안가 주변에 사시사철 푸르게 자랐다.
처음 순남 씨는 양지바른 언덕뿐만이 아니라 포구의 기찻길에도, 골
목에도, 심지어 보도블록 틈새까지 지천에 자라고 있는 키 작은 풀
이 방아인 줄 몰랐다. 어느 날 보라색 꽃이 피어 해풍에 흔들리는 모
습을 보고 한 송이 꺾었다가 방아 특유의 향을 맡았다.

"아, 우르나를 듣고 계셨네요?"

은촛대를 닦기 위해 식탁에 앉으면서 효주 학생이 반색을 하며 물었다. 이 아이가 우르나를 알고 있다면, 잠비의 말대로 꽤 유명한 가수인 셈이었다. 순남 씨는 쟁반에 방아를 소복이 담아 효주 학생 맞은편에 앉으며 고개를 끄덕였다.

"그런데 지금 듣고 있는 게 시디 맞아요? 아, 맞네요!"

효주 학생은 토끼처럼 두 귀를 쫑긋 세운 모습으로 음질을 가늠해보더니 은촛대보다는 우르나에 정신이 팔려 평소와는 달리 말이 많았다. 한국에서 발매가 되지 않는데 어떻게 구했냐는 둥, 저 앨범에 수록되어 있는 곡 중에 〈아홉 개의 해안〉과 〈나의 적토마〉를 즐겨듣는다는 둥, 음원을 다운로드 받기도 어려워서 친구를 통해 겨우저장해놓고 듣고 있다는 둥, 우르나의 목소리를 듣고 있으면 왠지자신을 부르는 소리 같아서 머지않아 몽골에 가야 할 것 같다는 둥,울란바토르에서 일 년쯤 살아보면 어떨 것 같냐는 둥 쉴 새 없이 지껄였다. 순남 씨로서는 한 번도 보지 못한 모습이어서 낯설었지만,마치 친구에게처럼, 아니 엄마에게처럼 식탁에 마주 앉아 재잘대는것이 싫지 않았다. 오히려 평소 자아에 짓눌려 있는 듯한 폐쇄적인인상이 안타깝게 여겨졌는데, 오늘은 그런 기색을 전혀 찾아볼 수없었다. 그러고 보니, 우르나의 얼굴 어딘가와 이 아이가 닮은 것도같았다. 툭 튀어나온 광대뼈는 아니었고, 고집스럽게 보이는 검고굵은 생머리도 아니었고, 유목민의 딸이 거느린 거뭇하게 빛나는 피부도 아니었다.

"선생님은 적토마를 본 적이 있으세요?"

무얼까, 우르나와 효주 학생이 겹쳐 보이는 그 무엇이. 질문에 아랑곳하지 않고 생각에 몰두하고 있는데 이 아이는 자기가 질문해놓고 자기가 대답하며 쑥스러운 듯 순남 씨의 눈을 쳐다봤다. 자야가 시디를 건네준 그날 이후 순남 씨가 선뜻 틀어보지 않고 책 속에 끼워두게 만들었던 어떤 것, 우르나의 별빛 모양의 검은 눈동자가 지금 자신을 향하고 있었다.

"적토마를 본 것 같기도 하고, 못 본 것 같기도 하고. 붉은빛이 감도는 말 아닌가?"

순남 씨는 한 잎 한 잎 따낸 방아 잎을 볼에 옮겨담으며 효주 학생에게 알 듯 말 듯한 미소를 지었다. 오늘 저녁식사로 장어요리를 선택하길 잘했다는 생각이 들었다. 깊고 푸릇한 방아의 향도 좋고, 밝은 낮빛의 효주 학생도 좋고, 다행이었다.

*

다섯 시 오십 분부터 첫 벨이 울려서는 이삼십 분 간격으로 초대 손님들이 현관으로 들어섰다. 예상했던 대로 제일 먼 데 사는 송철화 부부가 약속 시간 십 분 전에 도착했고, 이강자 여사는 무려 한 시간 후에 벨을 눌렀다. 언제나 정시에 나타나던 오미라 부부는 KTX 탈선사고 여파로 사십 분 늦게 당도했다. 새로운 손님이 들어올 때마다 거실 소파에 둘러앉아 담소를 나누고 있던 손님들은 순남 씨 부부를 따라 현관으로 마중을 갔고, 그러자니 맨 마지막에 이강자 여사가 도착했을 때는 마치 옛날에 포크댄스를 출 때처럼 양편으로

두 사람씩 늘어서 있는 형국이었다. 그들은 서로 안부를 주고받고 식탁으로 가기 전에 약속이라도 한 듯 모두 현관 옆에 서 있는 괘종시계 앞에서 한마디씩 했다. 첫 번째는 이 미터에 육박하는 그 높이에 놀랐고, 두 번째는 부엉이 두상에 박혀 있는 세 개의 시계에 감탄했다. 누군가 프랑크푸르트에서 본 괴테의 천문시계와 비슷하다고 하자 각자 자신들이 알고 있는 괘종시계에 대해 이야기를 꺼냈다.

"시계를 보고 그렇게 감동을 받은 적이 처음이라니까요! 괴테의 집에 다녀온 뒤부터 이이의 생활 태도가 달라졌지 뭐예요, 그게 일 년이 채 못 가서 아쉽기는 하지만요!"

괘종시계 앞에서 남편을 치켜세우는 듯하다가 쑥스러운 듯 이내 원망으로 돌아선 송철화 씨의 말을 모두 공감한다는 듯 맞장구를 쳤다. 송철화 부부를 비롯해 오늘의 초대객들은 P선생 주선으로 만났거나, 선생의 주례로 부부의 연을 맺은 사람들이었다. 송철화 한기봉 부부는 P선생의 주례로 진행된 순남 씨의 결혼식에 참석했다가 이듬해 P선생께 주례를 부탁했고, 오미라와 윤종철 부부는 송철화 부부의 결혼식에 참석했다가 P선생을 모시게 된 경우였다. 하영재와 권혜진 부부는 유일하게 순남 씨 부부와는 직접적인 연고가 없었다. 두 사람은 P선생을 증인으로 결혼 서약을 한 뒤 결혼식을 생략하고 아일랜드로 여행을 떠나 주위의 부러움을 샀었다. 작곡가 대신 뮤직 디자이너라는 독특한 직함을 사용하던 하영재 씨는 영화음악 녹음차 독일에 갔다가 교통사고로 마흔둘이라는 이른 나이에 저세상으로 떠났다. 마지막으로 남편의 이종사촌인 이강자 여사는 마흔이 다 되어 P선생의 주례로 어렵게 결혼을 했으나 십 년 만에 이혼을 했다. P선생은 주례를 선 제자들이건 제자 친구들이건 일 년에 한 번 집으로 초대해서 손수 음식을 만들어 저녁식사를 베풀었다. 모두들 좋았을 때는 선생 댁 밖에서도 일 년에 두 번 모임을 가졌다. 문제의 시작은 이강자 여사 부부였는데, P선생의 중재에도 불구하고 이혼장에 도장을 찍은 것이었다. 이강자 여사는 친정이 있는 부산으로 내려오고, 그 남편 박재석 씨가 사업차 러시아로 떠나버리자 모임은 고장 난 시계처럼 잘 돌아가지 않았다. 둘씩 셋씩 P선생을 찾아뵙다가, P선생이 관절 치료차 미국의 따님네로 떠나자 해체 지경에 이르렀다.

"요즘 가진 게 너무 많다 싶어서 버리는 연습 중인데, 모두 쓸데없는 것들뿐이더라구요. 두 분은 이런 명물을 간직하고 있다니, 부럽습니다."

건강이 나빠져서 다니던 외국계 은행을 그만두고 양평으로 이사가 남편의 유업을 관리하며 살고 있는 권혜진 씨의 말이기에 모두들 숙연해졌다. 몇 년 동안 만남이 뜸했던 사람들이 한데 모여 관심을 보이고 있는 괘종시계는, 말하자면 순남 씨의 남편 곽희복 씨에게는 분신과도 같은 것이었다. 그것은 침실로 통하는 복도 벽에 놓여 있는 순남 씨의 궤와 마주 보고 있는데, 그 둘은 희복 씨의 조부로부터 대물림된 가보였다. 희복 씨는 강재가 세 살이 되자 시계 앞에 세워놓고 이 시계야말로 곽씨 가문을 지켜온 수호물이라고 가르쳤다. 자신이 시간 개념을 알게 된 세 살 무렵부터 그것은 단 한 번도 틀린 적이 없는, 세계에서도 드문 명품이라고 강조했다. 방학 때 학생들을 인솔해 외국 대학으로 장기 출장이라도 다녀올라치면 강재 다음으로 마누라를 제치고 안부를 묻는 것도 이 괘종시계였다.

강재가 서울로 올라간 뒤 희복 씨가 분신처럼 아끼는 것이 하나 더 늘었는데, 바로 오늘 저녁 지인들 앞에서 연주할 생각을 하고 있는 프랑스산 셀마 색소폰이었다. 사실 희복 씨는 음치에다가 음감이 젬병이었다. 그런 그가 고도의 음감과 테크닉이 요구되는 색소폰을 연주하겠다고 날이면 날마다 순남 씨의 귀에 불어댔다. 아파트 단지에서 항의가 들어오고, 순남 씨가 청각 이상을 호소해도 희복 씨는 그칠 줄을 몰랐다. 한 육 개월 불다 그만두겠지, 순남 씨가 참기로 하고 버텼는데, 선택과 집중을 가치관이자 인생관으로 삼고 있는 희복 씨는 그날 이후 삼 년이 넘도록 색소폰을 놓지 않았다. 이제는 순남 씨도 지인들과 통화를 하다가 색소폰 이야기가 나오면, 살짝 비난하다가도 이내 두둔과 자랑으로 돌아서는 자신의 말투를 깨닫고는 싱겁게 웃곤 했다. 그도 그럴 것이 고양이에게 생선을 맡기듯 색소폰을 안겨준 장본인이 바로 순남 씨 자신이었기 때문이었다.

사연인즉슨 이러했다. 강재가 대학 입시를 마친 삼 년 전 겨울. 순남 씨는 카드회사의 대금명세서에 끼워져온 팸플릿 하나를 유심히 들여다본 뒤, 강재의 책상 위에 올려놓았다. 소장 연주자들이 음악애호가들을 위해 방문 레슨과 함께 원하는 악기를 대여해준다는 내용이었다. 강재는 마침 재즈 피아노를 혼자 연습 중이었기에, 졸업과 입학 사이에서 어영부영 시간을 보내느니 그동안 하고 싶었으나 입시 때문에 포기했던 한두 가지에 집중해보는 것이 어떠냐는 순남 씨의 뜻이 팸플릿에는 담겨 있었다. 마침 그것은 저녁식사 시간의 대화거리가 되었고, 순남 씨의 의도와는 달리 강재보다는 남편이 열의를 보였다. 색소폰도 대여가 되나? 순남 씨는 그동안 함께 산 사람에 대해 안다고 말할 수 있는 것은 몇 가지 안 된다는 것을 그날 깨달았다. 남편이 언제부터 색소폰을 좋아했는지, 그것도 죽기 전에 꼭 배워서 무대에 번듯하게 서보는 꿈을 꾸었다는 것을 전혀 알지 못한 채 살을 맞대고 몇십 년을 살아온 것이었다.

*

순남 씨의 생각으로 바다색이 조금이라도 남아 있는 시각인 여섯 시로 잡았던 저녁식사는, 초대객들의 피치 못할 사정들로 결국 처음 남편이 계획했던 일곱 시에 시작되었다. 저녁식사가 무르익을 무렵 송철화 씨의 남편 한기봉 씨가 자리에서 일어나 목청을 가다듬더니 〈메기의 추억〉을 부르기 시작했다. 기봉 씨는 남편의 대학동창으로 순남 씨 부부가 중매한 것이나 마찬가지였다. 기봉 씨의 목청은 높고 음색은 매끄러웠다. 순남 씨는 지금 이 순간과 똑같은 장면이 언젠가 한 번, 아니 두 번, 그러니까 그녀가 살아오면서 여러 번 일어났었다는 착각을, 아니 생각을 점점 확고하게 하면서 노래하는 기봉 씨를 올려다보았다. 대학동창들을 만나고 온 날 밤이면 남편은 교수야말로 자신이 아니라 그 친구가 되었어야 한다고 늘 말하던 기봉 씨였다. 그래서 그런지 기봉 씨는 동남아시아 각국을 상대로 무역업에 종사해왔지만 어딘지 학구파의 분위기를 거느리고 있었다. 정확한 음정과 박자로 〈메기의 추억〉을 부르는 모습이 그것을 대변해주었다. 기봉 씨의 노래가 끝나자 권혜진 씨가 남편 하영재 씨가 곡을 붙였던 옛 시가詩歌 한 편을 낭송했다.

어리고 성긴 가지 너를 믿지 아녔더니

눈 기약 능히 두세 송이 피여세라

촉 잡고 가까이 사랑할 제

음향조차 부동터라

......

바람이 눈을 몰고 와서 산가의 창문에 부딪치니,

세찬 기운이 방으로 새어들어와 잠자고 있는 매화를 괴롭히네

하지만 아무리 추운 날씨가 매화가지처럼 얼게 하려 한들

새봄이 찾아옴을 알리겠다는 의지를 빼앗지는 못하리.

노래는 시와 대중가요, 오페라 아리아를 절묘하게 넘나드는 듯했고, 권혜진 씨의 목소리는 끊어질 듯 잦아지다가도 어느덧 힘차게 살아나 청아한 음색을 뽑내었다. 노래가 끝날 즈음 순남 씨는 시간 맞춰 오븐에 대기해놓은 오늘의 요리를 식탁으로 날랐다. 요리를 식탁 가운데에 놓고 한 접시 한 접시 담아주며, 기왕이면 섬세한 음미를 위해, 바닷장어의 특성과 곁들인 와인의 종류, 그리고 방아의 향에 대해 간단하게 일러주었다. 얼큰하거나 짭짤한 맛이 아니어서 비위에 맞지 않는 사람을 위해 된장을 가미한 장어탕도 준비되어 있음을 덧붙였다. 그때 남편이 기다렸다는 듯이 건배를 제의했고, 식탁

한가운데로 여덟 개의 잔이 모아졌다. 건배가 끝나자마자 목이 타던 차에 순남 씨는 와인을 한 모금 냉큼 마셨다. 누군가 피아노 옆에 준비되어 있는 색소폰에 대해 물었고, 이강자 여사가 이제는 색소포니스트 곽으로 불러달라며 남편을 소개했다. 음치에 절대음감 부족인 남편은 피나는 노력에도 불구하고 한두 곳에서 꼭 실수를 해서 순남 씨를 조마조마하게 했다. 남편의 연주가 시작되자 순남 씨는 후식을 준비할 겸 슬그머니 자리에서 일어났다.

*

저녁식사가 끝난 뒤, 모두 돌아가고 순남 씨는 잠자리를 준비하다가 잠옷을 입고 있는 남편을 돌아보며 말했다.

"참 신기한 일이지 뭐예요?"

잠옷 단추를 채우며 남편은 무슨 질문을 할지 예상이라도 한 표정으로 떠보듯이 "그래 이번에는 또 뭐가 그렇게 신기하다는 거요?" 하고 되물었다.

"아무도 P선생 이야기를 입 밖에 내지 않았잖아요."

순남 씨는 토라진 소녀처럼 이불깃을 반듯이 펼치며 입을 비죽이 내밀었다.

"그러는 당신은 왜 아무 말도 하지 않았소?"

남편은 이번에도 순남 씨의 생각을 짐작하고 있다는 듯한 표정으로 넌지시 되물었다.

"저는 P선생이 좋아하시는 장어요리를 했죠. 그리고 기다리다 놓친 거죠, 끝내."

그러자 남편이 다가와 새삼 순남 씨의 손을 잡으며 말했다.

"모두 당신처럼 기다리다 놓친 거라고 생각하지 않소? 그리고 기다리다 놓치기도 하는 거요. 그게 무엇이든…… 난 그게 더 나을 때도 있다고 생각해요."

순남 씨 자신은 진지한데 남편의 말이 말장난처럼 들려서 대꾸를 하지 않고 등을 돌리고 누웠다. 순남 씨가 의아하게 생각한 것처럼, 또 그것이 더 좋은 시간이었다고 남편이 여기는 것처럼, 저녁식사 내내 그들은 약속이라도 한 듯 P선생에 대한 추억은 입 밖에 내지 않았다. 불을 끄고 잠자리에 누워 저녁식사 풍경을 생각하니, 한기봉 씨가 부른 〈메기의 추억〉은 P선생의 애창곡이었고, 남편이 색소폰으로 연주한 〈맨 처음 고백〉은 송창식의 팬이었던 P선생을 모시고 미사리까지 가서 들었던 노래였고, 오미라 씨가 가져온 들깨강정은 P선생이 늘 가까이 두고 드시던 간식거리였고, 권혜진 씨가 부른 안민영의 고려시가 〈영매가〉는 P선생이 결혼을 앞둔 그들에게 직접 붓으로 써서 주셨던 작품이었고, 이강자 여사가 가져온 박하차는 선생이 정원에 심었다가 손님이 오면 입을 따서 우려내주시던 차였고, 무엇보다도 순남 씨의 바닷장어요리는 평생 손수 음식을 만들어 드셨던 P선생이 처음 맛보는 것이라고 좋아하셨던 음식이었다.

남편은 자신의 색소폰 연주가 흡족했던지 이내 잠이 들었다. 초대장 대신 메일을 띄우며 남편은 추신으로 '옛날 얘기도 좋지만 P선생을 기억하는 정표 하나씩 준비하는 것으로 우리의 P선생을 추도하는 건 어떨지요'라고 써넣었었다. 그러니까 순남 씨를 제외한 그들만의 전통傳通이 있었던 것이었다. 아무것도 모르는 순남 씨는 오래도록 어둠 속에 깨어 있었다. 지난겨울 루르마랭에서 보았던 새벽별의 영상이 떠올라 쉬이 떠나보내고 싶지 않았다.

김경욱
스프레이

1971년 광주에서 태어나 서울대 영문과와 동 대학원 국문학 석사과정을 마쳤다. 1993년 《작가세계》 신인상에 중편 〈아웃사이더〉가 당선되어 등단했다. 소설집 《바그다드 카페에는 커피가 없다》 《베티를 만나러 가다》 《누가 커트 코베인을 죽였는가》 《장국영이 죽었다고?》 《위험한 독서》 《신에게는 손자가 없다》, 장편소설 《아크로폴리스》 《모리슨 호텔》 《황금 사과》 《천년의 왕국》 《동화처럼》, 산문집 《소설가로 산다는 것》(공저) 등이 있다. 한국일보문학상, 현대문학상, 동인문학상 등을 수상했다.

그가 다른 집 택배 상자를 들고 온 것은 실수였다. 무심코 송장을 들여다보았을 때는 이미 포장 테이프를 반쯤 떼어낸 뒤였다. 109호. 상자 옆면에 검은 매직펜으로 휘갈겨진 숫자를 확인하는 그의 얼굴이 굳어졌다. 경비가 적어놓은 숫자는 709로도 읽을 수 있었다. 새로 온 경비라 필체가 눈에 설었다. 게다가 필요한 물품을 대부분 인터넷으로 주문하는 그는 퇴근길에 빈손으로 올라오는 날이 드물었다. 아주 납득 못할 실수는 아니었다. 하지만 자신의 부주의한 행동이 그로서는 의아하기만 했다. 문자메시지조차 퇴고를 거듭해서 보내는 그였다. 평소 같으면 포장 테이프를 떼기 전에 송장을 꼼꼼히 체크했을 것이다. 뭔가 헝클어진 기분이었다. 축축한 손을 잡고 있는 것처럼 불쾌했다.

사실 축축해진 것은 그의 손이었다. 긴장할 때면 어김없이 나타나는 증상이었다. 첫사랑에게 차인 것도 축축해진 손 때문이라고 그는 확신했다. 손을 처음 잡은 뒤 돌연 결별 통보를 받았으니 다른 이유를 찾을 수 없었다. 그 뒤로 여자의 손을 잡아본 적이 한 번도 없었다. 발이라면 셀 수도 없이 잡아보았다. 오늘만도 스물한 명의 발을 만졌다. 그는 유명 백화점 숙녀화 매장의 매니저였다. 한쪽 무릎을 꿇고 고객의 발에 구두를 신기고 앞코와 뒤꿈치를 만져보는 게 일이었다. 가급적 손은 멀리했다. 카드를 받거나 물건을 건넬 때도 고객의 손이 스치지 않도록 주의했다. 어쩌다 스치기라도 하면 그는 불에 덴 듯 화들짝 놀랐다. 손은 앞발일 뿐이라고 주문을 걸어도 별 효과가 없었다.

그는 손을 바지에 문지르며 뭐가 잘못됐는지 따져보기 시작했다. 손이 축축해진 것은 남의 집 택배를 들고 왔기 때문이고 남의 집 택배를 들고 온 것은 집중력이 떨어진 때문이고 집중력이 떨어진 것은 피로감 때문이고 피로감은 밤잠을 설친 때문이고 밤잠을 설친 것은 옆집 고양이의 울음소리 때문이었다. 실수의 원인이 밝혀지자 마음이 가벼워졌다. 같은 실수를 되풀이할 확률이 크게 줄었기 때문이다. 축축한 손에 관해서도 마찬가지였다. 그는 여자의 손을 멀리함으로써 같은 실수를 반복하지 않을 수 있었다. 첫사랑에게 차인 게 축축해진 손 때문이라는 사실을 밝혀내지 못했다면 불가능한 일이었다. 그에게는 사랑을 얻는 것보다 실수를 피하는 게 더 중요했다. 한 번의 실수는 눈감아줄 수 있지만 같은 실수를 다시 저지르는 건 용납할 수 없었다. 아버지가 그랬던 것처럼. 그가 실수를 저지르면 아버지는 버럭 소리부터 질렀다. 넌 대체 뭐 하는 놈이냐? 그는 꿀 먹은 벙어리가 되곤 했다. 그러면 아버지는 혀를 차며 중얼거렸다. 축축한 놈.

그는 반쯤 떼어낸 테이프 위에 새로 테이프를 붙였다. 포장 상태가 어설퍼 보였지만 어쩔 수 없었다. 뜯어본 것을 의심하더라도 누군지는 짐작도 못할 것이었다. 본래 자리에 돌려놓기만 하면 그만이었다. 그는 상자를 들고 서둘러 집을 나섰다.

경비실에 앉아 있는 경비를 본 순간 그는 멈칫했다. 택배 상자들은 경비실 맞은편 벽에 차곡차곡 쌓여 있었다. 경비의 눈을 피해 상자를 갖다 놓을 방법은 없었다. 잘못 집어갔다는 따위의 구구한 변명은 불가피했다. 남의 택배나 뜯어보는 사람 취급받기는 싫었다. 번거롭겠지만 경비가 없는 틈에 갖다 놓는 게 낫겠다 싶었다. 그는 발길을 돌려 엘리베이터에 올라탔다.

다음 날 퇴근길, 아파트 입구로 들어서던 그는 경비를 다그치는 한 중년 여자의 모습에 흠칫했다. 그는 택배 상자들을 살피는 척하면서 여자의 말에 귀를 기울였다. 상자에 발이라도 달렸단 말인가요? 109호가 분명했다. 귀중품이라도 들어 있었습니까? 경비가 기어들어가는 목소리로 물었다. 사소한 거라면 이렇게 흥분하겠어요? 109호가 신경질적으로 쏘아붙였다. 이래서 CCTV를 설치하자고 했던 건데 몇 푼이나 된다고 그걸 반대해. 절이 싫으면 중이 떠나야지, 거지같은 아파트. 109호는 택배 상자가 사라진 게, CCTV를 설치하지 못한 게 모두 경비 탓인 것처럼 굴었다. 경비는 입을 꾹 다문 채 모자챙만 만지작거렸다. 그는 709호라고 적힌 상자를 빼내들고 잰걸음으로 엘리베이터 쪽으로 향했다. 뒤통수가 따가웠다. 109호의 택배를 돌려놓을 수 없게 되었다. 실수를 만회할 기회가 영영 날아가버린 것이다. 모두 그놈의 고양이 때문이었다. 엘리베이터의 닫힘 버튼을 누르는 그의 손이 축축해졌다.

그는 옆집 문 앞에 놓인 검은 비닐봉지를 걷어찼다. 플라스틱 그릇들이 비어져나오는가 싶더니 먹다 남은 자장면 가닥과 단무지가 바닥에 쏟아졌다. 그는 뒤를 돌아보았다. 복도는 텅 비어 있었다. 그는 못 본 체하고 집 앞으로 갔다. 문을 열다 말고 그는 바닥에 쏟아진 음식 찌꺼기를 바라보았다. 한숨이 나왔다. 그는 주방에서 일회용 비닐장갑을 챙겨 다시 밖으로 나갔다. 비닐장갑을 낀 손으로 음식 찌꺼기를 그릇에 담고 주머니에서 꺼낸 항균 물티슈로 바닥을 박박 닦았다. 비닐봉지를 걷어찼다는 사실을 아는 사람은 이 세상에 그뿐이었다. 그 사실이 조금은 위안이 되었다.

돌려줄 수 없게 된 택배 상자를 한참 노려보다 그는 포장 테이프를 거칠게 뜯어냈다. 상자의 종이가 테이프에 딸려 북 찢어질 때는 짜릿한 쾌감에 몸을 떨었다. 전에 느껴본 적 없는 뜻밖의 쾌감에 그는 당황했다. 첫사랑과의 술자리가 문득 떠올랐다. 첫사랑의 손을 처음 잡던 날이었다. 꽤 마셨을 것이다. 자리에서 일어설 때 여자애가 말했다. 이 컵 예쁘다. 갖고 싶어. 그가 보기에는 평범한 유리컵에 불과했지만 세상에서 가장 귀하고 아름다운 컵이라도 되는 양 호들갑이었다. 취기 때문이었을까. 그는 컵을 점퍼 주머니에 슬쩍 집어넣었다. 가슴이 벌렁거렸다. 뭔가 저지른 것처럼 흥분됐고 들통 날까봐 겁도 났다. 카운터에 컵을 올려놓은 뒤 그는 목소리를 낮춰 종업원에게 물었다. 이 컵, 얼마 드리면 됩니까?

그는 택배 상자를 열었다. 화장솜부터 매니큐어까지, 잡다한 미용용품들이 상자 가득 들어 있었다. 쓸 만한 것은 땀 냄새 제거용 스프레이뿐이었다. 겨드랑이에 뿌리는 스프레이. 그는 스프레이를 허공에 뿌려보았다. 라벤더 향이 났다. 스프레이만 빼고 나머지 물건들은 쓰레기통에 버렸다.

그가 다시 남의 집 택배를 들고 온 것은 실수가 아니었다. 그는 실수를 되풀이하는 사람이 아니었다. 잘못 들고 온 택배 상자를 뜯을 때의 쾌감을 잊을 수 없었다. 이번에는 옆 동에서 가져왔다. 경비가 자리를 비운 틈을 노렸고 들고 오기 편한 작은 상자를 택했다. 305호가 주문한 상자는 가벼웠다. 그는 엘리베이터를 기다리며 내용물을 상상했다. 상상은 오래가지 못했다. 바지자락이 축축하다 싶더니 역한 지린내가 진동했다. 돌아보니 고양이가 한 마리 있었다. 옆집 고양이였다. 언젠가 옆집 여자가 안고 가는 걸 본 적이 있었다. 평범하기 그지없는 얼룩 고양이였지만 자신을 바라보던 거만한 표정은 잊을 수 없었다. 더 잊을 수 없는 것은 여자의 뒤태였다. 스커트 아래로 쭉 뻗은 다리가 인상적이었다.

그의 손이 축축해졌다. 지린내도 지린내려니와 내내 뒤척였던 간밤의 기억이 새삼스러웠다. 잠잠해졌나 싶었는데 고양이가 다시 울어대기 시작했다. 당최 눈을 붙일 수 없었다. 여자의 구두 소리가 들려온 것은 언제나처럼 새벽 다섯 시쯤이었다. 그는 밤을 꼴딱 새운 것이다. 여자는 늘 그 시간에 퇴근했고 그는 같은 시간에 눈을 떴다. 여자의 구두 소리가 달갑지 않은 그였다. 그 소리만 아니면 한두 시간은 더 잘 수 있을 테니까. 귀가 남달리 예민한 것은 아닌데도 옆집 여자의 구두 소리만 들리면 눈이 번쩍 떠졌다. 무엇 때문인지는 알 수 없었다. 좋든 싫든 그는 여자의 샤워 소리를 들으며 똥을 눴고 여자가 켠 라디오 소리를 들으며 넥타이를 맸고 여자가 고양이를 어르는 소리를 들으며 집을 나섰다. 늘 그랬다.

평소처럼 여자의 샤워 소리를 들으며 변기 위에 앉아 있었지만 그는 똥을 누지 못했다. 잠을 설친 탓이었다. 하루가 엉망이 될 조짐이었다. 습관적으로 물을 내리는데 울컥 부아가 치밀었다. 화장실에서 나오자마자 인터폰 수화기를 집어들고 옆집 번호를 눌렀다. 지루하게 울리는 신호음을 들으며 그는 마른침을 삼켰다. 옆집 여자와의 통화는 처음이었다.

여보세요?

옆집입니다.

무슨 일이세요? 여자의 목소리에는 경계심이 징처럼 박혀 있었다.

고양이 울음소리 때문에 못 잤습니다. 그는 정중히 말했다.

어머, 정말로요?

정말입니다.

이상하다. 우리 애기는 안 우는데.

분명히 울었습니다. 게다가 이번이 처음은 아닙니다.

잠시 침묵이 흐른 뒤 옆집 여자가 물었다.

몇 호시죠?

그는 움찔했다. 손이 축축해졌다.

709홉니다. 손바닥을 바지에 문지르며 그가 대답했다.

다른 집에서는 아무 말 없었는데.

밤새 한숨도 못 잤습니다.

수화기 너머에서는 아무 소리도 들리지 않았다.

밤새 한숨도 못 잤단 말입니다. 그의 목소리가 높아졌다. 아홉 켤레의 구두를 신어보고 그냥 돌아선 고객에게도 깍듯이 인사하는 그였다. 적막한 집 안에 울려퍼지는 자신의 날선 목소리가 낯설었다.

알겠어요.

그게 다였다. 미안하다거나, 앞으로 그런 일이 없도록 조심하겠다는 말은 없었다. 딸각, 전화가 끊겼다. 수화기를 맥없이 내려놓으며 그는 나지막하게 중얼거렸다. 알겠어요. 손은 차갑게 식어 있었다.

그는 고양이를 노려보았다. 야옹. 고양이가 꼬리를 살랑거리더니 핸드폰으로 통화 중인 젊은 여자의 발을 핥았다. 옆집 여자였다. 고양이가 저지른 짓을 항의하려던 그는 여자가 자신을 바라보는 순간 황급히 고개를 돌렸다. 그는 손바닥을 바지에 문지르며 곁눈질로 여자를 살폈다. 오늘은 일을 나가지 않은 건가? 여자는 분홍색 트레이닝복 차림이었다. 엉덩이에는 분홍을 뜻하는 영어 철자가 프린트되어 있었다. 그가 딱 싫어하는 스타일이었다. 말 엉덩이에 찍힌 낙인이 떠올랐다. 뭐랄까, 저속했다.

옆집 여자는 통화하면서 엘리베이터에 올라탔다. 그는 여자의 뒤를 따랐다. 옆집 여자는 엘리베이터에 부착된 거울을 보느라 등을 보인 채 서 있었다. 고양이가 엘리베이터 구석을 향해 돌아서는가 싶더니 털을 곤두세우고 꼬리를 바짝 치켜든 채 분비물을 찍 발사했다. 엘리베이터 문이 열리자 고양이가 먼저 내렸다. 그는 맨 나중에 내렸다. 여자는 여태 통화 중이었다. 그는 옆집 여자의 뒤태를 감상하며 천천히 걸었다. 고양이가 복도 한쪽에 세워진 자전거 바퀴에 대고 다시 분비물을 발사했다. 그는 자신의 바지자락에 묻은 얼룩을 새삼 내려다보며 눈살을 찌푸렸다.

집에 들어온 그는 바지부터 빨았다. 세제를 듬뿍 풀었지만 지린내는 좀체 가시지 않았다. 그는 바지를 건조대에 널고 얼룩이 진 자리에 땀 냄새 제거용 스프레이를 잔뜩 뿌렸다. 고양이의 분비물이 몸에 묻기라도 한 듯 꼼꼼하게 샤워도 했다.

옆 동에서 집어온 택배 상자를 앞에 두고서야 그의 표정이 누그러졌다. 테이프를 뜯을 때는 어김없이 강렬한 쾌감을 맛보았다. 숨통을 조이던 넥타이를 풀어던진 것 같은 해방감이었다. 상자에 담긴 것은 플라스틱으로 만든 강아지 모양의 장난감이었다. 태엽도 달려 있었다. 태엽을 감아주자 멍멍 짖으며 앞으로 걸어가다 꼬리를 풍차처럼 돌리며 옆으로 굴렀다. 태엽이 다 풀렸을 때 강아지는 배를 드러낸 채 누워 있었다. 그가 강아지를 집어들고 쓰레기통 쪽으로 걸어가는데 초인종이 울렸다. 옆집 초인종이었다. 그는 출입문에 바짝 붙어 귀를 기울였다. 나야. 사내의 굵은 목소리. 자물쇠가 풀리는 소리와 문을 여닫는 소리가 차례로 들렸다.

그는 문을 열고 밖으로 나갔다. 밖은 이제 어둑어둑해졌다. 그는 복도 난간에 기대어 아래를 내려다보다가 강아지의 태엽을 감아 난간 턱에 올려놓았다. 강아지는 멍멍 짖으며 앞으로 걸어갔다. 난간의 맨 끝을 향해. 그가 손을 뻗었지만 강아지는 난간 너머로 떨어지고 말았다. 강아지의 꼬리가 허공에서도 풍차처럼 돌아갔다. 강아지가 박살나는 소리가 짜릿했다. 그는 주위를 둘러보았다. 복도에도 아래에도 인적은 없었다.

옆집 현관문이 열리는 소리가 들린 것은 한 시간쯤 뒤였다. 그는 옆집 문이 닫히는 소리를 확인하고 슬그머니 밖을 내다보았다. 저만치 걸어가고 있는 사내는 트레이닝복 차림이었다. 그날 밤에는 고양이 울음소리가 들리지 않았다.

그가 또다시 남의 집 택배 상자를 들고 온 것은 실수가 아니었다. 그는 실수를 되풀이하는 사람이 아니었다. 다음도, 그다음도 마찬가지였다. 동을 바꿔가며 택배 상자를 집어왔다. 한번 들른 곳에는 다시 가지 않았다. 조심해서 나쁠 건 없었다. 깜박할까봐 아파트 단지 지도를 그리고 다녀온 곳에 표시까지 해두었다. 그가 세 들어 사는 아파트 단지는 넓었고 동마다 택배는 잔뜩 쌓여 있었고 경비들은 늘 순찰 중이었다.

그에게 중요한 것은 남의 집 택배 상자를 집어온다는 사실이었고 포장 테이프를 거칠게 뜯을 때 느끼는 희열이었다. 내용물은 애당초 관심거리가 아니었다. 대개는 필요 없는 것들이었고 그나마 쓸 만한 것도 방 한구석에 처박아두기 일쑤였다. 훔쳐온 택배 상자의 매력은 테이프를 뜯고 나면 금세 사그라졌다.

고양이 울음소리 때문에 잠을 설치는 밤이 계속됐다. 고양이는 여자가 없을 때만 울어댔다. 여자가 집에 돌아오면 언제 그랬냐는 듯 잠잠해졌다. 그래서인지 그의 항의는 번번이 묵살되었다. 여자는 알겠다는 말만 되풀이했다. 한번은 그가 물었다. 뭘 알겠다는 것입니까? 감정을 통제하기 위해 일부러 사무적인 말투로 물었다. 글쎄, 알겠다잖아요. 옆집 여자가 짜증을 냈다. 감정을 다스리는 데 서툰 사람이었다. 그는 우월감을 느끼며 수화기를 가볍게 내려놓았다.

항의가 계속되자 여자는 언성을 높이기도 했다. 적반하장이 따로 없었다. 여자는 부쩍 신경이 날카로워진 듯했다. 주말 저녁에 잠깐 다녀가는 사내와도 자주 다투는 눈치였다. 신경이 예민해져서 사내와 다투는 것인지 사내와 다퉈서 신경이 예민해진 것인지 그로서는 알 수 없었다. 그가 확실히 말할 수 있는 것은 사내의 옷차림이었다. 사내는 언제나 트레이닝복 차림이었다. 사내의 뒷모습이 복도 저쪽 비상계단 통로로 사라지는 것을 지켜보는 것은 언제나 그의 몫이었다. 트레이닝복 차림의 사내가 자신만의 비밀인 것 같은 착각이 들기도 했다. 나쁘지 않은 착각이었다. 심지어 그는 착각이 아니었으면 싶기도 했다. 비밀이 많아진다는 것은 강해진다는 뜻이었으니까. 아파트 단지 지도에 가위표를 칠 때마다 그는 강해지는 기분이 들었다.

그가 옆집 택배 상자를 들고 온 것은 실수도, 해방감을 위해서도 아니었다. 호기심 때문이었다. 백화점 정기세일 첫날이었다. 허리를 펼 새가 없을 정도로 손님이 밀어닥쳤다. 퇴근하는 그에게는 어서 씻고 침대에 기어들어갈 생각뿐이었다. 피곤한 와중에도 습관적으로 택배 상자들을 체크했다. 상자에 휘갈겨진 숫자를 일별하던 그의 눈이 커졌다. 그는 숫자를 재차 확인했다. 108호가 아니라 708호가 분명했다. 옆집의 택배 상자를 보기는 처음이었다. 정확히 말하자면 그가 남의 집 택배를 집어오게 된 이후로 처음이었다. 그 전에는 다른 집 택배가 눈에 들어올 이유가 없었다. 그렇다 해도 처음이라니, 옆집 여자는 인터넷 쇼핑에 인색한 편이라고 그는 생각했다.

경비는 졸고 있었다. 그는 옆집의 택배 상자를 집어들었다. 호기심도 호기심이었지만 자신의 항의에 대한 여자의 무례한 반응이 부추긴 분노 때문이었다. 타격을 입히자. 본때를 보여주자. 그의 머릿속에서 깜박이는 생각들이었다. 라면 상자는 크지 않았지만 가볍지도 않았다. 그는 뒤도 돌아보지 않고 엘리베이터로 향했다. 엘리베이터는 십오층에 서 있었다. 늘 그랬다. 망할 놈의 엘리베이터. 모두 꼭대기인 십오층에만 몰려사는 것 같았다. 그는 비상계단을 성큼성큼 올라가기 시작했다. 온몸의 근육이 팽팽해지는 느낌이었다. 간만에 느끼는 활력이었다.

현관문을 닫았을 때 그는 땀에 푹 젖어 있었다. 긴장이 풀리면서 나른한 피로감이 밀려왔다. 그는 더운물을 채운 욕조에 몸을 담근 채 상자의 내용물을 상상했다. 부피에 비해 묵직한 걸 보니 책인가? 어떤 책일까? 상상의 톱니바퀴는 매끄럽게 돌아가지 못했다. 그는 상상에 서툴렀다. 분석이라면 누구에게도 밀리지 않을 자신이 있었지만.

욕조에서 나온 뒤에도 그는 택배 상자를 뜯어보지 않았다. 라면을 끓여먹고 차까지 마셨다. 맛난 음식을 아껴먹으려는 것처럼 상자를 뜯는 순간을 최대한 늦췄다. 아버지는 입버릇처럼 말했다. 세상에는 두 부류의 인간이 있다. 가장 맛있는 것을 먼저 해치우는 인간과 맨 나중에 먹는 인간. 너는 가장 맛있는 것부터 해치우는 인간이 되어야 한다. 한계효용이 가장 클 때 가장 맛난 걸 먹어야 해. 맛있는 것을 아낀답시고 맛없는 것만 꾸역꾸역 먹는 멍청이가 되면 안 돼. 아버지는 둘만 알고 셋은 몰랐다. 세상에는 두 부류의 인간과 그가 있었다. 그는 가장 맛있는 것을 입에 대는 순간을 위해 마지막까지 굶었다. 그러니까, 한계효용을 한계까지 끌어올렸다.

그는 새로 장만한 잠옷으로 갈아입은 뒤 아껴두었던 샴페인까지

한 잔 걸치고서야 택배 상자를 탁자로 옮겨왔다. 택배 상자를 느긋하게 들여다보던 그의 미간이 좁아졌다. 이상했다. 송장이 붙어 있지 않았다. 뜯어낸 흔적도 없었다. 검은 매직펜으로 호수만 크게 적혀 있었다. 상자 옆면에 적힌 것과 같은 필체였다. 그는 어제 배달된 자신의 택배 상자를 가져와 대조해보았다. 필체가 달랐다. 경비의 필체가 아니었다. 불길한 기운이 명치끝에서부터 심장 쪽으로 빠르게 치고 올라왔다. 시한폭탄이라도 앞에 둔 것처럼 그는 진땀을 흘렸다. 아무래도 찜찜했다. 본능은 어서 빨리 그 수상쩍은 물건을 돌려놓으라고 경고했지만 그는 자신도 모르게 테이프를 뜯어내고 있었다. 상자에는 검은 비닐봉지가 담겨 있었다. 비닐봉지 주둥이는 나일론 끈으로 묶인 채였다. 그는 끈을 풀었다. 비닐봉지를 들여다보던 그의 얼굴이 일그러졌다. 봉지에 담긴 것은 고양이였다. 옆집 고양이. 정확히 말하자면 옆집 고양이의 시체. 그의 손이 축축해졌다. 고양이는 입꼬리가 치켜올라간 게 웃고 있는 것처럼 보였다.

그의 머릿속이 분주해졌다. 대체 누구 짓일까? 죽은 고양이를 전달하려고 한 이유는 뭘까? 그는 몸을 부르르 떨었다. 죽은 고양이를 주인에게 돌려주려는 행동에 담긴 어두운 의도 때문이었다. 옆집 여자에게 타격을 주려는 의도 말이다. 그는 다시 몸을 떨었다. 그것은 그가 이 상자를 발견했을 때 품은 생각과 다르지 않았다. 그는 상자를 덮고 테이프를 새로 붙였다. 실수로 109호의 택배 상자를 들고 왔을 때처럼. 본래 자리에 놓고 오면 그만이라고 생각하니 기분이 나아졌다. 그날 밤에는 고양이 울음소리가 들리지 않았다. 간만에 그는 푹 잘 수 있었다.

다음 날 아침, 그는 문제의 상자를 쇼핑백에 담았다. 상자에는 옆집 호수가 너무 크게 적혀 있었다. 괜히 이목을 끌 필요는 없었다. 그는 식탁 위에 있던 적십자회비 고지서도 챙겼다. 오늘이 마감일이었다. 그는 적십자회비를 한 번도 빠뜨린 적이 없었다. 누가 뭐래도 그는 건실한 시민이었다.

엘리베이터에서 내린 순간 그의 눈이 가늘어졌다. 경비실에 경비가 버티고 앉아 있는 게 아닌가. 낭패였다. 내용물이 내용물인지라 상자를 들고 있는 것조차 들키면 안 되었다. 경비실을 지나치는 순간, 쇼핑백을 든 그의 손에 잔뜩 힘이 들어갔다.

제자리에 돌려놓지 못한 상자가 눈에 밟혀 그는 일이 손에 잡히지 않았다. 고양이 시체가 담긴 상자를 물품창고에 감춰뒀지만 마음이 놓이지 않았다. 창고에서 고양이 울음소리가 들려올 것만 같았다. 퇴근 때까지 버텨야 한다는 사실이 더 견디기 힘들었다. 퇴근길에 몰래 돌려놓을 수 있을지 장담할 수 없기도 했다. 그는 배가 아픈 척했다. 잠시 병원에 다녀오겠다며 자리를 떴다. 쇼핑백은 그새 더 묵직해진 듯했고 불쾌한 냄새도 나는 듯했다.

그는 차를 몰고 이십 분쯤 달려 우체국에 갔다. 가까운 편의점에서 일반 택배로 발송할 수도 있었지만 그는 확실한 배달을 원했다. 배달 사고가 있어서는 안 되었다. 우체국 택배가 가장 믿음직스러웠다.

그는 송장의 수신자란에 옆집 주소를 적어넣고 옆집 여자의 이름도 적었다. 옆집 여자의 이름을 거침없이 적는 자신이 놀라웠다. 그는 정신을 집중하고 기억을 더듬었다. 언젠가 자신의 우편함에 잘못

꽂힌 우편물에서 보았던 사실이 떠올랐다. 발신자란에는 가짜 주소와 가공의 이름을 적었다. 애당초 그는 이 물건과 무관한 사람이었다. 그의 호기심 때문에 배달이 잠시 늦춰졌을 뿐.

상자에 담긴 게 뭡니까?

그가 상자를 전자저울에 올려놓자 우체국 직원이 물었다. 예상치 못한 질문이었다.

고양이입니다.

얼결에 뱉은 말이었다. 아차, 싶었지만 주워담을 수는 없었다. 그는 손바닥을 바지에 문질렀다.

설마 검은 고양이는 아니겠죠? 우체국 직원이 피식 웃으며 말했다.

네. 그가 미소를 쥐어짜내며 대꾸했다.

월요일에나 배달될 겁니다.

알겠습니다. 그가 힘겹게 중얼거렸다.

신경쇠약으로 요절한 미국 작가에게 감사하며 그는 우체국을 나섰다. 적십자회비를 납부하는 것도 잊지 않았다.

이제 그의 단잠을 방해할 것은 없었다. 고양이를 해치운 장본인이 궁금했지만 중요한 것은 고양이가 더는 울지 못한다는 사실이었다. 울지 못하는 고양이. 그걸로 족했다. 고양이가 울지 않으면 잠을 푹 잘 것이고 잠을 푹 자면 집중력이 떨어지는 일도 없을 것이고 집중력이 떨어지지 않으면 남의 집 택배를 들고 오는 실수 따위도 안녕이다. 남의 집 택배 상자에 생각이 미치자 그의 입가에 희미하게 걸려 있던 미소가 사라졌다. 더는 남의 집 택배 상자를 집어올 수 없을 것 같아 슬퍼졌다. 이제까지 남의 집 택배 상자를 가져온 게 모두 실수였다고 믿는 것처럼. 그는 수면양말을 신고 가습기를 켠 뒤 침대에 누웠다. 옆집 여자의 구두 소리에 눈을 뜰 때까지 한 번도 잠에서 깨지 않았다. 구두 소리가 반가울 지경이었다.

다시 그를 찾아온 밤의 평화는 하루 만에 등을 돌리고 말았다. 이튿날이 정기 휴일이라 홀가분한 마음으로 눈을 붙였지만 도중에 깨고 말았다. 옆집의 소란 때문이었다. 격렬하게 다투는 소리가 벽을 날카롭게 두드려댔다. 악다구니를 쓰는 쪽은 여자였다. 사기꾼, 배신, 단물…… 이런 단어들이 유리처럼 부서졌다. 실제로 뭔가가 부서지기도 했다. 사내의 목소리도 종종 들려왔다. 트레이닝복일 거라고 그는 짐작했다. 트레이닝복의 입에서 터져나온 소리는 한결같았다. 씨팔. 가끔은 아이, 씨팔이라고도 했다. 다툼은 잦아드는가 싶더니 다시 거칠어졌다. 고양이 울음보다 더 시끄럽고 거슬렸다. 트레이닝복이 문을 쾅 닫고 나간 뒤에야 잠잠해졌다. 그는 머리맡의 스탠드를 켜고 자명종을 확인했다. 새벽 두 시였다. 아침에 출근하지 않아도 되는 게 그나마 다행이었지만 뭔가 도둑맞은 기분은 어쩔 수 없었다. 그는 우유를 데워 마시고 다시 잠을 청했다.

겨우 잠이 들 무렵 그는 다시 눈을 떴다. 옆집에서 우당탕, 하는 소리가 들려왔다. 여자가 세간을 닥치는 대로 집어던지고 있었다. 그는 소리만으로도 무엇이 부서지고 깨지는지 짐작할 수 있었다. 시계가 부서지고 접시가 깨졌다. 유리컵도 깨졌다. 부서지는 소리는 견딜 수 있었지만 깨지는 소리는 참기 힘들었다. 여자는 자꾸만 깨고, 깨고, 깼다. 그의 손이 축축해졌다. 발도 축축해졌다. 그는 수면양말을 벗어던졌다. 발이 축축해진 것은 드문 일이었다. 고양이 시체가 담긴 상자를 여자 앞으로 부치길 잘했다고 생각하며 그는 침대에서 빠져나왔다. 여자의 분노는 어느새 그의 것이 되었다. 여자는 세상의 모든 밤을 깨뜨릴 기세였다. 누군가는 여자를 막아야 했다. 인터폰의 수화기를 집어드는 그의 얼굴이 잔뜩 굳어 있었다. 신호음이 한참 울린 뒤에야 여자가 수화기를 들었다.

지금이 몇 신 줄 아십니까? 그가 정중히 물었다.

여자는 아무 말이 없었다. 그는 손바닥을 파자마에 닦았다.

지금이 몇 신 줄 아시냐고요? 그가 다시 정중히 물었다.

개자식.

여자가 싸늘한 목소리로 뇌까렸다. 그는 뒤통수를 세게 얻어맞은 기분이었다. 그런 욕설은 들어본 적이 없었다. 그가 들은 최악의 욕은 아버지 입에서 나왔던 축축한 놈, 이라는 비난이 고작이었다. 카운터펀치를 얻어맞은 복서처럼 그는 숨이 멎고 다리가 후들거렸다. 그는 수화기를 꽉 움켜쥐었다. 갑자기 여자가 울음을 터뜨렸다. 감정의 둑이 무너진 듯 여자는 서럽게 흐느꼈다. 여자는 오래오래 울었다. 여자의 울음은 수화기에서도 들려왔고 벽 너머에서도 들려왔다.

그는 여자가 울음을 그치고 말없이 전화를 끊은 뒤에야 수화기를 내려놓았다. 여자의 손을 잡기라도 한 것처럼 손이 땀에 흠뻑 젖어 있었다. 분노는 옛말이 되었다. 분노가 떠난 자리에는 회한이 밀려들었다. 여자에게 못할 짓을 저지른 기분이었다. 여자 앞에 무릎 꿇고 발을 어루만지고 싶었다. 여자의 집 앞에 놓여 있던 빈 그릇을 걸어찬 게, 고양이를 미워한 게, 트레이닝복의 뒷모습을 훔쳐본 게, 시끄럽다고 전화한 게 후회스러웠다. 무엇보다 고양이 시체가 담긴 상자를 부친 게 마음에 걸렸다. 복수심에 눈이 멀어 끔찍한 짓을 저지르고 말았다고 그는 자책했다. 여자가 고양이의 시체를 보는 일만은 막아야 했다. 더 이상 울지도 못하는 고양이가 아닌가.

　그는 아침을 먹자마자 아파트 건물 입구가 마주 보이는 자리로 차를 옮긴 뒤 운전석에 눌러앉았다. 우체국 차량이 언제 들이닥칠지 알 수 없었다. 점심은 집에서 챙겨온 빵과 우유로 때웠다. 졸음을 몰아내기 위해 보온병에 담아온 커피를 거푸 들이켰다. 그는 눈이 빠져라 아파트 입구 쪽만 주시했다. 잠시도 자리를 비울 수 없었다. 오줌조차 빈 생수병에 해결했다. 잠복근무 중인 형사라도 된 기분이었다.
　잠복 중인 그를 괴롭힌 것은 허기나 요의가 아니라 불쑥불쑥 떠오르는 자괴감이었다. 내가 대체 뭘 하고 있는 거지? 옆집 여자가 고양이 시체를 보든 말든 그와는 상관없는 일이었다. 그는 맥이 풀리고 속이 상했다. 자신의 수고를 옆집 여자가 알아줄 리 만무하다는 점 때문이었다. 그래도 그는 자리를 뜨지 않았다. 내친걸음이었고 기왕의 수고를 헛되게 할 수는 없었다. 괜한 오기도 생겼다.
　그는 옆집 여자가 집을 비우기를 바랐다. 그래야 우체부가 택배를 경비실에 맡길 것이고 그쪽이 일을 처리하기가 수월할 터였다. 경비가 자리를 비운 틈을 타 슬쩍할 수도 있을 테고 경비가 자리를 지키더라도 실수를 가장해 들고 갈 수도 있을 테니. 우체부가 직접 올라가면 골치 아플 것이었다. 옆집 여자는 집에서 꿈쩍도 하지 않았다.
　우체국 차량이 나타난 것은 오후 네 시 반경이었고 그가 잠복한 지

여덟 시간 만이었다. 우체국 차량이 눈에 들어오자 가슴이 세차게 방망이질했다. 그는 경비실 쪽을 확인했다. 내내 자리를 지키고 있던 경비가 보이지 않았다. 그는 모자를 눌러쓰고 마스크를 착용한 뒤 차에서 내렸다.

우체국 차량이 그의 동 앞에 멈춰서고 우체부가 운전석에서 내렸다. 날렵하고 다부진 인상이었다. 우체부는 재빠른 동작으로 차 뒤쪽으로 돌아가 짐칸에서 상자를 꺼냈다. 그가 부친 상자였다. 고양이 시체가 담긴 라면 상자. 우체부는 종종걸음으로 아파트 입구로 향했다. 그는 발소리를 죽이며 뒤를 따랐다. 손이 축축해졌다. 그에게는 우체부를 막아야 한다는 생각뿐이었다.

우체부는 엘리베이터 앞에 서 있었다. 언제나처럼 엘리베이터는 십오층에 머물러 있었다. 우체부는 주저 없이 비상계단을 오르기 시작했다. 그도 뒤를 따랐다. 우체부는 쉬지 않고 계단을 올랐다. 그는 처지지 않기 위해 이를 악물었다. 우체부를 놓치면 끝장이었다. 그는 호시탐탐 기회를 엿보며 우체부 뒤를 바짝 쫓았다. 우체부가 신은 등산화의 굽은 닳을 대로 닳아 있었다.

그에게 기회가 찾아온 것은 육층 계단참에서였다. 휴대폰이 울렸고 하늘 끝까지 단숨에 올라갈 것 같던 우체부가 거짓말처럼 걸음을 멈추고 상자를 내려놓았다. 우체부가 점퍼 주머니에서 휴대폰을 꺼내든 순간 그는 상자를 냉큼 집어들고 육층 복도로 내달렸다. 죽기 아니면 까무러치기였다. 그는 반대쪽 비상계단을 향해 냅다 뛰었다. 야! 거기 안 서. 등 뒤에서 고함이 들려왔다. 그는 출구 쪽으로 달렸다. 엘리베이터는 일층에 내려가 있었다. 그는 사력을 다해 계단을 내려가기 시작했다.

우체부가 그를 따라잡는 데는 그리 오래 걸리지 않았다. 그가 느린 게 아니었다. 우체부가 너무 빨랐다. 오층과 사층 사이의 층계에서 우체부가 그의 뒷덜미를 낚아챘다. 그 서슬에 그의 몸이 빙글 돌아 갔다. 내놔. 우체부가 상자를 뺏으려 하자 그는 필사적으로 저항했 다. 상자가 뜯겨져나갈 것 같았다. 그는 손아귀에 더욱 힘을 주고 상 자를 좌우로 흔들어댔다. 우체부의 상체가 함께 요동쳤다. 우체부는 가벼웠다. 우체부가 상자를 놓치는 바람에 상자가 허공으로 날아갔 다. 벽에 부딪힌 상자는 계단으로 떨어져 굴렀다. 우체부가 계단 난 간을 짚고 몸을 내밀어 아래를 내려다보았다. 그도 상자의 행방을 눈으로 좇았다. 상자는 사층 복도 입구까지 굴러내려갔다.

우체부가 그의 멱살을 움켜쥔 채 소리쳤다. 너, 대체 뭐 하는 놈이 야? 그는 숨이 막혀왔다. 멱살을 잡히기는 처음이었다. 위에서 짓누 르는 우체부의 서슬이 퍼랬다. 그의 상체가 난간 너머로 휘청 꺾였 다. 일단 숨통을 터야 했다. 그는 우체부의 허리춤을 잡아챘다. 우체 부의 몸이 기우뚱하는 순간 그의 다리에 걸리고 말았다. 중심을 잃 고 구르던 우체부는 계단참 구석에 거꾸로 처박히면서 목이 꺾였다. 우체부는 비명조차 지르지 못했다. 비명을 지른 쪽은 그였다. 그는 우체부가 죽었을 거라고 짐작했다. 그는 자신의 목을 매만졌다. 목 은 제대로 붙어 있었다. 제대로 붙어 있는 자신의 목 때문에 그는 더 럭 겁에 질렸다. 그의 마음속에서 우체부의 죽음은 돌이킬 수 없는 사실이 되어버린 것이다. 그는 부들부들 떨었다. 머릿속은 하얘지고 눈앞은 캄캄해졌다. 세상이 무너지는 기분이었다. 진짜로 무너지는 것은 그의 의식이었다.

정신을 차렸을 때 그는 집에 돌아와 있었다. 그는 자신에게 닥친 불행을 믿을 수 없었다. 대체 무슨 일이 벌어진 것인지 이해할 수도 없었다. 심장이 여태 벌렁거렸다. 심장은 무슨 일이 일어났는지 죄다 알고 있었다. 심장은 블랙박스였다. 그는 심장을 꺼내서 좀 전의 상황을 재생시켜보고 싶은 충동에 사로잡혔다. 왜 우체부를 뒤쫓았지? 그제야 고양이의 시체가 담긴 라면 상자가 떠올랐다. 그는 뭔가에 홀린 듯 밖으로 뛰쳐나갔다. 택배 상자를 치워야 했다. 고양이 시체만 치우면 모든 게 제대로 굴러갈 것 같았다. 그는 계단을 통해 사층으로 내려간 뒤 복도를 가로질러 택배 상자가 굴러떨어진 장소로 갔다. 그의 눈이 커졌다. 택배 상자가 보이지 않았다. 그는 출구 윗벽에 적힌 층수를 확인했다. 틀림없이 그 자리였다. 누가 가져간 걸까? 조금 전 일은 모두 헛것이었을까? 과민해진 신경이 빚어낸 악몽이었을까? 바로 위 층계참에 쓰러져 있는 우체부를 본 순간 그의 희망도 꺾이고 말았다. 그곳에는 할 수 있는 일이 남아 있지 않은 듯했다.

집에 돌아온 그에게는 할 일이 많았다. 먼저 신고를 할지 말지 고민했다. 우체부가 죽었다고 확신할 수는 없었다. 병원에 제때 도착해 처치를 받으면 목숨을 건질 수 있을지도 몰랐다. 이미 죽었다면? 긁어 부스럼이었다. 그가 고민하는 사이 사이렌 소리가 들려왔다. 그는 문간방 창으로 밖을 내려다보았다. 구급차가 아니라 경찰차였다. 우체부는 죽은 게 분명했다. 이제 그는 자수를 고민하기 시작했다. 자수를 하면 얼마나 감형을 받을 수 있을까? 그는 과실치사의 형량을 인터넷으로 검색해보았다. 이 년 이하의 금고 또는 칠백만 원이하의 벌금. 사람 목숨 값은 의외로 헐했다. 다섯 달 뒤 만기인 적금을 헐면 사백만 원은 마련할 수 있었다. 몰고 있는 차가 오래되긴 했지만 이백만 원은 받을 수 있을 것이었다. 그는 중고차 사이트에 접속해 시세를 알아보았다. 모델명, 연식, 주행거리를 입력했더니 백이십만 원이라는 결과가 떴다. 날강도들! 그가 책상을 주먹으로 내리치며 버럭 소리쳤다.

경찰이 집으로 그를 찾아온 것은 다음 날 저녁이었다. 그가 부른 것은 아니었다. 여전히 그는 자수를 할지 말지 망설이고 있었다. 이 년의 금고나 칠백만 원의 벌금은 겁나지 않았다. 축축한 놈, 이라는 아버지의 힐난이 두려웠다. 우체부의 얼굴은 가물가물했지만 드잡이할 때 외쳤던 말은 쟁쟁했다. 너, 대체 뭐 하는 놈이야? 아버지 말이 맞았다. 그는 축축한 놈이었다. 문밖에 서 있는 사람이 경찰이라고 하자 그의 손이 축축해졌다. 올 것이 오고야 말았다. 그것도 예상보다 빨리. 곧장 자수했어야 했다. 그는 자포자기의 심정으로 문을 열었다. 늦었지만 이제라도 모든 것을 털어놓아야 했다.

고양이를 죽였습니까? 경찰이 현관에 버티고 선 채 물었다.

네?

옆집 고양이를 죽였습니까?

아니요.

고양이 울음 때문에 옆집에 항의하신 적 있죠?

네.

정말 죽이지 않았습니까?

네.

경찰은 그를 물끄러미 바라보았다. 경찰의 눈이 거짓말탐지기처럼 보였다. 그는 경찰의 눈을 피할 수 없었다. 경찰은 수사에 나서게 된 경위를 설명하며 주위를 둘러보았다.

땀이 많으신가 봅니다?

경찰이 은근한 목소리로 물었다.

네?

우리도 저걸 애용하거든요. 경찰이 신발장 위에 놓인 스프레이를 턱으로 가리키며 말했다. 땀 냄새 제거용 스프레이. 남의 집 택배 상자에 들어 있던 물건. 그러니까 장물.

제가 좀 축축해서요. 그가 머리를 긁적이며 말했다.

경찰은 협조해줘서 고맙다는 인사를 건네고 물러갔다. 문을 닫으며 그는 안도의 숨을 내쉬었다. 자신의 짐작이 틀려서 다행이었다. 고양이 건에 관해서라면 그는 결백했다. 하지만 마냥 좋아할 수만은 없었다. 고양이 시체가 옆집 여자에게 전해지고 만 것이다. 모든 노력이 물거품이 되고 말았다. 그에게는 또 다른 걱정거리가 생겼다. 고양이 시체가 담긴 상자를 부친 게 탄로 날 수도 있었다. 고양이를 죽이지 않았다는 것을 밝히려면 상자를 몰래 가져왔다는 사실을 실토해야 했다. 그동안 택배 상자를 훔쳐왔다는 것까지 까발려질지도 몰랐다.

그는 인터넷으로 절도죄의 형량을 찾아보았다. 단순절도는 육 년 이하의 징역이나 천만 원 이하의 벌금이었다. 과실치사보다 벌이 엄했다. 게다가 그는 상습범이었다. 그는 아파트 단지를 그린 종이를

펴보았다. 가위표는 모두 아홉 개였다. 가위표 개수에 그 자신도 놀랐다. 정상참작의 여지는 없었다. 고양이를 죽인 죄까지 덤터기를 쓰게 될 수도 있었다. 그는 반려동물 살해죄의 형량도 뒤져보았다. 동물보호법 위반으로 오백만 원 이하의 벌금형과 재물손괴죄에 따른 삼 년 이하의 징역이나 칠백만 원 이하의 벌금을 감수해야 했다. 세 가지 죄에 대한 벌을 모두 합치면 인생은 끝장이었다. 자수를 할 수도 하지 않을 수도 없었다. 이러나저러나 축축한 인생이 될 게 뻔했다. 그는 혀를 깨물고 싶은 심정이었다.

뉴스를 검색하던 그는 우체부에 관한 소식을 찾아냈다. 어제 오후 서울의 모 아파트 계단에서 우체부가 쓰러진 채 발견되었다. 우체부는 여태 의식불명이었다. 경찰은 과로에 의한 실족 사고에 무게를 뒀다. 우체부의 열악한 근무환경을 고발하는 기사도 떴다. 우체부의 목숨이 붙어 있다는 사실에 그는 가슴을 쓸어내렸다.

그날 밤 옆집에서는 아무 소리도 들리지 않았다. 다음 날도, 그다음 날도 옆집은 쥐 죽은 듯 조용했다. 새벽 다섯 시면 어김없이 들리던 구두 소리도 들리지 않았다. 하루도 거르지 않고 문 앞에 나와 있던 빈 그릇도 보이지 않았다. 우체부는 여전히 혼수상태였다.

그는 인터폰으로 경비실에 전화했다.

709호입니다.

무슨 일이십니까?

옆집이 조용해서요.

그런데요?

옆집이 너무 조용합니다.

그게 문제라도 됩니까?

아닙니다.

그는 수화기를 내려놓았다.

밖에서 쿵, 하는 소리가 들린 것은 그가 수화기를 다시 집어들고 옆집 번호를 누를지 말지 고민하고 있을 때였다. 그는 수화기를 내려놓고 베란다로 나가 아래를 내려다보았다. 화단에 사람의 형체가 땅을 등진 자세로 누워 있었다. 어둠에 눈이 익자 형체가 또렷해졌다. 여자였다. 핑크색 트레이닝복, 늘씬한 몸매. 옆집 여자였다. 여자는 꿈쩍도 안 했다. 사람들이 하나둘 여자 주위로 모여들었다. 경비도 보였다. 경비가 고개를 들어 위를 올려다보았다. 다른 사람들도 고개를 들었다. 그는 황급히 몸을 숨겼다.

한참 뒤 그는 다시 아래를 내려다보았다. 사람들은 여전히 여자를 둘러싼 채 웅성거리고 있었다. 어디론가 전화를 거는 사람도 있었다. 위를 올려다보는 사람은 없었다. 그는 여자의 얼굴을 찬찬히 내려다보았다. 희붐한 어둠 속에서 이목구비만 어렴풋했다. 옆집 여자의 얼굴은 처음이었다. 그의 손이 축축해졌다. 소파도, 마루도, 탁자도, 침대도, 장롱도, 신발도, 컴퓨터도, 접시도, 형광등도 축축해졌다. 그는 땀 냄새 제거용 스프레이를 손바닥에 뿌렸다. 소파에도, 마루에도, 탁자에도, 침대에도, 장롱에도, 신발에도, 컴퓨터에도, 접시에도, 형광등에도 뿌렸다. 라벤더 향이 진동했다. 109호의 겨드랑이에서 나야 했을 향기였다.

하성란
오후, 가로지르다

1967년 서울에서 태어나 서울예대 문예창작과를 졸업했다. 1996년 《서울신문》 신춘문예에 단편 〈풀〉이 당선되어
등단했다. 소설집 《루빈의 술잔》 《옆집 여자》 《푸른수염의 첫번째 아내》 《웨하스》, 장편소설 《식사의 즐거움》 《삿
뽀로 여인숙》 《내 영화의 주인공》 《A》, 산문집 《왈왈》 《소설가로 산다는 것》(공저) 등이 있다. 동인문학상, 한국일
보문학상, 이수문학상, 오영수문학상, 현대문학상 등을 수상했다.

1

사무실 입구에서 여자의 '큐비클'까지는 꼭 마흔두 걸음이었다. 좌우 양쪽에 늘어선 큐비클들 사이를 따라 걷다 보면 좁고 막다른 골목 끝의 집처럼 여자의 큐비클이 나타났다. 다시 말하자면 여자의 자리는 사무실 가장 안쪽이었다. 사내에서 입사 연도가 제일 오래된 축에 낀다는 걸 의미했다. 하지만 요즘 여자는 자신이 밀릴 데까지 밀렸다는 생각을 하고 있다.

키스 해링의 그림엽서 옆엔 박항률의 소녀의 옆얼굴 그림이 붙어 있다. 전시회 포스터로 전시 기간은 이미 이 년이나 지나 있다. 화가 시리즈인가 싶어 다음엔 피카소나 김창렬 혹은 앤디 워홀의 그림이 아닐까 생각하지만 웬걸 웃통을 다 벗은 채로 열창하고 있는 프레드 머큐리가 있다. 1982년 퀸의 몬트리올 공연 포스터였다. 그렇다면 다음은 슬슬 스팅 정도가 나오지 않을까, 라는 예상도 보기 좋게 빗나간다. 누군가 대학 체육회 때 입었던 듯한 티셔츠를 걸어두었다. 운동장을 한참 굴렀는지 빨아도 지워지지 않는 붉은 흙물이 옅게 들어 있다. 강조하고 싶은 것이 가슴패기에 프린트된 출신 학교인 건지 운동장을 뒹굴던 그때의 열정인 건지 알 수는 없다.

활기차고 예측불허인 골목을 들어가다 보면 어느 순간 신도시와 구도시의 경계가 확연하듯 낯선 분위기의 큐비클들이 나타난다. 한눈에도 낡고 얼룩이 뒨 듯한 전체적으로 골고루 색이 바랜 큐비클들이다. 물론 이 큐비클들의 바깥 칸막이에도 장식은 있다. 사진이나 그림 같은 이미지보다는 활자 세대에 어울리는 글귀들이라는 것이 좀 다르지만.

'뒤로 물러서지 않기 위한 유일한 방법은 앞으로 나아가는 것이다'라고 말한 건 스티브 잡스 아니었나? 그런 문구를 낯 뜨거운 줄도 모르고 잘도 써서 붙여놓다니 모르긴 몰라도 대표의 자리가 확실할 것이다. 그렇다면 그 사람도 지금 밀리고 있는 건가?

여자의 큐비클엔 무언가를 붙였던 압정 네 개만 꽂혀 있을 뿐이다. 마지막으로 뭘 붙였는지 그게 언제 떨어진 건지 기억나지 않는 걸 보면 일이 주 전의 일은 아니다. 종이에 뭘 적었는지도 기억나지 않는다. 하지만 뭔가가 붙어 있었다는 증거처럼 압정 하나 밑에 종잇조각이 간당간당 물려 있다.

칸막이 밖의 이런 장식들은 당연히 안에 앉은 장본인들에겐 보이지 않는다. 순전히 자신을 알리려는 일종의 메시지이다. 큐비클이란 폐쇄적인 구조 속에서 자신을 알릴 유일한 방법이다. 진로를 바꾸는 데 결정적인 역할을 했던 어릴 적 상장을 붙여놓기도 하고 경주 수학여행에서 사왔음 직한 조잡한 에밀레종을 달아놓은 이도 있다. 가장 많은 건 아무래도 대량 생산되는 포스터들이다. 무얼 장식하느냐에 따라 취향은 물론 자신의 정체성까지도 드러나는 것이다. 큐비클맨의 일상을 다뤄 유명해진 만화의 캐릭터 딜버트를 붙여놓았다면 그나마 의중은 쉽게 파악되고도 남는다. 외부에 자신을 알리고자 하는 욕구가 크면 클수록 칸막이 한 면이 온갖 이미지들로 도배되다시피 하기도 한다. 결국은 자신을 알리는 효과가 반감될뿐더러 중심이 없는 사람이라는 인상을 주기도 한다.

여자의 머리로는 도저히 이해가 가지 않는 것을 붙여놓은 이도 있다. 가까이에서 보면 물감 덩어리처럼 보인다. 모네의 수련인가, 싶지만 그림이 아니라 실제로 물감 같은 것을 덕지덕지 발라놓았다. 좀 떨어져서 보지만 알 수 없기는 마찬가지다. 만져보기는 싫다. 왠지 기분이 나빠지는 이상한 어떤 것이다.

큐비클이 사무실에 설치되던 초창기에 여자도 자신의 큐비클 치장에 공을 들였었다. 이십여 년 전 다닌 회사의 여직원회에서 했던 일 중 하나가 화장실이나 엘리베이터에 격언이나 시구를 적어 붙이는 일이었다. 바람이 분다 오늘도 살아야겠다, 라거나 가야 할 때가 언제인가를 분명히 알고 가는 이의 뒷모습은 얼마나 아름다운가 등의 시구를 적고 예쁜 그림으로 장식을 했다. 인용한 부분의 앞과 뒤는 알 수 없었다. 여자는 그때를 떠올리며 매주 시집을 뒤적이고 시를 골랐다. 시는 끝까지 읽으려고 노력을 했다. 종이에 시구를 옮겨 적고 여백에 그림을 그리거나 낙엽을 주워붙이기도 했다. 그땐 주변에서 문학소녀라는 말을 들었다.

……요즘 여자는 뒤늦게 정체성의 혼돈을 겪고 있다. 맞습니다. 저 좀 허덕이고 있습니다.

입사동기 가운데 지금까지 사무실에 남아 있는 여직원은 여자와 옆자리의 최, 이렇게 단둘뿐이었다. 몇 명의 동기들은 결혼과 동시에 직장을 떠났다. 결혼하고 좀 버티던 동기들도 임신과 출산의 문턱을 넘어서지는 못했다. 삼면이 칸막이로 막힌 '큐비클' 구조는 입사 삼 년쯤부터 도입되기 시작해 금방 정착되었다. 상하 지시 체계가 아닌 각자 맡은 일들을 독립적으로 처리하기에 가능했을 것이다. 그리고 그게 눈에 띄게 능률이 오르기 시작했다는 거다.

표준형 칸막이의 크기는 가로세로 이 미터가 조금 넘었다. 책상과 서랍장을 넣으면 바듯했다. 이 구조에 가장 적응이 느렸던 건 여자와 최였다. 칸막이를 돌아 상대방의 칸막이 안으로 가는 일이 여간 성가시지 않았다. 그냥 제자리에 일어나 칸막이 너머로 서로의 이름을 불러댔다. 일어서면 칸막이의 높이는 여자의 쇄골쯤에 와닿았다. 칸막이 위로 얼굴만 동동 뜨는 셈이다. 어느 날은 아예 일어나지 않은 채 칸막이를 사이에 두고 대화를 나누기도 했다. 그런 습관은 어느 날 칸막이 저 너머에서 누군가 "일 좀 합시다"라고 소리를 지르는 바람에 끝이 났다. 아주 오랫동안 벼러온 듯 목소리는 사무적이었다. 너무도 창피해서 둘 중 누가 먼저랄 것도 없이 칸막이 속으로 몸을, 아니 머리를 쏙 숨겼다. 이상한 것은 소리를 지른 게 누구인지 좀처럼 감을 잡을 수 없다는 거였다. 직원들이라면 다 알고 있었고 목소리도 알았다. 칸막이 안의 누구였을 텐데 한 번도 들어보지 못한 목소리였다. 누군지 모르지만 자신의 신분이 발각되지 않도록 목소리를 변조시킨 게 분명했다.

그 뒤로 십여 년, 너무도 많은 직원들이 입사했고 또 그만두었다. 일일이 이름과 얼굴을 매치할 수도 없을뿐더러 그들을 한자리에서 만나는 일조차 거의 없었다. 간단한 회의는 메신저를 통해 이루어졌다. 직원들은 자신이 누구인지 알아달라고 큐비클 밖을 이런저런 장식들로 꾸몄지만 서로의 큐비클을 제 발로 찾아가지는 않았다. 그동안 자연스럽게 큐비클 예의라는 것이 자리를 잡았다. 어떤 소리도 자신의 큐비클 밖을 넘지 않도록 할 것, 큐비클 안에서 다른 큐비클의 직원을 부르거나 대화하지 말 것 등등. 큐비클 위로 얼굴을 불쑥 내밀고 사방을 둘러보는 일은 사무실 바닥에 침을 뱉는 것만큼이나 무례 중의 무례가 되었다.

어느 날 여자는 의자에서 일어나 허리를 쭉 폈다. 두 팔을 하늘로 쭉 뻗어 스트레칭을 하다 겹겹으로 펼쳐진 수많은 가로선들을 보았다. 여자도 알지 못하는 새 직원들이 늘었고 그만큼 큐비클 수도 늘어나 있었다. 무수한 가로선들을 무수한 세로선들이 나누고 있었다. 미로 같았다. 그 많은 큐비클 어디에선가 누군가의 머리가 불쑥 드러나 여자와 눈이 마주친다면 그게 설사 사람이 아니라 문어라 해도 사랑에 빠질 것 같은 착각이 들었다. 하지만 미로라 서로 멀리서 보기만 할 뿐 만나지는 못한다. 다행히 지금까지 그런 일은 한 번도 일어나지 않았다.

여자는 인터넷을 켰다. 깜빡깜빡 커서가 움직였다. 오늘은 소식을 들을 수 있을까. 여자는 어떤 소식을 기다리고 있다. 늦으면 늦었달 수도 있고 빠르면 빠르다고 할 수도 있는 소식을. 1980년대 말 대기업의 사무실 전경이 떠올랐다. 거대한 사무실에 수백 개의 책상들이 앞으로 나란히 하듯 줄을 맞춰 서 있었다. 칸막이라곤 없었다. 자리에서는 앞사람의 뒷모습이 보였다. 앞사람보다는 뒷사람의 직위가 높았다. 앞사람은 뒷사람의 시선을 의식해 딴짓을 할 수 없었다. 그 부서의 가장 높은 직위의 사람은 사무실 가장 안쪽 창가 자리에 앉았다. 여자는 가끔 어릴 적 하던 게임처럼 이렇게 외치고 싶었다. "자, 이제 반대로!"

—여의나들목 삼중 추돌 빠져나오는 데 한 시간 거의 초주검.

그때 '몽실몽실님'이 대화에 등장했다. 옆자리의 최였다.

2

그날 아침 그 남자가 여자의 뺨을 때렸다. 눈앞에서 번쩍 불똥이 튀고 휙 얼굴이 모로 꺾였다. 덩달아 상체도 틀어졌다. 눈물이 쏙 빠질 만큼 아팠다. 눈에 고인 눈물 때문에 일렬로 늘어선 책상들도 책상 사이의 통로를 부산히 움직이는 직원들의 모습도 과장되게 굴절되었다. 다행히 눈물은 흘러내리지 않았다. 아무도 눈치채지 않았으면 바랐는데 바로 옆자리의 여직원과 눈이 딱 마주쳤다. 다 들으라는 듯 그녀가 새된 비명을 질렀다. 이 남자가 왜 날 때린 건가, 내가 뭘 잘못했나 따위는 잊고 산통 다 깨졌다는 생각뿐이었다.

"괜찮아? 괜찮아?" 소리를 지른 여직원이 다가와 여자의 한 팔을 붙잡았다. 책상들만 치운다면 당장이라도 편을 갈라 축구 경기라도 할 넓이의 사무실이었다. 부서와 부서를 나누는 칸막이도 없었다.

중간중간 전경을 분할하는 건 천장을 받치고 선 기둥들이었다. 기둥은 그 뒤에라도 숨어야 하나라는 생각보다 사무실의 엄격한 수직 구조만을 일깨워주었다. 줄을 맞춰 빼곡하게 늘어선 수백 개의 책상은 위압적이기까지 했다. 책상 한 개도 들어설 틈이 없어 보이지만 언제든 새로운 책상들이 들어와 얼마든 자리 잡을 수 있다는 걸 모두 알았다.

여직원 탈의실에서 유니폼으로 갈아입고 사무실에 들어설 때마다 종종 스타디움 안으로 들어가는 착각이 들곤 했다. 물론 관중은 아니다.

사무실은 늘 소란스러웠다. 책상들 위의 전화벨이 수시로 울린다. 말소리뿐 아니라 수백 명이나 되는 사람들의 숨소리도 작지 않다. 타이핑 소리와 서랍을 여닫는 소리 사이로 기침 소리도 끼어든다. 그 모든 소리가 높은 천장으로 부유해 고여 있다. 하지만 그 소리들만이라고 하기엔 미심쩍은 부분이 있다. 어딘가에서 바람이 들어와 수백 개나 되는 병들의 주둥이라도 불어대고 있는 듯했다.

비명 소리 쪽으로 시선이 쏠렸다. 사무실 안의 소음이 일순 멎었다. 가까운 곳의 직원들은 드러내놓고 바라보고 사무실 가장 안쪽의 나이 지긋한 임원급들도 슬쩍슬쩍 이곳을 훔쳐보는 눈치였다. 늘 우르르 몰려다녀 여직원들 사이에서 '고삐리'로 불리는 입사동기 남자들까지도 우르르 몰려들었다. 정말 싫어! 자신도 모르게 어금니를 꽉 물었는데 그게 꼭 울음을 참으려는 것처럼 보였었나 보다. 여자의 팔을 쥔 여직원이 여자의 몸을 흔들며 물었다. "울어? 울어?"

영문을 알 수 없었다. 때린 남자와는 같은 부서였지만 가까운 사이는 아니었다. 그의 자리는 여자의 자리에서 세 칸이나 뒤에 있었다. 사무실 출입문 쪽 가장 낮은 직급의 여자가 중간 관리자인 그와 나눌 이야기는 많지 않았다. 어느 날은 하루 종일 말 한마디 섞지 않고 지나갈 때도 있었다.

그는 자기 앞의 남자 직원들에게 업무를 하달했다. 여자 뒤의 남자들이 업무를 처리하는 동안 여자는 팩스나 복사 등의 잔심부름이나 자료조사 같은 일을 거들었다.

뺨을 때리는 일은 적어도 이해관계가 얽힌 이들 사이에서 일어나는 일이라고 여자는 그때까지 생각했다. 매일 일로 얽히는 뒤의 남자 직원에게 뺨을 맞았다면 업무 미숙 등의 이유로 수긍할 수도 있었을 것이다. 여자보다 세 칸이나 뒤에 앉은 그 남자가 평소의 업무 지시 체계를 무시하고 직접 여자의 뺨을 때린 일은 혼돈스러울 수밖에 없었다. 마치 길을 지나다 생판 모르는 사람에게 당한 봉변 같아 황당하기까지 했다.

소동은 채 오 분을 끌지 않았다. 때린 남자가 별안간 몸을 돌려 사무실을 뛰쳐나갔기 때문이었다. 의외로 일이 싱겁게 끝나자 남자 동기들은 한눈에도 실망스럽다는 표정으로 우르르 사무실 밖으로 몰려나갔다. 하나둘 직원들도 제자리로 흩어지고 타이핑 소리를 시작으로 직원들은 업무에 복귀했다.

화장실 거울 앞에 서서 흐트러진 머리를 정돈해 묶었다. 얼마나 세게 묶었는지 눈가가 관자놀이로 당겨올라가 꼭 중국 여자애처럼 보였다. 뺨의 손자국은 어느새 사라지고 없었다. 누가 누구의 뺨을 때렸다더라, 소문은 엘리베이터를 타고 이 층 저 층으로 퍼졌다. 잠깐

그 사안에 대해 여직원회의 이름으로 책임을 물어야 하는 것 아니냐
는 목소리가 불거지기도 했지만 금방 유야무야되었다. 퇴근 무렵의
사무실은 평소의 분위기로 돌아와 있었다. 활기가 지나쳐 다소 어수
선하고 술렁대는 상사商社의 분위기로. 그 남자는 그 시간까지도 나
타나지 않았다.

"그날 맞은 건 네 뺨이 아니라 네 자존심이었던 거지." 최가 아는
체를 했다. 최의 말에 의하면 상처가 생각보다 깊은 나머지 방어기
제가 작동한 거라고 했다. 별일 아닌 듯 무마되었지만 사실은 그사
이 여자의 무의식 제일 밑바닥에 가라앉아 껌딱지처럼 단단히 들러
붙은 거라고 했다. 평상시에는 아무렇지도 않다가 껌딱지를 밟게 되
면 진득 달라붙으며 불쾌감을 남긴다는 것이다. "누구에게나 그런
껌딱지가 하나쯤은 있어." 그러더니 최는 뭔가가 떠오르는지 몸을
부르르 떨었다.

최에게는 어떤 말이든 믿게 만드는 요령이 있다. 얼마 전에는 사무
실 안에서 뱀을 키우는 동료가 있다는 말을 전해 여자가 기겁하게
했다. 뱀이라면 딱 질색이었다. 누가 들으면 뱀에게라도 물렸나 보
다고 생각하겠지만 사실은 동물원의 파충류관에서 본 게 다였다. 그
런데 무슨 이유에선지 뱀이란 말만 들어도 차디차고 긴 것이 자신의
복사뼈를 휘감고 지나가는 느낌이 들었다.

누굴까? '키스 해링'일까, 아니면 '흙 얼룩 든 티셔츠'일까. 아무래
도 뱀을 기르는 건 그 직원일 것만 같았다. 큐비클 밖에 물감 덩어리
비슷한 것을 덕지덕지 발라놓은, 뭐가 뭔지 알 수 없는 그것을 치우

지도 않는 직원 말이다. 큐비클 안의 자신이 누구인지 알려주기는커녕 더욱더 모호하게 만드는 사람.

타닥타닥타닥.

─진짜야?

라고 댓글을 단 이상 이미 최의 말에 걸려든 것이다. 쾌재를 부르고 있을 최의 얼굴이 떠올랐다.

─요즘 애들은 우리랑 달라. 별종 중의 별종들이지.

최가 말하는 요즘 애들이란 새로 입사한 신입사원을 일컫는다. 사원 채용이나 퇴사 등 사무실 동정을 맨 먼저 여자에게 알려주는 것도 늘 최였다. 종일 큐비클 안에 갇혀 일하는 건 같은데 어떻게 회사 동정을 꿰고 있는지 신기할 따름이다.

큐비클 안에서 누가 누구와 사랑을 나눴다더라, 누가 밤새 술을 마시고 코를 골며 잤다더라, 누구는 일주일째 집에 들어가지 않고 있다더라. 최가 전하는 큐비클 안 소식은 다채롭기도 했다.

─86들이야.

물론 86년생들이란 말이다, 86학번이 아니라.

보나 마나 최는 기통이 막힌다는 표정을 하고 있을 거였다. 오늘 아침에도 큐비클 앞을 지나치다가 그 물감 덩어리를 보았다. 그렇게 봐서 그런지 좀 더 얼룩덜룩해졌다는 느낌이었다. 노란색과 초록색 물감을 좀 더 짜놓은 것 같았다. 크기도 분명 더 커졌다. 안에 무언가 있어, 안엣것이 커지면서 덩달아 부풀어졌다는 느낌도 들었다. 만져볼까 하다가 그만두었다. 만져봤다간 너무도 기분이 나빠질 것만 같았다. 그 물감 덩어리 이야길 최에게 할까 말까 잠깐 고민했다. 그것이 무엇이든 뱀보다 최악의 상황은 없다. 망설이고 있는데 최의 댓글이 떴다.

　—이제 우린 죽어야 돼.

　여자와 최가 대학 신입생일 무렵 그들은 태어났다. 그녀들이 첫 미팅, 첫 데이트, 첫사랑, 첫 키스 등에 눈을 뜰 무렵 그들도 하나둘 세상에 눈을 뜬 것이다. 스무 살이라는 나이 차만으로 그들은 별종으로 불릴 만하다. 최의 말에 의하면 그 별종들은 그녀들과는 달라 개나 고양이로는 위안을 삼지 못한다고 했다.

　최와 채팅을 하면서 애완용 뱀을 검색했다. 생각 외로 많은 사진들이 떴다. 색깔에서부터 무늬, 크기까지 다양했다. 이렇게 다양하면 누군가의 뱀들과 뒤섞여도 쉽게 자기 뱀을 찾아낼 수 있을 것이다. 너무도 똑같은 토끼들과는 달리. 누군가 다 자라면 이 미터 남짓한 뱀을 추천했다. 누군가는 뱀의 성격에 대해 써놓았다. 온순하면서도 카리스마 있음. 어디 그런 남자 없나? 이젠 이런 생각들이 자기 검열 없이 툭툭 떠오른다. 어느 날은 입 밖으로 발설해버릴까봐 걱정이다. 강둑이 터지듯 걷잡을 수 없을는지 모른다.

　먹이뿐 아니라 소소하게 드는 물품이 꽤 되었다. 생각보다 예민하다고 했다. 그런 불평도 남자친구를 사귀는 여자 후배들에게 들어본 듯하다. 뱀을 애완용으로 기르는 사람들이 꽤 되는 모양이었다. 초록색 실뱀 사진을 유심히 들여다보고 있는데 사이를 두고 최의 대화가 창에 떴다.

　—며칠 전엔 칸막이를 타고 사라지는 뱀을 봤어.

　정말? 묻지 않는다. 뱀을 기르는 동료가 있을지도 모른다고 생각해버린 이상 최의 거짓말은 중요하지 않다. 사무실에서 누군가 뱀을 기르고 있다면 그 뱀이 케이지를 벗어나는 건 시간문제니까 말이다.

최의 말에 따르자면 상사를 그만둔 뒤 십 년 동안은 용케도 그 껍딱지를 피해다닌 셈이다. 십 년 동안 앞만 보고 달렸다. 논문 준비를 하고. 짬짬이 강의도 나가야 했다. 잠잘 시간을 쪼갤 수밖에 없었다. 껍딱지를 밟은 건 이제 조금 천천히 가도 되지 않을까, 라고 잠깐 방심한 어느 날이었다.

갯내가 물씬 풍기는 해수욕장이었다. 머드 축제는 떠들썩한 행사 홍보와는 달리 초라했다. 내국인보다 외국인 수가 더 많았다. 축제 원년이라 행사 준비도 미비했다. 그래도 젊은이들은 웃고 떠들었다. 머리부터 발끝까지 진흙 범벅이 된 사람들은 누가 누군지 알아볼 수 없었다. 뜨거운 태양 아래 진흙 바른 몸이 마르며 산산조각 날 것처럼 갈라졌다. 애인이 여자를 보고 진흙오리구이 같다며 웃었다. 진흙이 다 마른 뒤에야 사람들은 바다로 뛰어들었다.

여자는 진흙이 묻은 몸으로 막 바다로 뛰어가는 애인을 바라보며 앉아 있었다. 진흙투성이인 애인의 뒷모습은 허리를 좀 늘인 다비드 상을 연상시켰다. 수영복 허리밴드 위로 볕에 그을리지 않은 팬티 자국이 그대로 드러나 있었지만 지금은 진흙투성이다. 해안가에 바글바글 모인 해수욕객들 뒤로 멀리 펼쳐진 수평선을 바라보았다. 먼 곳을 바라볼 때면 왠지 나른해진다. 미역 냄새가 나는 진득한 바람이 불었다. 여자는 눈을 감았다. 입술에 엉긴 소금이 짭조름했다. 그때 관망대 쪽에서 사이렌이 울렸다. 사이를 두고 구조대원 몇이 모래를 튀기며 바다로 뛰어들었다. 저 바다에서 무언가 잘못되었다, 라는 생각이 드는 순간 십 년 전 그날 아침이 떠올랐다.

찰싹, 눈앞에서 번쩍 불똥이 튄다. 여직원의 비명 소리가 울리고 수많은 눈들이 일제히 여자에게로 쏠린다. 발가벗겨진 느낌이다. 여직원이 코맹맹이 소리로 재우치듯 묻는다. "울어? 울어?"

여자는 불안해져서 파라솔 아래를 튀어나가 애인을 찾는다. 진흙 투성이인 사람들 틈에서 애인을 찾기란 쉽지 않다. 바닷물에 진흙이 씻긴 사람들도 죄다 머리가 젖어 비슷비슷해 보인다. 등이 긴 남자를 찾아보지만 등이 긴 남자도 한둘이 아니다. 파도는 점점 커지고 있다. 구조대원들이 몇 번이나 바다 속으로 자맥질을 한다. 노란 구명 튜브가 파도에 휩쓸린다. 파도가 높아 건장한 남자들도 떠밀린다. 애인은 돌아오지 않고 여자는 정말 울고 싶어진다.

왜 뺨을 때렸는지 그때 물었어야 했다.

3

뉴스에서 닭을 봤다.

아침에 눈을 뜨면 뉴스부터 켜고 본다. 텔레비전 앞을 지키고 앉아 뉴스를 시청하는 건 아니다. 뉴스를 켜둔 채 화장실에서도 한참 미적대고 부엌에서 토스트나 달걀 프라이를 굽고 옷도 갈아입는다. 왜 듣지도 않을 거면서 뉴스를 켜냐고 엄마에게 지청구를 주던 때가 떠올랐다. 엄마는 말했다. "어제가 오늘 같고 내일도 오늘 같을 테지만 그래도 새로운 하루를 맞는다는 기분으로."

사무실에서 철야를 한 날이면 모니터 한구석에 뜬 작은 창으로 뉴스를 본다. 어디에서 콘 수프 냄새가 난다. 커피 향도 코끝을 간질인다. 여자처럼 사무실에서 밤을 새운 동료들이 많은 모양이다. 맨 처음엔 이렇듯 큐비클 안에서 식음은 물론 수면까지 해결하게 될 줄 몰랐다. 손을 좀 뻗으면 콘플레이크 상자가 잡힌다. 손을 좀 더 뻗으면 어제저녁 먹다 둔 초콜릿 바도 집을 수 있다. 발을 책상 아래로 쭉 늘이면 점잖은 곳에 신고 갈 하이힐이 있다. 하지만 더 늘이지는 않는다. 뭔가 이상한 것이 닿을 것 같아서. 필요한 건 큐비클 안에 다 있다. 책꽂이 맨 위에 올려둔 책을 꺼내야 할 땐 의자에서 엉덩이를 좀 들어야 하는 수고로움이 있달까.

닭들은 몸을 제대로 돌릴 수도 없는 비좁은 우리 안에 갇혀 있었다. 설사 꽁지 쪽이 가렵대도 고개를 돌려 부리로 꽁지 쪽 털을 고른다는 건 생각할 수도 없어 보였다. 배설물이 원활히 잘 빠지도록 양계장 바닥은 얼키설키 철사가 얽혀 있을 뿐이었다.

양계장 안은 어두컴컴했다. 몇 개의 창이 나 있었지만 너무 작아 채광도 환풍도 잘되지 않는 듯했다. 창으로 쏟아져들어온 햇빛 속에서 닭털과 모이와 마른 배설물 들이 비듬처럼 날아올라 소용돌이치고 있었다. 양계장 주인은 태평했다. "우리 닭들한테는 아무런 불만도 없다니까요." 비좁으면 비좁은 대로 닭들은 부산스럽게 움직였다. 머리를 상하좌우로 흔들고 창살 위에 얹은 두 발을 차례로 들어올려 균형을 맞췄다. 날개를 조금씩 부풀리기도 했다.

어릴 적 집 마당에서 길렀던 닭들이 떠올랐다. 마당 한쪽에 닭장이 있었지만 닭들은 마당에 나와 쏘다니며 땅을 헤집어댔다. 엄마가 갓 낳은 달걀이라며 어린 여자의 손에 달걀을 놓아주던 생각도 난다. 똥이 좀 묻어 있던 달걀은 따뜻하고 좀 물렁거렸다. 여자는 그때로 돌아가 달걀을 쥐고 있는 듯 자신의 손바닥 우묵한 곳을 들여다보았다. 엄마가 돌아가신 지 육 년이 지났다.

병아리 시절에 우리에 들어간 닭들은 일 년 반 줄기차게 달걀을 낳는다. 그때까지도 달걀을 낳는 닭과 식육용 닭의 품종이 따로 있다는 걸 몰랐다. 그건 좀 불합리한 것처럼 느껴졌지만 곧 그만큼 공정한 일이 또 어딨나, 라는 생각이 들었다.

기자가 양계장의 비위생적인 환경과 닭들의 처우 개선에 대해 보도를 하는 동안에도 닭들은 영문을 모르겠다는 듯 부산을 떨었다. 갑자기 들이닥친 보도용 카메라와 눈부신 조명에 얼떨떨한 표정이었다. 아무리 비좁아도 아무리 더러워도 매일 낳은 알들이 어디론가 사라져도 닭들은 그런 표정만 지을 것 같았다. 언젠가 저런 표정을 사람에게도 본 듯했다. 그게 엄마였나?

그래도 엄마가 살아계실 땐 엄마를 통해 간혹 중매가 들어오곤 했다. 그때마다 엄마가 푸념처럼 하던 말이 떠오른다. "네가 딱 오 년만 젊었어도……" 그 레퍼토리가 십 년 넘게 반복되었다. 세상에는 자신보다 다섯 살 어린 여자를 찾는 남자들이 많은 모양이었고 한동안은 그 추세가 바뀔 것처럼 보이지 않았다.

퇴근해 돌아오면 엄마는 불도 켜지 않은 여자의 방, 책상에 우두커니 앉아 있었다. 어두컴컴한 어둠 속에서 엄마의 등은 더욱 왜소해

보였다. "엄마, 뭐 하고 있어?"라고 물어보면 그제야 엄마가 여자를 돌아다본다. 물끄러미, 어디 멀리라도 갔다 온 듯한 표정이다. 딸인 줄 알아차릴 때까지는 시간이 걸린다.

　화장실에서 세수를 하고 돌아오다가 또 그것을 보았다. 좀 더 커진 데다가 얼핏 안에서 무언가 꾸물대는 듯했다. 밤을 새운 탓일까, 눈을 비비고 다시 보았다. 이번엔 아무렇지도 않았다. 대체 뭘까, 자세히 들여다보려는데 그것이 또 꾸물했다. 뭔가 속에 살아 있다, 놀라 뒷걸음질 치는데 신발 밑창이 물컹, 끈적하다. 또 밟은 것이다.

　회상으로 그치는 날도 있지만 어느 날은 정말 뭐라 표현할 수 없는 분노가 들끓어오른다. 아무튼 그날 아침 일을 떠올리는 주기가 짧아지고 있었다. 여자의 생체 시계도 덩달아 빨라진 느낌이다. 일주일 전 분명 끝난 생리가 어제 아침에 또 터졌다. 앞으로는 더 자주 껍딱지를 밟게 될 것만 같다. 기다리던 소식은 오지 않는다.

　뺨까지 맞았는데 그 남자의 이름도 몰랐다. 통상 사무실에서는 이름 대신 성姓 뒤에 직책을 붙여 불렀다. 여자도 그때 '미스 김'이라고 불렸다. 그 남자의 손가락만큼은 길었다. 뺨이 기억하고 있다. 손가락이 갈대처럼 뺨에 착 감겼다가 떨어졌다. 담배도 피우지 않는지 아무런 냄새도 나지 않았다. 손은 좀 찼다. 차고 바싹 메말라 있었다. 그러고 보니 요즘 자주 껍딱지를 밟고 있는 건, 내가 같은 곳을 맴돌고 있다는 뜻인가, 여자는 생각한다. 오랫동안 일에도 진척이 없다. 집중력이 떨어진다. 어느 순간 멈췄고 요지부동이다. 앞만 보고 전진하던 십여 년 전엔 분명 밟지 않았다. 껍딱지는 바닥에 딱 붙어 있어 옮겨다니지 않는다. 내가 무의식의 같은 곳을 맴맴 돌고 있을 뿐이다. 여자는 언젠가 애인을 찾아 해변가를 헤매던 때처럼 아득하다. 맞습니다. 저는 길을 잃었고 헤매고 있습니다.

몽실몽실님이 등장하셨다.

— 세상에, 스무 살 적 비키니 사진을 포스터로 뽑아 칸막이 안에 붙여놓은 여자가 다 있대!

타닥타닥탁타닥.

— 뭐야? 무슨 연예인도 아니고.

라고 받아쳤지만 쿵 심장이 떨어질 뻔했다. 사실은 그게 나야, 라고 말할 수는 없으니까. 붙여놓은 것도 아니고 포스터만 한 크기는 더더욱 아니다. 비키니라니 말도 안 된다. 그냥 평범하다 못해 무난한 아레나 수영복일 뿐이다. 액자에 끼워 모니터 옆에 세워두었다. 그녀에게도 물개처럼 물살을 가르던 날랜 시절이 있었다. 군살 하나 없다. 그걸 알려주고 싶을 뿐이다. 누구에게? 큐비클 안은 백 퍼센트 사생활이 보장된다. 그러니 결국 그 사실을 알려주고 싶은 건 여자 자신인 걸까?

— 벌써 석 달째야. ㅠㅠ

여자와 최는 앞서거니 뒤서거니 갱년기의 길로 접어들었다. 최는 석 달째 생리를 하지 않고 있다. 반면 여자는 열흘째 생리를 하고 있다. 점점 생리 횟수가 뜸해지고 점점 생리 횟수가 늘어나면서 결국은 둘 다 제로점에 이르게 되는 날이 올 것이다. 아침이면 몸이 천근만근이고 겨드랑이가 땀으로 젖어 마름모꼴 얼룩이 생긴다. 이런 이야기는 한참 아래의 후배들과 나눌 수 없다. 그녀들도 그 나이 때 그랬다. 꼭 여름성경학교를 앞두고 생리가 터졌다. 생리란 너무 귀찮고 여성에게 주어진 형벌이라고 생각했던 적도 있었다. 이제 폐경이다 되었다고 하면 여자 후배들은 환호할 것이다. "그 지겨운 것에서 해방되다니, 정말 축하드려요."

여자는 자신이 큐비클 안에서 갱년기를 맞게 될 줄은 꿈에도 몰랐다. 인생을 큐비클 속에서 허비하지 않겠다고 최와 약속했던 게 언제인지 까마득하기만 했다. 언제부턴가 최는 아무 말 안 했다. 여자도 모르는 척했다.

4

사무실의 오프라인 모임에 나간 건 단 한 가지 이유밖에 없었다. 큐비클에 물감 덩어리를 덕지덕지 묻혀놓은 직원이 누구인지 알고 싶은 마음뿐이었다. 신입들은 330밀리리터짜리 병맥주 한 병을 시켜놓고 내내 찔끔거렸다. 최가 몇 번이나 건배 제의를 했지만 그들은 건배 소리만 크게 외쳤달 뿐 한 번에 들이켜지는 않았다. 덕분에 최만 일찍 취했다.

"키스 해링은⋯⋯" 여자의 맞은편 왼쪽에 앉은 남자 직원이었다. 저 친구가 키스 해링인가? 여자는 유심히 그를 보았다. 술병엔 반 넘게 맥주가 남았는데 좀 취한 모양이었다. "하위문화인 낙서를 예술로 승화시켰습니다." 그가 코를 푼 휴지를 똘똘 뭉쳐 상 위에 올려두었다. 살을 발라먹은 생선뼈와 고춧가루가 묻은 휴지로 상 위는 지저분했다. 찌개 냄비의 국물이 졸면서 파와 콩나물 몇 가닥이 들러붙고 있었다. 키스 해링 옆에 앉은 여자 직원이 고개를 끄덕였다. "난 키스 해링이 죽을 때까지 그림을 그리겠다고 말한 게 마음에 들어요. 정말 그는 죽을 때까지 그렸죠. 서른한 살밖에는 못 살았지만." 그럼 키스 해링은 이 여자인가? 그들의 대화만으로는 누가 누구인지 알 수 없었다.

상 저쪽 끝에 앉은 자그마한 체구의 남자가 그 앞에 앉은 남자에게 말했다. "난 퀸의 그 공연이 있은 오 년 뒤에 태어났어요." 앞의 남자가 갸우뚱했다. "사 년 뒤가 아니구요? 우린 다 86년생들 아닌가요?" 자그마한 체구의 남자가 이를 드러내고 조용히 웃었다. "난 빠른 87이거든요. 일곱 살에 학교 들어갔죠, 왜." 누구도 큐비클 벽에 붙은 물감 덩어리에 대해서는 말하지 않았다. 음식을 앞에 두고 지저분하고 이상한 그것을 이야기하기가 좀 꺼려졌을 수도 있을 것이다.

우리 과가 그 족구대회에서 우승한 건 팔 년 만이었어요, 라고 말한 건 '붉은 흙 얼룩 티셔츠'였다. 혀가 꼬부라진 최가 다시 한 번 건배 제의를 했다. "위하여!" 그 목소리만은 절도 있게 잘도 맞춰졌다. "그런데 정말 닭이 아이큐 2인 걸까요?" 목소리 쪽으로 일제히 시선이 모아졌다. 여자만 닭에 관한 보도를 본 게 아니었다. 나도 봤어요. 나두요. 여기저기서 한마디씩 했다. 밤을 새운 직원들이 생각보다 많았다.

"나, 닭 길러봤는데……" 여자의 말에 후배들이 반색했다. "어? 선배님 댁이 시골이셨어요?" "아니, 사대문 안이었다구." 누군가는 잘못 들었다. "서대문요? 거기 사세요? 전 바로 그 위예요. 독립문 근처." 닭을 길렀다고 하면 시골인 줄 알겠지만 여자의 집에선 남대문이 보였다. "그것도 밖이 아니라 안에서. 사대문 안이었지."

우, 후배들이 함성을 질렀다. 닭을 길러보면 안다. 닭은 제가 낳은 알을 정확히 알아 품곤 했다. 이번에도 후배들이 우, 감탄사를 내뱉었다. "뭐야? 뭐야?" 무슨 이야기인지 영문을 알 길 없는 최가 자꾸 여자의 옆구리를 찔러댔다. 최가 회사로 오는 길목에 있는 여의나들목은 늘 막혔다. 그날도 최는 그 뉴스를 보지 못했다.

누군가 킥킥대면서 말했다. "그런데 선배님, 사대문 안이라고 하시니까, 정말 웃겨요. 아주 옛날 분 같아요." 몇은 웃고 몇은 사대문이 어딘지 떠올리려는 듯 진지한 표정이 되었다. "선배님, 그런데요!" 여자가 키스 해링이라고 착각했던 맞은편의 남자 후배가 탕, 하고 주먹으로 상을 쳤다. 생선 가시들이 튀고 숟가락과 젓가락이 바닥에 떨어졌다. 맥주가 반병도 더 남았는데 그는 만취한 듯했다. "저는 슬펐습니다. 매일매일 알을 낳는데 알이 어디로 갔는지도 모르고 있는 닭들이 가여웠습니다. 그러다 병에 걸리면 언제 그랬냐는 듯 땅에 묻어버리지요. 작년에도 재작년에도 조류독감이 돌았잖습니까? 작년에도 묻고 재작년에도 묻었습니다. 선배님!" 그가 다시 한 번 여자를 부르더니 여자를 노려보았다. "누가 제 알을 가져가는 걸까요? 선배님!" 혹시 저러다가 내 알을 돌려달라는 건 아닐까, 라는 생각이 들 정도였다. 조마조마하고 있는데 그의 눈이 까무룩 감기더니 바로 상에 머리를 박고 말았다. 숟가락과 젓가락, 멜라민 접시들이 튀어올랐다가 떨어졌다.

동기들이 그를 부축하고 나가면서 자연스럽게 모임은 끝이 났다. 여자는 최를 부축하고 택시를 잡았다. 최의 팔목은 프랑크 소시지처럼 불룩불룩했다. 점점 살이 붙고 있다. 몽실몽실이라는 별명도 더 이상 어울리지 않는 날이 올 것이다. 최는 자꾸 여자의 손에서 벗어나 차도로 뛰어들었다. 뛰어들면서 소리를 질러댔다. 요즘 애들은 싸가지가 없어! 한참 선배가 술을 주는데 받지도 않아! 별종들이야 별종!

최를 택시에 태워 보내고 천천히 걸었다. 집에 가봐야 기다려주는 엄마도 없었다. 술이 좀 깨면 회사로 들어갈 작정이었다. 아무튼 그 별종들과 닭에 관한 한 하나가 되었다. 이십 년이란 나이 차를 뛰어넘어 정서가 교감되었다는 게 아니라 이건 묘한 동지의식 같은 것이다. 큐비클 안에서 싹트는 의식 같은 것이다. 우리는 각자 일하고 있지만 단 한 가지 목표를 향해 나아가고 있으니까.

그나저나 물감 덩어리는 누구였을까?

술집 골목의 간판들이 환했다. 술에 취한 남자들이 휘청휘청 걸어갔다. 넥타이가 반쯤 풀리고 와이셔츠는 바지에서 빠져 펄럭인다. 오비 플라자라는 간판 아래에서 한 무리의 남자들이 우르르 나왔다. 일행 중 누군가 삼차를 외쳤고 다른 사람들이 오케이! 라고 외치며 따라갔다. 일행 중 키가 커서 눈에 도드라지는 남자가 있었다. 웃고 떠들면서 일행이 왼편 골목으로 사라졌다. 그 남자다. 여자는 무작정 그들을 쫓아 뛰었다.

작은 골목엔 초연, 테스, 장미, 파트너, 개미라는 간판을 단 작은 술집들이 다닥다닥 붙어 있었다. 창문은 없고 입구는 작았지만 단단해 보였다. 금방 따라잡았다고 생각했는데 남자들은 온데간데없었다. 그 카페들 중 어디로 들어갔는지 알 수 없었다.

초연의 문을 열었다. 붉은 등불 아래 칸막이가 쳐진 내부가 눈에 들어왔다. 여기도 큐비클인가, 라는 생각이 들었다. 칸막이 너머에서 화장을 짙게 한 여자가 나른하게 일어섰다. 칸막이 어디에도 남자들은 보이지 않았다. "여잔 안 받아요"라고 그 여자가 말했다. 나이 든 목소리였다. 아예 여자라고 가게 안으로 발도 못 들이게 하는 곳이 많았다. 가게 안은 죄다 붉었고 여자들의 화장은 짙었다. 목소리는 걸쭉했다. 그를 찾아야 했다. 이십여 년 전 그날 아침 일을 따져 물어야 했다. 골목을 빠져나오니 길은 또다시 번화가였다. 술에 취한 남녀들이 많았다. 축제라도 있어 거리로 온통 사람들이 다 쏟아져나온 듯했다. 어디에도 그 남자는 없었다.

얼마나 어금니를 물었는지 뺨이 아팠다. 긴장이 풀리자 더는 걸을 힘도 없었다. 그를 만나 자신이 하고 싶었던 건 그날 아침 왜 자신을 때렸는지 그 이유를 묻는 게 아니었다. 여자는 주먹을 꼭 쥐었다. 그 남자를 찾아 골목을 뛰어다니면서 여자는 단 한 가지만 생각했다. 그 남자를 만나 꼭 돌려주리라. 그날 아침의 따귀 한 대를.

거리는 토마토 축제가 끝난 듯 붉고 질척였다.

아무도 없을 거라 생각했던 사무실에선 인기척이 느껴졌다. 다들 귀가하지 않고 다시 사무실로 온 모양이었다. 키스 해링이 있고 박항률이 있다. 프레드 머큐리가 있고 딜버트가 있다. 그리고 그 큐비클 앞에 섰다. 아직도 그 물감 덩어리는 있다. 그런데 덩어리가 푹 꺼져 있다. 여자는 다가가 자세히 들여다보았다. 덩어리의 한가운데가 찢겨 있다. 밖에서 찢은 게 아니라 안에서 무언가가 찢고 나온 것처럼 보인다. 어떤 곤충의 고치였던 걸까. 방금 전까지 그 안에 뭔가 살아 있었고 그것이 나와 사무실 어딘가를 기어다니고 있을 걸 생각하자 온몸이 근질거렸다.

대체 물감 덩어리는 누구였을까? 오늘 만났던 동료들 중 누구였는지 감이 잡히지 않았다. 이봐요! 큐비클 안에 대고 소리를 질렀다. 저기요! 좀 더 목소리를 높였다. 인기척이 느껴지지 않았다. 대신 다른 큐비클들에서 나던 소리들이 일제히 멈췄다. 자신의 큐비클까지 마흔한 걸음이었다. 대체 한 걸음을 어디서 건너뛴 걸까.

컴퓨터를 켰다. 반짝반짝 커서가 움직였다. 낯선 주소에서 메일 한 통이 와 있었다. 여직원회의 미스 리로부터 연락을 전해들었습니다, 라고 메일은 시작되고 있었다. 그는 자신을 기억하느냐고 물었다. 여자와 입사동기로 키가 좀 작고 입가에 점이 있었다고 했다. 그 인상착의만으로는 그 남자의 얼굴이 떠오르지 않았다.

우리들은 박 대리님(나중엔 박 차장님이셨지만)과 미스 김이 연인관계가 아닌가 생각도 했었습니다, 라고 썼다. 우리들이란 물론 여직원들에게 고삐리로 불리던 신입사원들이지요, ㅎㅎ, 라고 그가 토를 달았다.

메일은 길었고 여자는 천천히 읽었다.

자신의 뺨을 때린 남자는 이미 이 세상 사람이 아니었다. 해외 지사에서 오 년 정도 근무했고 본사로 돌아온 뒤 육 년 동안 더 근무했다고 했다. 병명은 췌장암이라고 했다. 췌장암은 병명을 아는 순간 이미 손쓸 도리가 없다는 걸 그때 알았다고 남자 직원은 썼다. 왜 미스 김의 뺨을 때렸냐고 한참 나중에 남자 직원이 물어봤다고 했다. 그는 말없이 웃더니 "때린 사람이 뭐 할 말 있나요"라고만 했다고 한다.

그는 말미에 이렇게 썼다. 그런데 미스 김 알았습니까? 제가 좋아했던 거.

메일을 닫았다. 뺨까지 맞았는데 여전히 그 남자 이름도 몰랐다. 자신을 좋아했다는 '고삐리' 중의 한 남자도 떠오르지 않았다. 시간을 따져보니 그가 죽은 지 벌써 십 년이 다 되었다. 그의 육체는 벌써 없어졌는데도 여자의 뺨은 날카롭던 남자의 손을 기억하고 있었다. 남자의 손가락은 길었고 차가웠다. 담배도 피우지 않았는지 아무런 냄새도 나지 않았다. 길고 긴 손가락이 갈대처럼 여자의 뺨에 착 감겼다. 뺨이 모로 돌아가고 덩달아 상체도 틀어졌다.

남자의 메일에 의하면 자신을 때린 남자는 차장 직급까지 승진했었다. 1980년대 말 넓고도 넓은 사무실이 떠올랐다. 수백 개의 책상들이 앞으로 나란히하듯 열을 맞춰 서 있었다. 뒷사람에게는 앞사람의 뒷모습이 보였다. 차례차례 하나씩 뒤로 물러나 그의 자리 뒤에는 두세 개의 책상만 있었을 것이다. 사무실 입구에서 임원급들이 앉았던 창가까지는 여자의 걸음걸이로 서른다섯 걸음이었다.

맞은 따귀 한 대를 돌려주려도 돌려줄 남자는 이미 없었다. 이렇게 선연한데 그가 없다니 자신을 때린 손이 이제 이 지구상 어디에도 없다는 것이 황당했다. 영문도 모른 채 그에게서 또 한 대 따귀를 맞은 느낌이었다.

순간 차디차고 긴 것이 여자의 발목을 휘감고 지나갔다. 본능적으로 몸이 알았다. 뱀이다. 여자는 단숨에 도약해서 책상 위에 고양이처럼 민첩하게 올라앉았다. 책상과 의자 다리를 유심히 내려다보았다. 칸막이 아래의 빈틈으로 잠깐 검고 긴 그림자가 드리운 듯도 싶다. 여전히 그녀의 복사뼈엔 차가운 감촉이 남아 있다. 손을 더듬어 삼십 센티 쇠자를 찾아들었다. 언제부턴가 쓸 일이 없던 자였다. 어디로 갔는지 뱀은 보이지 않았다.

여자는 보았다. 시선 아래로 펼쳐진 무수한 큐비클들을. 그 안 고정된 듯 모니터를 향해 있는 머리통들을. 큐비클 밖에 붙인 장식물들과는 너무도 판이한 큐비클 내부도 보았다. 누군가 열 켤레도 넘는 양말들을 빨아 널어놓았다. 의자 위에서 두 남녀가 사랑을 나눈다. 반만 벗었다. 남자는 누군지 보이지 않고 위에 앉은 여자는 누군지 알겠다. 여자가 소리가 새지 않도록 남자의 입을 한 손으로 막고 있다. 시시콜콜 최가 여자에게 했던 말들 가운데 반은 맞고 반은 맞지 않다.

모임에도 나오지 않았던 대표는 모니터를 들여다보며 멍하게 앉아 있다. 서 있었을 때는 보이지 않던 그의 머리 정수리에 둥글게 머리카락이 빠져 있다. 얼떨떨한 표정이 마치 자신이 낳은 알이 어디 갔나 생각하는 듯하다. 비키니 차림의 이십대 사진을 포스터 크기로 확대해 붙여놓은 건 바로 최다. 최에게도 그런 시절이 있었다니, 사진 속의 최는 정말 아름답고 풍만하다. 아까 택시를 태워 집으로 보냈는데 언제 돌아왔는지 자리에 최가 앉아 있다. 타닥타닥타닥, 누군가와 미친 듯 채팅을 하고 있다. 타닥타닥타닥. 타닥타닥타닥.

최와 나는 과연 살아 이 큐비클 안을 나갈 수나 있을까. 여기서 인생을 탕진하지 않겠다는 약속을 잊어버린 우리가 과연 닭들의 지능지수가 한 자릿수라고 업신여길 수 있는 걸까. '큐브 농장'이라고 불리는 비좁은 칸막이 안에서 일하는 우리가 과연 닭을 동정할 만한 처지에 있기는 한 건가. 하지만 우리가 가장 두려운 건 동시에 사무실의 모든 큐비클이 사라지는 것이다. 큐비클이 모두 사라지고 마주치는 서로의 얼굴들이다.

여자는 자리에서 일어섰다. 천장이 닿을락 말락 했다. 수많은 큐비클들이 조감도처럼 아래로 물러났다. 갑작스레 쓴 근육들 때문에 내일은 좀 고생을 할 것이다. 그래도 아까는 민첩했다. 세포들 속에 아직 젊은 시절 민첩함이 남아 있는 것이다. 저 멀리 큐비클 안에 한 여자가 엎드려 있다. 뒷모습만으로도 사십대 중반에 이르렀다는 걸 알 수 있다. 항아리처럼 살이 쪘다. 정수리의 머리숱도 줄었다. 아무래도 그 여자가 자신인 것만 같다. 최는 누군가와 연신 메시지를 주고받는다. 타닥타닥타닥, 누군가에게 여자의 죽음을 알리고 있는 것은 아닐까.

수많은 큐비클들이 모여 만들어놓은 모양이 꼭 무언가를 닮았다. 구글 어스로 보는 지구의 모습 같다. 땅에서 멀리 떨어지면 보이는 것들이 있었다. 평지에서는 평범하던 건물도 하늘에서 보면 십자가 모양이었다. 그건 인간이 아니라 하늘에 계신 신의 눈을 위해 만들었기 때문이라고 했다. 조금만 더 위로 올라서면 잘 보일 텐데, 큐비클들 모양이 방사형 같기도 하고 회오리 모양 같기도 하다. 땅에 발을 대고 서 있는 이상 우린 결코 볼 수 없다. 저 위에 있는 신만이 볼 수 있을 것이다. 결국은 우리의 의지를 벗어난 일이다.

수많은 큐비클들 사이를 길고 검은 그림자가 휙 가로지른다.

김숨
국수

1974년 울산에서 태어나 1997년 《대전일보》 신춘문예에 〈느림에 대하여〉가, 1998년 《문학동네》 신인상에 〈중세의
시간〉이 각각 당선되어 등단했다. 소설집 《투견》 《침대》 《간과 쓸개》, 장편소설 《백치들》 《칩》 《나의 아름다운 죄인
들》 《물》 《노란 개를 버리러》 등이 있다. 2006년 대산창작기금을 수혜했으며 현재 '작업' 동인으로 활동 중.

1

　그래요, 지금은 반죽의 시간입니다. 분분 흩날리는 밀가루에 물을 한 모금 두어 모금 서너 모금 부어가면서 개어 한 덩어리로 뭉쳐야 하는 시간인 것입니다. 부르튼 발뒤꿈치만 같을 덩어리가 밀크로션을 바른 아이의 얼굴처럼 매끈해질 때까지 이기고 치대야 하는 시간이지요. 여무지게 주물러야 하는……

　그저 들기름이 어디 있을까 싱크대를 뒤적이다 우연히 밀가루봉지를 보았던 것뿐입니다. 노란 고무줄로 감아 입구를 봉한 사 킬로들이 밀가루봉지를 보는 순간…… 나는 그만 국수를 한 대접 끓여야겠다는 충동에 사로잡히고 말았지요. 내 손으로 반죽을 빚고 밀개로 밀어 한 가락 한 가락 고르게 면발을 뽑아서는…… 나는 당장 큼직한 양푼을 찾아 봉지 속 밀가루를 쏟아부었습니다. 봉지를 탈탈 털어가면서까지 받아낸 밀가루는 분량이 서너 대접가량 됩니다. 이만큼의 밀가루로 얼마만한 반죽 덩어리가 만들어질지 좀처럼 짐작이 가지 않습니다. 과연 몇 가락의 국숫발을 뽑아낼 수 있을지 말이에요. 붉은 고춧가루봉지와 당면봉지 뒤에 유령처럼 웅크리고 있던 밀가루봉지가 내 눈에 들어오지 않았다면, 그랬다면 나는 지금 쌀로 죽을 쑤고 있을 테지요. 한 줌의 쌀을 냄비에 쏟고 들기름에 들들 볶다가 쌀뜨물을 붓고 주걱으로 저어대고 있을 테지요. 쌀알이 냄비 바닥에 눌어붙지 않고 죄 떠올라 바글바글 들끓을 때까지요. 쓰잘머리 없는 상념만 같은 밥알들이 죄 떠올라…… 죄다……

소금알들이 물에 녹아들기를 기다리고 있어요. 고작 모래알만 한 소금알들이 유리컵 바닥에 바위처럼 무겁게 가라앉은 채 좀처럼 녹아들려 하지 않습니다. '칠성사이다' 마크가 찍힌 유리컵 속 물은 응고된 듯 고요하기 그지없습니다. 찰나…… 찰나 소금알들이 녹아내리고 있을 테지만, 저의 미욱하고 조급한 두 눈이 감지하기에는 그 진도가 너무나 더딥니다. 소금알들이 스스로 녹아 흔적조차 없이 사라질 때까지…… 이렇게 마냥 넋을 놓고 기다려야 하는 걸까요. 그러기에는 남은 시간이…… 나는 기어이 수저통에서 젓가락을 꺼내 듭니다. 손잡이 부분에 봉황이 그려진 젓가락으로 유리컵 속 물을 휘휘 저어줍니다. 지름이 오 센티나 될까요? 좁다란 유리컵 속에서 회오리가 일면서 소금알들이 떠오릅니다. 휘휘…… 회오리를 들여다보고 있자니 현기증이 나네요. 저 어지러운 회오리 속으로 저 자신이 통째로 빨려드는 듯한 착각이 다 듭니다.

소금알들이 마침내 녹아든 물을 조금씩, 인색하다 싶을 만큼 조금씩 부어가면서 밀가루를 뒤적뒤적 섞어줍니다. 밀가루가 축축이 젖어들고 엉기면서 내 손가락에 들러붙습니다. 손아귀에 잡히는 대로 밀가루를 주물럭거려 덩어리를 만듭니다. 손가락 마디들이 구근처럼 불거지도록 꾹꾹 눌러가면서…… 껌처럼 덩이져 양푼에 들붙으려는 밀가루를 손가락으로 긁어가면서…… 그래요, 언젠가 저에게 이러한 시간이…… 반죽의 시간이 찾아오리라는 걸 나는 막연하게나마 짐작하고 있었는지 모르겠습니다. 내 굼뜬 손가락들을 오므리고 펴길 반복하면서 견뎌내야 할 반죽의 시간이 말이에요. 오후의 빛이 으깨진 홍시처럼 널린 부엌 창…… 그 창을 무심히 등지고 앉아서 이렇게 꾹.

꾹꾹 반죽을 치대면서 부엌을 둘러봅니다. 곳곳 들뜨고 긁힌 노란 민무늬 장판지와 회색 싱크대, 보라색 꽃무늬 벽지, 하도 오래되어 백 살 노인네만 같은 냉장고, 취사와 보온 기능뿐인 밥솥, 알로에가 심어진 파란 플라스틱 화분, 연두색 쓰레기통, 농협에서 얻은 달력과 복조리, 차곡차곡 쌓아놓은 거무스름한 냄비들, 십장생이 그려진 쌀 항아리, 다리를 접어 냉장고에 기대놓은 둥근 소반…… 반죽의 시간은 나물을 다듬는 시간과는 다를 테지요. 조기의 몸뚱이에서 비늘을 긁어내는 시간과도요, 김을 펴놓고 들기름을 바르는 시간과도요. 불린 미역을 바락바락 주물러 치대는 시간과도, 한 움큼의 마늘을 빻는 시간과도, 무를 채 치는 시간과도, 우엉 껍질을 벗기는 시간과도, 프라이팬에 깨를 볶는 시간과도요…… 세상의 모든 그림자가 옅어지는 오후 다섯 시…… 평소 같았다면 마트에서 장을 보거나, 빨래들을 거두어 개키고 있었겠지요. 그런데요, 어저께도 그저께도 그리고 그끄저께도 이렇게 당신의 부엌에서 밀가루 반죽을 개어온 것만 같은 기분이 드는 건 어째서일까요.

반죽이 자꾸만 쩍쩍 갈라지고 터집니다. 반죽이 차지도록 치대려면 아직 멀었는데, 벌써부터 국숫발 삶는 냄새가 맡아지는 것 같습니다. 집 안 어디선가 솥단지 그득 국숫발들이 서로 엉키고 풀어지면서 끓고 있는 것만 같아요. 국숫발 삶는 냄새…… 그 냄새를 어떻게 설명해야 할까요. 밀가루로만 반죽해 뽑아낸 국숫발들이 삶아지면서 풍기는 그 냄새를 말이에요. 담담淡淡 심심한 듯 은근히 구수한, 허기를 가만히 흔들어 깨우는 그 냄새를…… 그 냄새는 기계로 뽑아 말린 소면이 삶아지면서 풍기는 냄새와는 또 다릅니다. 뭐랄까, 오르간 소리와 피아노 소리의 울림이 다르듯이 말이에요. 밥상 가까이 국수 솥단지가 놓여 있던 장면이 떠오릅니다. 비스듬히 기울어 뚜껑이 열린 채로 말이에요. 거무스름하게 그을린 솥단지 밑에 받쳐둔 신문지 뭉치, 솥단지 옆 탑처럼 쌓인 양은대접들, 솥단지 손잡이에 걸쳐 있던 흰 행주, 양은국자로 퍼올리던 국숫발들, 국숫발들에서 피어오르던 허연 김, 양은대접에 걸쳐진 국숫발을 조용히 쓸어담던 손가락……

아무래도 반죽이 빡빡하니 너무 된 듯해요. 물을 조금만 더 넣어야겠습니다. 한 모금만…… 아니 아니에요, 두 모금…… 그래요 딱 두 모금만…… 물 양이 늘어날수록 반죽이 질척질척 만만…… 그래요 만만해지겠지만, 까딱하다 반죽이 질어지면 기껏 뽑아낸 국숫발이 난작난작 늘어질 테니까요.

반죽이 겨우 한 덩어리로 뭉쳐지는 것 같아요. 여전히 반죽이 너무 된 건 아닌가 싶은 생각이 들기는 하지만요. 손님처럼 마루 한쪽에 옹송그리고 앉아 밀가루 반죽을 이겨대던 당신의 모습이 떠오릅니다. 손바닥 안의 손금이 다 닳아지지나 않을까 염려될 만큼 반죽을 꾹꾹 눌러대던 꾹꾹…… 당신이 반죽 속에 몰래 섞어넣어 그렇게 꾹 누르고 눌러야만 했던 것…… 그것은 무엇이었을까요. 벌써 이십구 년 전이던가요? 당신이 우리와 살러왔을 때 꼭 지금의 내 나이였으니 말이에요. 마흔셋이던 당신은 일흔두 살이, 열넷이던 나는 마흔세 살이 되었으니…… 당신이 오던 날 친척어른들이 방 안에 모여 쉬쉬 나누던, 석녀石女 어쩌고 하는…… 애를 낳지 못해 이혼당한 여자라는 소리를 엿들어서였을까요. 어린 내 눈에 당신이 그저 식모살이를 살기 위해 들어온 사람처럼 기가 죽어 보였던 것이지요. 당시 중앙시장에서 공구 장사를 하던 아버지는 당신을 집에 데려다 놓고 일을 나가버렸지요. 친척어른들이 돌아간 뒤 당신은 부엌으로 들어가 양은그릇을 들고 나왔습니다. 찐 고구마나 포기김치를 담아낼 때, 혹은 쌀을 씻을 때나 쓰던 양푼에는 밀가루가 들어 있었어요. 양지이던 마루에 응달이 지도록 당신이 꾹꾹 누르고 치댄 반죽을 밀어 뽑아낸 국숫발, 그 국숫발로 끓여낸 국수…… 그 국수에는 알고 명은커녕 감자나 호박, 파 한 조각 들어 있지 않았지요. 당신은 간조차 치지 않은 국수를 퍼 나와 동생들 앞에 한 대접씩 놓아주었습니다. 뭣이 그리 못마땅하고 뭣에 그리 부아가 치밀었던 것인지…… 나는 당신이 기껏 뽑아낸 국숫발들을 숟가락으로 뚝뚝 끊었습니다.

대접 속 국숫발을 죄다 뚝뚝……

손목이 벌써부터 저려옵니다. 얼마나 더 이겨대고 주물러야 반죽이 적당히 찰지고 끈기 있어질까요. 얼마나 더…… 꾹…… 반죽에 매달려 있으려니 속절없이 나이가 들어버린 것 같은 기분이 듭니다. 반죽에 밀가루를 솔솔 뿌려가면서 밀개로 밀 때쯤…… 내가 당신만큼 맥없이 늙어 있을 것만 같아요. 냉골 같던 남편이 죽고, 의붓자식들마저 다 떠나버린 집…… 이 집을 혼자 지키면서 당신은 얼마나 많은 반죽의 시간을 가졌을까요? 국수를 끓여먹으려니까 네 생각이 나서 말이다…… 꾹…… 문득문득 당신은 제게 전화를 걸어와 그렇게 중얼거리고는 했습니다. 국수요? 아버지의 식성을 닮아 칼국수 같은 밀가루 음식을 그다지 즐기지 않는다는 걸 당신은 모르는 걸까요? 더구나 맏딸인 나는 아버지의 야박스러운 성격을 가장 많이 닮은 자식이 아니던가요. 그런데도 당신은 손수 반죽을 해 끓여낸 국수를 제게 한 대접 먹이지 못해 그렇게나 아쉬워했습니다.

주물럭주물럭 반죽을 치대는 제 손가락들이 왜 이렇게 낯설까요? 마치 남의 손가락을 몰래 훔쳐다가 제 손가락인 것처럼 천연덕스럽게 반죽을 치대고 있는 것 같은 기분이 듭니다. 잠든 당신의 손가락들을 몰래 훔쳐다가요…… 당신이 처음 우리 앞에 끓여 내놓은 국수 말이에요. 그 국수에 알고명이 얹어져 있었대도 내가 숟가락으로 국숫발들을 뚝뚝 끊어버릴 수 있었을까…… 하다못해 김 부스러기라도 뿌려져 있었대도……

혀가 말이다……

혀가 왜요?

혀가……

……

어찌나 욱신거리고 쑤시는지 국수를 건져먹다 말았다.

……?

국수가 닿기만 해도 혀가 대패에 쓸리듯 아파서……

……

큰 병원에서 검사를 받아보라는구나.

불쑥 변덕이 나면서 반죽을 내던져버리고만 싶습니다. 슈퍼에 가면 손으로 반죽을 빚어 뽑아낸 것보다 찰지고 부드러운 국수가 얼마든지 있을 텐데 뭔 궁상이고 극성인가, 저 자신에게 짜증마저 치밉니다. 반죽뿐 아니라 양푼까지 패대기쳐버리고 싶은 충동을 간신히 억누르고 꾹…… 어쩌면요…… 꾹…… 꾹…… 빚을 갚는 심정으로 나는 반죽의 시간을 견디고 있는 것인지 모르겠어요, 꾹. 언제부턴가 당신만 생각하면 평생 갚아도 갚지 못할 빚을 지고 도망 다니는 기분이 들었으니까 말이에요.

혀 좀……

……

혀 좀 끊어줘라.

새벽 두 시, 당신으로부터 걸려온 전화를 끊고 얼마나 불안에 떨었는지 모릅니다. 끊어 없애고 싶을 만큼 통증이 심한 당신의 혀가 걱정되어서가 아니라요…… 정작 당신의 혀가 걱정되어서가 아니라…… 두 달이나 지나서야 나는 당신을 서울에 올라오게 해 병원에 데리고 갔더랬지요. 혈액검사와 소변검사, 초음파검사 그리고 이런저런 검사들. 세 시간 넘게 이어진 검사 탓에 당신과 나는 녹초가 되어 있었습니다. 검사를 받는 것보다 검사실까지 찾아가고 순서를 기다리는 것이 당신을 더 고단하게 했을 것입니다. 당신 말대로 아픈 사람들 천지인지 검사실마다 역 대합실처럼 북적거렸으니까요. 병원에서 나와 내가 당신을 데리고 들어간 곳은 국숫집이었습니다. 검사를 받느라 전날 저녁부터 굶은 당신을 데리고 들어갈 만한 마땅한 식당이 그 국숫집밖에는 없어 보였습니다. 주문한 지 십 분쯤 지나 스테인리스 대접에 담겨나온 국수는 당신이 끓여내는 국수와는 달랐지요. 같은 국수지만, 전혀 다른 종류의 음식인 것처럼 말이에요. 한 그릇에 칠천 원이던, 사골 국물에 납작 가느다란 국숫발을 말고 호박과 쇠고기 고명을 얹은 국수를…… 당신은 국물만 두어 숟가락 뜨다 말았습니다.

당신이 끓여내는 국수…… 그 국수가 너무나 먹고 싶었던 적이 딱 두 번 있었지요. 서울에 올라와 직장에 다니며 혼자 자취를 하던 시절이었습니다. 직장에서 돌아온 어느 날 저녁, 나는 집 앞 슈퍼에서 밀가루를 사다가 반죽을 했습니다. 적당한 양푼이 없어 냄비에 밀가루 한 봉지를 다 쏟아붓고, 물을 찔끔찔끔 부어가면서요. 텔레비전 앞에 웅크리고 앉아 질척한 밀가루 반죽이 온 손가락에 덕지덕지 달라붙도록 반죽을 치대었지요. 자취 살림이라 밀개가 없기도 했지만, 나는 기껏 이겨갠 반죽 덩어리를 비닐봉지에 싸 냉장고 야채박스에 처넣어버렸지요. 나중에 냉장고를 정리하다 꺼냈을 때, 반죽 덩어리는 돌덩이처럼 단단히 굳어 시퍼런 곰팡이로 뒤덮여 있었습니다. 쓰레기봉투에 넣어 내다 버린 그 반죽 덩어리가 어딘가에서 돌덩이처럼 굴러다니고 있을 것만 같아요. 이 세상 어딘가에서 데굴데굴 구르고 있을 것만…… 구르고 구르다 자갈로 흩어지고…… 모래로 흩어져버릴 것만…… 어쩌다 지구 대기 밖까지 날아가 화성에 닿는 모래가 있다는 글을 어디선가 읽은 기억이 납니다. 그러고 보니 그 반죽 덩어리가 화성을 닮았던 것도 같아요. 종종 모래폭풍이 일고는 한다는 화성을 말이에요. 고백하자면, 그날 나는 직장에서 해고 통보를 받았습니다. 첫 직장인데다 다닌 지 고작 오 개월밖에 안 되었기 때문일까요. 커피자판기 앞에서 해고 소식을 전해들었을 때, 나는 그저 국수가 먹고 싶다는 생각뿐이었습니다. 당신의 손에서 뽑아진 국숫발을 한 저분 입속에 말아넣고 소처럼 씹고 싶다는…… 다시 취직이 되기까지 구 개월이나 걸렸지만 나는 당신에게 그러한 사정을 알리지 않았습니다.

　어쩌나 고요한지, 반죽을 빚고 있는 나 자신과 까무룩 잠든 당신만이 유일한 생존자 같습니다. 얼마나 더 주무르고 치대고 이겨야 국숫발을 뽑기에 적당한 반죽이 만들어질까요. 당신이 양푼 속에서 소금물을 부어가며 치대고 치댄 것…… 그것은 혹 밀가루 반죽이 아니라 시간이 아니었을까요. 문득 그런 생각이…… 꾹…… 내가 당신의 부엌에서 밀가루 반죽을 치대고 있을 줄은 정말이지 꾹.

조금만, 조금만 더 꾹꾹.

2

당신이 내 집을 찾아왔던 적이 딱 한 번 있었더랬지요. 결혼한 지 팔 년째 되던 해 인공수정으로 어렵게 임신한 아이를 유산하고 누워 지낼 때였습니다. 부산으로 며칠 출장을 떠나면서 남편은 당신에게 연락을 취했고, 당신은 그 이튿날 새벽같이 고속버스를 타고 내 집을 찾아왔습니다. 국수가 먹고 싶다면서…… 당신은 낯선 내 부엌에서 밀가루를 반죽해 국수를 끓여냈지요. 당신이 처음 우리를 찾아온 날처럼 식탁 밑에 옹송그리고 앉아서는 말이에요. 닭을 한 마리 푹 곤 국물에 국숫발을 말고, 연한 살점만을 쭉쭉 찢어 들깨와 참기름으로 조물조물 무쳐서는 고명으로 올린…… 한 대접 비우고 나면 절로 몸보신이 될 것 같은 닭칼국수를 말이에요. 당신은 양념장 대신, 집에서 담아 가져온 나박김치를 곁들여 식탁에 차렸습니다.

맘 편히 기다리면 들어설 거다…… 기다리다 보면 자연히……

당신이 돌아간 뒤 나는 퉁퉁 불어터진 국수를 변기에 쏟아버렸습니다. 당신을 태운 엘리베이터가 십오층에서 일층에 닿기도 전에, 당신의 운명과 내 운명을 저주하면서요. 좌변기가 한 가락 남김없이 국숫발을 삼킬 때까지 밸브를 내리고 또 내리면서…… 그렇게나 내 몸에 아이가 들어서지 않는 탓을 나는 당신에게 돌리고 있었습니다. 나와 피 한 방울, 살 한 점, 뼈 한 가닥 섞이지 않은 당신 탓으로요. 당신의 운명이 내 운명을 지배하기 때문이라고 나는 믿고 싶었는지 모르겠습니다. 낱낱 풀어져야 할 두 가락의 국숫발이 익으면서 애매하게 들러붙은 것처럼 당신의 운명과 내 운명이 붙어버린 것만 같아서……

기다리다 보면요?

그 누군가는 아무리 기다려도 오지 않는다는 걸 내가 너무 일찌감치 알아버려서일까요. 세탁소를 하던 외삼촌 집에 잠깐 다니러간 내 어머니…… 저녁 전에는 돌아올 거라던 어머니는 아무리 기다려도 끝끝내 돌아오지 않았지요. 저녁이 농익다 못해 검게 짓물러터지도록 말이에요. 짓물러터진 자리에 허연 곰팡이 꽃이 피어나듯 날이 환하게 밝아오도록…… 당신이 우리에게 오던 날도 나는 온종일 어머니를 기다렸던 것 같아요. 기다리다 보면 어머니가 살아 돌아올 것만 같아서였어요. 간절히 기다리다 보면…… 당신이 어머니를 대신해 우리를 거두면서 사는 동안에도 나는 어머니를 기다렸는지 모르겠습니다. 내가 당신을 단 한 번도 어머니라 부르지 않은 건 그 때문이 아닐까요. 그렇게나 당신을 부인하고 멀리하려 애썼으면서…… 당신이 끓여낸 국수를 한 그릇 먹고 나면, 아이를 허망하게 떠나보낸 내 몸이 그럭저럭 추슬러질 것 같았지요. 바지락칼국수니 팥칼국수니 감자칼국수니 교자칼국수니 베트남쌀국수니…… 칼국수 종류야 얼마든지 있지만, 오로지 당신이 끓여낸 소박하다 못해 궁상스럽기까지 한 국수를 한 그릇…… 당신이 내 부엌에 두고 간 밀개…… 나는 그것을 이사하면서 전에 살던 집에 두고 왔습니다.

혀에 이미 암이 상당히 퍼져 절제가 불가피하다던 의사의 설명을 당신에게 어떻게 전해야 할까요. 당신이 서너 젓가락이라도 국수를 건져먹을 때까지 잠자코 기다렸다가 꺼내는 게 나을까요? 아니면…… 꾹.

반죽에 찰기가 붙어서인지, 한 덩이의 밀가루 반죽이 아니라 응어리를 주무르고 있는 듯한 기분이 듭니다. 단단하고 차지게 맺힌 응어리와 한바탕 씨름이라도 하는 것 같아요. 어디 네가 이기나 내가 이기나 한번 해보자, 괜한 오기까지 뻗치는 게…… 약이 오를 대로 오른 내 손가락들이 악착같이 달려들고 매달릴수록 이놈의 응어리는 더 차져만 가지 뭐예요. 그런데요…… 글쎄 이놈의 응어리와 달리 말이에요, 제 안에서는 뭔가가 풀리는 것만 같아요. 이놈의 응어리처럼 뭉치고 맺힌 뭔가가…… 응어리라고밖에는 적당히 설명할 말이 떠오르지 않는 그 뭔가가 부드럽게…… 반죽의 시간이 당신에게는 혹 가슴속 응어리를 달래고 푸는 시간이 아니었을까요.

반죽 덩어리가 웬만한 얼굴만 해서일까요. 국숫발을 뽑기 위한 반죽이 아니라, 그 어떤 형상을 빚기 위한 반죽만 같아요. 조몰락조몰락 아무 형상이라도. 반죽으로 그 어떤 형상을 빚는다면 당신의 얼굴이 아닐까요. 기쁨과 노여움, 슬픔과 즐거움 등 다양하고 상반되는 감정들이 뒤섞여 그 어떤 감정도 좀처럼 읽히지 않는 체념적이고 단순해진 얼굴…… 반죽을 그대로 놔두기만 해도 당신의 얼굴을 똑 닮은 형상을 띨 것만 같아요. 그러니까 반죽이 저 스스로 조금씩, 조금씩 당신의 얼굴 형상을 떠어갈 것만 같아요.

당신의 얼굴을 똑 닮은 밀가루 반죽 형상에 구멍을 내고 훅훅 숨을 불어넣는 상상을 해봅니다.
훅—

이 반죽 덩어리로 과연 몇 가닥의 국숫발을 뽑아낼 수 있을까요. 당신이 뽑아내는 국숫발들은 아주 굵지도, 그렇다고 아주 가늘지도 않았지요.

국수라도 끓여주랴?

마치 북어를 뜯는 듯한 소리에 깜짝 놀라 나는 뒤를 돌아다봅니다. 환청을 들은 걸까요? 그렇지만 분명…… 미닫이문 너머, 거실 어디에도 당신이 서 있지 않습니다. 아무래도 환청이었나 봅니다.

한 시간이면 될까요. 숙성을 위한 시간으로 말이에요. 안달복달 들볶지 않고 그냥 내버려두는 동안, 반죽은 차져지고 부드러워질 것입니다. 반죽이 어느 정도 치대지면 당신은 그것을 비닐에 싸고, 양푼째 보자기로 덮어서는 밀쳐두었지요. 한 시간이고 두 시간이고, 때때로 반나절이 훌쩍 지나도록 잊은 듯 거들떠도 보지 않았습니다. 그렇게 무심히 내버려두는 동안, 반죽이 저 스스로 깊고 원숙해진다는 걸 당신은 잘 알아서였겠지요. 숙성의 시간을 달리 어떻게 표현해야 할까요. 침잠의 시간…… 단절의 시간…… 내적 고요의 시간…… 과학적으로도 밀가루 반죽의 경우 네다섯 시간이 숙성의 시간으로 적당하다는 설명을 어디선가 읽은 기억이 납니다. 실온이 아닌 냉장고에 보관하는 것이 효과적이라는 설명도요. 네다섯 시간이라…… 그렇지만 그렇게나 긴 시간 반죽을 내버려둘 여유가 내게는 없습니다. 오늘 밤 나는 고속버스를 타고 내 집으로 돌아가야 하니까요. 아무리 늦어도 여덟 시 안에는 이 집을 나서야 자정 전에 서울에 도착할 수 있을 것입니다. 그리고 당신은 또 이 집에 혼자 남겨지겠지요. 성미 같아서는 당장이라도 반죽을 밀개로 밀고, 부엌칼로 뚝뚝 끊어 국숫발을 뽑아내고 싶지만…… 한 시간이라도…… 다만 한 시간이라도 반죽이 숙성의 시간을 가질 수 있게 내버려두고 싶습니다. 여태 주물러댔으니 그렁저렁 웬만한 국숫발이야 뽑아지겠지만 나는 기어이 반죽을 비닐로 싸고…… 부엌 어딘가 당신이 챙겨둔 보자기가 있을 거예요. 손바닥만 하게 개켜 싱크대 서랍 속에 차곡차곡 넣어둔 보자기들…… 연두색 보자기, 금색 보자기, 주황색 보자기, 보라색 보자기. 아무래도 보라색 보자기가 적당하겠어요. 양푼째 보자기로 싸 부엌 어둑한 구석으로 밀쳐두려니 괜히 먹먹하고 허탈한 게……

보라색 보자기 속에서 반죽이 홀로 숙성의 시간을 갖는 동안 나는 뭘 해야 할까요? 오른손이 저려옵니다. 황폐한 땅덩이만 같은 오른손에 지진처럼 찾아든 저릿저릿한 떨림이 오랫동안 가라앉지 않을 것 같아요. 왼손으로 오른손을 가만히 그러쥐어봅니다. 반죽의 시간을 지나와서일까요? 오른손이, 내 손이 아니라 당신의 손인 것만 같아요. 만약에요…… 당신이 나와 내 동생들 앞에 처음 내놓은 음식이 국수가 아니었다면 어땠을까요. 고작 국수가 아니라 겉보기 그럴듯하고 생색을 낼 만한 음식이었다면 말이에요. 잡채나 불고기, 김밥…… 하다못해 한 냄비 끓여낸 돼지고기 김치찌개였다면 말이에요. 똑같은 국수여도 쇠고기 고명이 그럴듯하게 올려져 있었다면 말이에요. 멸치와 다시마를 우려낸 국물에 감자와 파를 썰어넣고 국수를 끓여 내놓았다면 말이에요.

반죽을 빚는 동안 핸드폰에 다섯 통이나 부재중 전화가 걸려왔습니다. 세 통은 남편으로부터, 두 통은 산부인과 병원으로부터 걸려온 것입니다. 인공수정을 한 차례 더 시도해보기로 했다는 말을 나는 당신에게 하지 않았습니다. 인공수정 시술을 받기 위해 병원에 입원하기로 한 날이 오늘이라는 것도요. 오전 열 시경 병원에 가기 위해 집을 나선 나는 터미널을 경유하는 버스에 오르고 있었습니다. 터미널 대기실에서 한 시간이나 기다렸다가 고속버스를 타고 내려왔습니다. 그 무엇이 나를 불현듯 당신에게로 이끌었을까요. 엿새 뒤면 어차피 당신이 서울로 올라올 텐데 말이에요. 내가 찾아오리라는 것을 알고 있었다는 듯, 당신은 아무것도 묻지 않았지요. 양 볼이 골짜기처럼 가파르게 파인 얼굴에서, 나는 당신의 혀가 감당하고 있는 고통을 막연히 짐작할 수 있었습니다.

  무작정, 이렇게 무작정 당신을 찾아오는 날이 앞으로 또 있을까요.

  식당에서 혼자 국수를 먹는 늙은 남자를 본 적이 있습니다. 국수 전문이 아닌, 밥과 찌개를 주로 파는 식당에서였어요. 늙은 남자는 구석진 테이블에서 혼자 국수를 먹고 있었습니다. 수전증이 아닐까 의심스럽도록 덜덜 떨리는 손으로 젓가락을 그러쥐고…… 국숫발을 건져올려서는…… 간장 종지만 같은 자신의 입으로 말아넣고 있었습니다. 땅속에서 뿌리를 뽑아올리듯 힘겹게 건져올린 대여섯 가락의 국숫발…… 젓가락에 아슬아슬하게 걸쳐져 있는 국숫발은 늙은 남자의 입에 이르렀을 때 한두 가닥밖에 남아 있지 않았습니다. 얼마나 먹고 싶었으면 저리 혼자 식당에서 국수를 시켜먹을까…… 그저 한 끼 때우기 위해 국수를 먹고 있는 것은 아니리라는 생각이 든 것은, 국숫발을 건져올리는 늙은 남자의 모습에서 어딘가 필사의 안간힘 같은 게 느껴졌기 때문일 것입니다. 늙은 남자의 모습이 구차스럽고 안쓰러워서였을까요. 나는 그럴 수만 있다면 당신이 끓여낸 국수를 한 대접 늙은 남자의 앞에 슬그머니 놓아주고 싶었습니다. 순두부찌개나 먹을 생각이었으면서 얼떨결에 국수를 주문했지요. 인공 조미료로 맛을 낸 국물에 말아나온 국수는 오천 원이 아까울 만큼 실망스러웠습니다. 그렇다고 기대를 한 것도 아니면서 말이에요. 반달 모양으로 썬, 서너 조각 떠 있던 호박은 덜 익어 비릿한 냄새를 풍겼습니다. 냉동해두었던 것을 썼는지 바지락 살점은 씹다 뱉은 껌처럼 볼품없이 쪼그라들어 있었지요. 다른 건 다 그렇다 쳐도 국숫발이 어찌나 형편없던지…… 차지지도, 그렇다고 부드럽지도, 그렇다고 는적는적 늘어지지도 않는 게 질기고 미끈미끈해서는 꼭 장판지를 잘게 잘라놓은 것만 같아서…… 어쩐지 말이에요, 늙은 남자가 여전히 그 식당 구석에서 혼자 국수를 먹고 있을 것만 같아요. 퍼진 국숫발을 안간힘을 다해 건져올리고 있을 것만 같아요. 내가 기껏 시킨 국수를 반도 더 남기고 식당을 나올 때까지 늙은 남자는 묵묵히 국수를 먹고 있었더랬지요.

멍하니 넋 놓고 있을 게 아니라 국수에 타먹을 양념장을 만들어야겠어요. 하마터면 양념장을 깜박할 뻔했지 뭐예요. 혹시나 당신이 만들어놓은 양념장이 있을까 냉장고를 살펴보지만 비지찌개와 서너 가지 밑반찬뿐이네요. 당신 표 국수의 하이라이트는 양념장이 아닐까요? 끓일 때 어떤 간도 하지 않아 양념장을 섞어주지 않으면 밀가루 맛밖에 아무 맛도 느낄 수 없으니 말이에요. 그 간이라는 게 음식에서 얼마나 중요한지 당신이 모를 리가 있을까요. 아무리 신선하고 화려한 재료로 만든 음식이라도 간이 맞지 않으면 글러버리고 마니 말이에요. 그 간을 위해 당신이 따로 마련해 내놓던 양념장…… 그 양념장을 한두 숟가락 떠넣고 뒤적뒤적 섞어주어야 당신의 국수는 비로소 제 맛을 냈지요. 쫑쫑 썬 쪽파와 고추, 고춧가루, 참깨, 물엿, 들기름, 조선간장······ 양념장에 들어가는 재료들을 머릿속에서 정리해봅니다. 아무래도 양념장에 썰어넣을 쪽파와 고추를 사러 슈퍼에 다녀와야겠습니다. 핸드폰과 지갑을 챙겨들고 마루를 나오다 안방을 들여다봅니다. 벽을 향해 누워 꿈쩍 않는 당신을 바라보다 미닫이문 쪽으로 걸어갑니다. 당신의 슬리퍼를 찾아 신고 대문을 나서면서 멈칫······ 명패가 문득 눈에 들어와서······ 아버지가 떠난 지가 벌써 언젠데 아직까지 아버지의 명패가······ 하기야 이 집의 소유주마저 당신이 아니라 남동생이 아니던가요. 게다가 오래된 동네라 몇 년 안으로 개발이 될 거라지요. 당신이 호적에도 오르지 못하고 유령처럼 살아왔다는 사실을 알게 된 것은, 내가 결혼하고 혼인신고에 필요한 호적등본을 뗐을 때였습니다. 호적등본 어디서도 당신의 이름을 찾을 수가 없었지요. 손을 씻는다는 것을 그만 깜박했습니다. 반죽을 치댈 때 손가락들과 손등, 손바닥에 엉키듯 달라붙은 밀가루가 각질처럼 일어나 있습니다. 도로 들어가 손을 씻고 나올까 하다가 그냥 골목으로 발을 내딛습니다. 물엿과 참깨와 들기름을 섞어넣는다지만, 조선간장으로 만든 양념장을 나는 싫어했지요. 왜간장이라고 하는 양조간장보다 쓴맛이 강할 뿐 아니라, 진하고 텁텁한 그 맛과 향이 제 입에는 거슬리는 게······ 부연 국수 국물에 흑갈색의 양념장이 섞여드는 게 싫기도 했어요. 국숫발에 고춧가루와 쪽파, 참깨가 달라붙어 올라오는 것도······

쪽파 한 단, 고추 한 봉지, 일 킬로들이 밀가루 한 봉지, 두유 한 상자, 딸기 한 근. 슈퍼 옆 정육점에 들러 국거리용 쇠고기도 한 근 삽니다. 제과점을 그냥 지나치지 못하고 카스텔라와 양갱도요. 내 나이쯤 되었을까, 제과점 종업원이 잔돈을 건네다 말고 움찔합니다. 밀가루를 반죽한 흔적이 고스란한 제 손을 보고 놀란 것이에요. 국수 반죽을 했더니…… 얼떨결에 그 말이 중얼거려졌지 뭐예요. 어머나, 요새에도 국수를 반죽해서 끓여먹는 사람이 다 있네요? 종업원의 호들갑스러운 반응에 괜히 낯이 뜨거워져 서둘러 제과점을 나왔습니다. 고리타분하고 유난스러운 사람을 바라보는 듯한 눈빛으로 나를 바라보는 것 같기도 해서…… 괜한 자격지심일 거예요. 반죽을 치대는 내내 머릿속에서 떠나지 않던, 유난을 떨고 있는 건 아닌가 하는 생각을 떨쳐버리지 못해서…… 고심해본 적도, 고심하고 싶지도 않지만 당신이 떠난 뒤 당신의 묘를 어디에다 써야 할지…… 아버지의 묘 옆자리는 어머니의 묘가 차지하고 있으니 말이에요. 자식을 넷이나 낳은 어머니는 일찌감치 그곳에 묻혀 아버지를 기다리고 있었더랬지요. 만약 우리 사 남매 중 단 하나라도 당신이 낳은 자식이 있었다면 어땠을까요?

그래요, 염치없게끔 당신에게 물어보고 싶었는지 모르겠어요. 그래서 이렇게…… 무작정 당신을 찾아온 것인지도 모르지요. 당신의 혀가 아직 온전할 때 대답을 듣고 싶었는지도…… 여자로서 자신의 속으로 낳은 자식이 단 하나 없이 평생을 산다는 것이 어떤 것인지 말이에요. 육십억에 달하는 사람이 모여 살고 있다는 이 지구상 어디에도 자신의 피와 살을 나누어준 존재가 없이 살아간다는 게……

내 새끼라는 말이 저절로 흘러나올 만큼 절대적이고 절실한…… 끈 같은 그런 존재가요. 자식이 끈이더라 말을 친구로부터 들은 적이 있어요. 남편과 자신을 이어주는 끈일 뿐 아니라 세상과 이어주는 끈이 되더라는 말을요. 제과점 종업원의 말마따나 요새 여자 같지 않게 일찌감치 결혼해 자식을 넷이나 낳은 친구였지요. 그러고 보니 국숫발이 모양으로만 보자면 끈 같기도 하네요. 가늘고 기다란 게 하얀 운동화 끈 같기도…… 혹 당신이 뽑아낸 국숫발들은 끈이 아니었을까요. 당신은 자식이란 끈 대신 밀가루로 반죽을 개어 끈들을 만들어냈던 게 아닐까요. 그 끈들이 허망하게 불어터지고 늘어지는 게 싫어 꾸역꾸역 당신의 입안으로 말아넣었던 것이 아닐까요. 당신이 결코 국숫발을 이로 끊어먹지 않는다는 걸, 내가 눈치챈 게 언제였던가요. 당신은 건져올린 국숫발을 이로 끊지 않고 어떻게든 끝까지 젓가락으로 끌어올리고…… 당겨올리고…… 말아올려 입속에 들게 했지요. 미끌미끌 늘어지는 한 가락까지…… 그런 국숫발을 내가 숟가락으로 죄다 뚝뚝 끊어버렸으니…… 죄…… 서운하세요? 언젠가 내가 당신에게 그렇게 물었던 적이 있었더랬지요. 아버지의 제삿날, 채 친 무를 오목한 프라이팬이 넣고 들기름에 들들 볶으면서.

서운하기는…… 그런 거 하나 없다……

당신은 혼잣말처럼 중얼거리면서, 쌀을 안칠 때 받아두었던 쌀뜨물을 한 국자 프라이팬에 부었습니다. 반쯤 볶아진 무채가 쌀뜨물에 잠겨드는 것을 바라보면서, 나는 당신의 그 대답이 진실되지 않다고 생각했습니다. 서운한 게 어떻게 없을 수 있는가. 불쑥 반발심이 일어 당신에게 따지듯 물었지요. 정말 없으세요.

　서운한 게 뭐가 있을까……

　당신에게는 우리 사 남매를 키우면서 살아가는 삶이 최선이었는지 모르겠어요. 아들 셋에 딸 하나를 둔 아버지는 당신으로부터 자식을 보려는 욕심이 없었을 테고, 당신은 여자로서 또다시 버림받을지 모른다는 불안에 떨지 않아도 되었을 것이니까요. 요즘이야 자식을 낳지 않겠다고 당당히 선언하는 시대지만, 당신이 젊던 시대만 해도 어디 그랬던가요. 당신이 들어와 산 지 사 년쯤 지난 어느 날, 당신의 친정어머니가 다녀간 적이 있었더랬지요. 김과 멸치 따위를 팔러다니는 행상처럼 불쑥 찾아와 당신이 끓인 국수를 한 대접 잡숫고 돌아갔지요. 안방으로 들자는 당신의 청을 한사코 사양하고 마루에서 국수를 잡숫던 그분의 모습이 눈에 선합니다. 쥐눈이콩 같은 눈으로 우리 사 남매를 바라보면서 국숫발을 연방 숟가락으로 건져올리던 모습이…… 국수 한 가락 한 가락…… 한 가락…… 한…… 그분은 우리가 당신의 속으로 난 자식이었기를 바라고 바랐는지 모르겠습니다. 돌아가기 전 그분이 나와 동생들에게 한 장씩 들려주었던 천 원짜리…… 꼬깃꼬깃하던 그 천 원짜리가 어쩐지 그분의 살점만 같아서…… 살점을 뚝뚝 떼어 우리에게 들려준 것만 같아서 곧장 가게로 달려가 과자와 맞바꾸어버렸지요. 그리고 두어 달 뒤 그분이 돌아가셨다는 소식이 들려왔고 당신은 장례를 치르러 전라북도 진안이란 곳까지 다녀왔지요. 닷새가 지나서야 돌아왔을 때 당신의 머리에는 흰 리본을 매단 실핀이 꽂혀 있었지요. 그 닷새 동안 내가 얼마나 조마조마 애간장을 태웠는지 당신에게 털어놓은 적이 있던가요. 어쩐지 당신이 돌아오지 않을 것만 같아서…… 내 어머니처럼 당신 역시…… 당신과 매한가지로 나와 피 한 방울 섞이지 않은 그분의 모습이 이토록 오래 내 머릿속에서 지워지지 않는 것은 어째서일까요. 나와 한 피로 흐르는 외할머니의 모습은 진즉에 빛바랜 것과 달리요.

3

보라색 보자기를 들추고 반죽을 한 번 손가락으로 꾹…… 쌌던 비닐을 벗겨내고 반죽을 주물러봅니다. 중간에 물을 더 넣고 치댔는데도 여전히 반죽이 된 걸까요? 숙성의 시간을 보내는 동안 탄력과 찰기가 생겨 질겨지기도 했겠지요. 만약 반죽이 처음부터 되게 되었다면 그것은 반죽이 질어질까봐 지레 겁을 먹은 탓이겠지요. 애써 이겨놓고 기껏 수제비나 떠야 할 만큼 질어질까봐서요. 펄펄 끓어오르는 물속에 풀어넣기도 전에 국숫발들이 서로 들러붙을까봐서요. 하기야 수제비 반죽이라면 모를까 국수 반죽이 어디 그렇게 만만할까요. 그렇다고 이미 숙성까지 시킨 반죽에 물을 더 넣고 치댈 수도 없는 노릇이 아니겠어요. 점성이 강해진 탓에 물은 반죽에 골고루 스며들지 못하고 겉돌 것입니다. 밀개로 밀기가 난감할 만큼 겉만 질척질척할 수도…… 더구나 숙성까지 시킨 반죽에 물을 더 넣고 치댄다는 것이 어쩐지 억지스럽게만 생각됩니다. 순리까지는 아니더라도 마땅하고 자연스러운 순서를 거스르는 일처럼 말이지요. 그렇다고 반죽을 다시 할 수도 없으니…… 새로 반죽을 하는 동안 당신이 깨어날지 모르는데다, 엄두가 나지 않는 게……

한 가락의 국숫발. 그래요, 한 가락의 국숫발이라도 당신의 혀가 아무 고통 없이 말아올릴 수 있다면…… 밥알은 고사하고 물이 닿는 것조차 쓰리고 아려 하는 당신의 혀가 말이에요.

되든 질든 어서 반죽을 밀어 국숫발을 뽑아야겠어요. 욕심 같아서는 명주실처럼 가느다란 국숫발을요. 그러기 위해서는 반죽을 종잇장만큼이나 얇게 밀어야겠지요. 고루 평평하게 펴진 반죽을 기저귀 개키듯 차곡차곡 개켜서는…… 엄지와 중지, 약지 그렇게 세 손가락 끝으로 슬쩍슬쩍 눌러가면서…… 썰어내야 할 것입니다.

밀고 밀어 보자기만큼 넓어진 반죽에 밀가루를 솔솔 뿌려가면서 개키던 당신의 모습이 떠오릅니다. 한쪽 무릎을 접어세우고 도마에 바짝 붙어앉아 반죽을 썰던…… 고개를 한쪽으로 비스듬히 떨어뜨리고……

국수 한 그릇……

당신이 먹어보기는커녕 구경조차 못해본 음식이 꽤 많다는·사실을 나와 내 동생들이 안 것은, 당신의 칠순을 맞아 저녁을 사먹으러 들어간 샤브샤브 전문 식당에서였습니다. 즉석에서 다시국물에 온갖 야채와 쇠고기를 데쳐먹는 샤브샤브를 당신은 생전 처음 먹어본다고 했습니다. 흔히들 먹는 아귀찜 또한 당신은 먹어본 적이 없다고 했습니다. 그럼 양장피는 드셔보셨어요? 오향장육은요? 참치회는요? 복지리탕은요? 탕평채는요? 스테이크는요?

부엌은 형광등을 켜야 할 만큼 어둡습니다. 쓱쓱 국수 써는 소리가 환청처럼 들려오는 듯합니다. 깨끗한 면 보자기를 찾아 부엌 바닥에 깔고 그 위에 나무 도마를 올려놓습니다. 슈퍼에서 사온 밀가루 봉지를 뜯고, 밀가루를 한 줌 움켜쥐어 나무 도마에 고르게 뿌립니다. 반죽을 나무 도마에 놓고 주물럭주물럭…… 당신이 그랬던 것처럼…… 당신은 반죽을 밀개로 밀기 전 도마에 올려놓고 토닥토닥 달래듯 두드려가면서, 주물러가면서, 눌러가면서 모양을 잡아주었지요. 마치 긴장을 풀어주듯이 말이에요.

밀가루를 허옇게 뒤집어쓴 국숫발들이 둥근 양은쟁반에 다보록이 널려 있던 장면이 떠오릅니다. 끓는 물속에서 국숫발들이 너울너울 춤을 추듯 풀어지던 장면도요. 백색이던 국숫발들이 익으면서 창백하게 질려가던 장면도, 솥 밖으로 넘쳐흐를 듯 부르르 거품이 끓던 장면도……

그새 반죽이 굳고 있지 뭐예요. 무릎걸음으로 나무 도마에 바투 다가앉았습니다. 삼십 년 넘게 당신의 손에 길들여진 밀개를 집어들어 반죽 위로 가져갑니다. 지그시 반죽을 누르면서 밀개를 앞으로 쭉 밀어줍니다. 밀개를 앞으로 밀 때, 밀개 한가운데에 모아져 있던 당신의 두 손은 바깥을 향해 미끄러져나갔지요. 마치 양극과 음극이 서로를 밀쳐내듯 당신의 두 손은 서로로부터 멀어졌어요. 최대한 멀리 멀어진 두 손을 다시 밀개 한가운데로 끌어당겨서는 앞으로 쭉…… 는개 내리듯 감질나게 밀가루를 뿌려주고 밀개로 또 쭉…… 반죽이 찌그러지지 않고 둥글게 퍼지도록 반죽을 수시로 돌려가면서……

밀개로 반죽을 밀던 당신의 모습이 오체투지와 어딘가 닮았더라고, 그렇더라고 말한다면 당신은 틀림없이 고개를 절레절레 내두르겠지요.

내가 간혹 장을 보러 가는 대형마트 근처, 도로가에 소형 트럭을 받쳐놓고 국수를 파는 남자가 있습니다. 중국집 주방장처럼 차려입고, 도로에 두 발을 내딛고 서서는, 힘차게 반죽을 밀고 밀어서 뽑아낸 국수를 말이에요. 그 남자는 어쩌다 소형 트럭을 몰고 다니면서 국수를 만들어 파는 처지가 되었을까요. 뚝딱 요리된 한 그릇의 국수가 아니라 국숫발을 말이에요. 사오 인분쯤? 암튼 한 봉지에 오천 원인 국수를 선뜻 사가는 사람이 없는데도 그 남자는 내가 볼 때마다 열심히 국숫발을 뽑고 있었습니다. 그 소음과 그 매연과 그 어수선함 속에서 묵묵히 밀개로 반죽을 밀어서는 말이에요.

어떻게 된 게 손목에 잔뜩 힘만 들어가고 반죽이 좀처럼 펴지지 않습니다. 밀가루 반죽 덩어리가 아니라 납덩어리를 어디서 구해다 판판히 펴겠다고 밀고 있는 것 같아요. 명주실처럼 가는 국숫발을 뽑아내겠다던 게 턱없는 욕심이었을까요. 젖 먹던 힘까지 밀개에 실어 눌러 미는데도 반죽이 잘 펴지지 않는 것이, 꼭 반죽이 빡빡하니 된 탓만은 아니겠지요. 밀개에 매달린 내 몸이 전혀 리듬을 타지 못하고 있으니 말이에요. 밀개로 반죽을 밀 때 당신의 몸에는 리듬이 실렸지요. 손과 손목뿐 아니라 머리부터 발끝까지 말이에요. 느린 듯 가열한 리듬감으로 당신은 밀개를 밀고 밀어 반죽을 조금씩 펴나갔습니다.

당신이 뽑아낸 국숫발은 너무 굵지도, 그렇다고 너무 가늘지도 않았지요. 질겨터지지 않고 보들보들한 게 쉽사리 끊어지거나 불어터지지도 않았습니다.

고루고루 평평하지도, 그렇다고 둥글지도 않은 게 이리저리 아무렇게나 잡아당겨 늘여놓은 것만 같아요. 아무리 잘 썰어도 고르지 못한, 굵기와 길이가 제각각인 국숫발들이 뽑아져나오겠는걸요. 어떻게 반죽을 이 모양 이 꼴로밖에 못 밀었을까, 반성과 함께 허탈감까지 밀려듭니다. 어떻게 해야 하나…… 밀개를 선뜻 손에서 내려놓지 못하다 반죽에 밀가루를 뿌리고 반으로 접어줍니다. 그것에 밀가루를 뿌리고 또 반으로…… 폭이 반 뼘쯤 될 때까지 그렇게…… 오른 무릎을 세우고 나무 도마에 더 바투 다가앉아…… 슥…… 슥 슥…… 내가 지금 부엌칼로 썰고 있는 게 밀가루 반죽이 아니라 마분지 따위 종이만 같아요.

양은쟁반 위에서 국숫발들을 풀어줍니다. 몇 올 안 남은 머리카락을 빗기듯 손가락 힘을 느슨하게 풀고 국숫발들을 툭툭 털어 흩뜨려 주어야 해요. 손가락과 손가락 사이에 국숫발들이 걸려 올라오도록 뒤적뒤적 들추고 헤치면서…… 썰 때 너무 꽉 눌려 그대로 접혀버린 국숫발들은 일일이 손으로 풀어줍니다. 부옇게 떠다니는 밀가루 속에서 국숫발들을 내려다보고 있으려니 끈 같다는 생각이 더 절실히 드는 게…… 저기 당신과 여기 나 사이에 놓인 연줄만 같아서…… 길든 짧든 굵든 얇든 우그러졌든 간에 한 가락 한 가락이 죄다…… 죄……

기껏 뽑은 국숫발들을 도로 뭉쳐버리고 싶은 충동이 불현듯.

어서 한 솥 물을 받아 얹어야겠어요. 국수 삶을 물을요. 내 변덕맞은 손이 국숫발들을 뭉쳐버리기 전에요. 가스레인지가 불꽃을 피워 올리는 소리가 부엌에 울려퍼집니다. 이제 물이 끓기를 기다려 국숫발들이 엉키지 않게 풀어넣기만 하면 끝나는 걸까요. 냉장고에 기대 세워둔 소반을 들어 접힌 네 다리를 펴고 행주로 훔칩니다. 국수를 담아낼 대접을 찾아 헹구어 받쳐놓고…… 미리 다져둔 쪽파와 고추에 조선간장 두 숟갈, 물엿 반 숟갈, 고춧가루 반 숟갈, 들깨 반 숟갈, 들기름 반 숟갈을 넣고 골고루 섞어줍니다. 오늘 밤 아무래도 나는 집으로 돌아가지 못할 것 같아요. 벌써 여덟 시가 넘어버렸으니 말이에요.

 등 뒤에서 물 끓어오르는 소리가 들려옵니다. 당신은 여전히 아무 기척이 없고 국숫발들은 속절없이 굳어가고 있습니다. 부엌 창 밖에서는 집으로 돌아가는 발소리들이 들려오고요. 당신의 부엌이 아닌 그 누군가의 부엌에서도 저리 물이 끓고 있지 않을까요. 그…… 누군가의 부엌에서도 말이에요. 물 끓는 소리가 마치 내 안에서 들려오는 것만 같아요. 한참 전부터 내 안 어딘가에서 뭔가가 저리 끓고 있었던 것만 같아요. 내가 모르는 새 비등점에 도달한 그 뭔가가…… 양은쟁반을 받쳐들고 몸을 일으킵니다. 솥뚜껑을 열자 김이 막 부화한 흰나비 떼처럼 날아오릅니다. 언젠가 텔레비전에서 봤던, 밑동밖에 남지 않은 나무에서 나비 떼가 연기처럼 피어오르던 장면이 겹쳐 떠오르면서…… 멍해집니다. 싹둑 잘려버려 가지를 뻗을 수 없으니, 더는 잎도 꽃도 못 피우고 열매 또한 당연히 맺지 못하는 나무 밑동이 나비 떼를 날려 보내는 장면은 그야말로 장관이었지요. 구름이 바위처럼 무거워지고 바람이 성난 염소처럼 사납게 휘몰아치는 밤새, 수천 마리의 나비를 제 안에 꼭 품고 있다가 날려 보내던 그 장면은 말이에요. 만약에요…… 그 나무가 온전한 나무였다면, 그나마 남은 밑동 속이 동굴처럼 비어 있지 않았다면 어떻게 그 많은 나비를 품을 수 있었겠어요. 그러고 보면 당신은 우리에게 밑동만 남은 나무가 아니었을까요. 박쥐가 드글대는 혼돈의 밤 기꺼이 우리를 품어주었던…… 우리가 아무리 발광을 쳐대도 뿌리를 땅속에 단단히 내리고 흔들리지 않던…… 나무 밑동에서 날아오른 나비들은 뒤 한번 안 돌아보고 코발트빛 여명 속으로 흩어졌지요.

김이 한풀 꺾이기를 기다렸다 국숫발을 한 움큼 들어올립니다. 메말라 뻣뻣해진 국숫발들을 흩뿌리듯 끓는 물속으로 뿌려넣습니다. 엉키지 않게 국자로 국숫발들을 휘휘 저어주다 또 한 움큼…… 국숫발들이 너울너울 춤을 추고 흰 거품이 부르르 끓어넘칠 듯 말 듯…… 가스레인지 불을 조금 줄이고 국자로 뒤적뒤적 휘……

밀가루로 반죽을 개고 국숫발을 뽑아 삶기까지 아주 오랜 시간이 흐른 것 같아요. 고작 서너 시간이 아니라 그보다 훨씬 긴 시간이요. 인류가 국수를 만들어 먹기 시작한 게 기원전 2천 년부터라던가요. 황하 유역에서 기원전 2천 년 된 유적이 발견되었는데, 국수의 존재를 추정할 수 있는 가장 오래된 유적이라지요. 밀이 아닌 수수를 가루 내어 뽑은 국수였다고 들은 기억이 납니다.

4

기원전 2천 년부터 지금 이 순간까지…… 헤아리기조차 막막한 그 긴 시간이 저 한 대접의 국수에 담겨 있는 것만 같아요.

  얼른 알지단이라도 부쳐 생색을 내고 싶은 마음을 꾹 누릅니다. 애당초 당신이 끓여 내놓던 국수와 별다르지 않은 국수를 한 그릇 당신에게 대접하고 싶었던 게 아니었던가요. 당신의 국수보다 소박할 것도, 화려할 것도 없는 국수를 말이에요. 국수와 양념장만 올린 소반을 불끈 들고 부엌 문지방을 건너갑니다. 미닫이문에 소반 가장자리가 스치면서 불투명 유리가 출렁 요동칩니다.

  언제 깨었는지 당신은 안방 한쪽에 오도카니 앉아 있습니다. 어쩌면 당신은 내내 깨어 있었던 것이 아닌지…… 소금알들이 물속에 녹아드는 소리를, 밀가루에 소금물 부어가면서 치대고 주무르는 소리를, 반죽을 주물러대는 소리를, 밀개로 반죽을 미는 동안 나무 도마가 흔들리면서 떠걱떠걱 내지르던 소리를, 기저귀처럼 개킨 반죽을 부엌칼로 슥슥 써는 소리를, 국숫발들이 끓어오르는 소리를, 소반 접힌 네 다리를 차례로 펴는 소리를 잠자코 듣고 있었던 것은 아닌지……

  국수를 다 끓였구나.

  당신이 흐트러진 머리를 매만지면서 소반에 다가앉습니다. 숟가락을 쥐더니 양념장을 떠 국수 대접으로 가져갑니다. 양념장이 고루 섞여들게 버무리듯 국수를 뒤적여줍니다. 젓가락으로 바꾸어쥐고 서너 번 더 뒤적이다 국숫발을 건져올립니다. 대여섯 가닥의 국숫발들이 젓가락에 딸려 올라옵니다.

당신의 입이 벌어지기 전에, 애써 들어올린 국숫발들이 주르륵 흘러내립니다. 간신히 걸쳐져 있던 한 가락의 국숫발마저도 흘러내립니다. 아무래도 당신의 혀가 국숫발을 감당할 자신이 없는 듯해서 나는 숟가락을 집어듭니다. 국숫발들을 뚝뚝 끊기 시작합니다. 오래전, 당신이 내게 처음 끓여준 국숫발들을 숟가락으로 뚝뚝 끊어냈듯 말이에요. 그렇지만 오래전 국숫발들을 뚝뚝 끊어내던 심정과, 지금 국숫발을 뚝뚝 끊어내는 심정은 분명 다르겠지요. 뚝뚝…… 뚝.

조해진

유리

1976년 서울에서 태어나 이화여대 교육학과와 동 대학원 국문과를 졸업했다. 2004년 《문예중앙》 신인문학상으로 등단했다. 소설집 《천사들의 도시》, 장편소설 《한없이 멋진 꿈에》《로기완을 만났다》 등이 있다. 2010년 대산창작 기금을 받았다.

그녀는 오래전, 유리로만 이루어진 도시에서 산 적이 있다. 건물과 도로뿐 아니라 모든 사물과 사람들도 유리였다. 도시 곳곳은 쉬지 않고 금 가거나 깨졌고 사람들 역시 작은 충돌에도 쉽게 부서지곤 했다. 길가에서 수시로 밟히는 유리 조각들이 건물의 잔해인지, 아니면 유기된 시체의 일부인지 구분할 수 없었다. 하루에도 수십 번, 아니 어쩌면 그 이상, 유리로 만들어진 연약한 사람들의 처참한 죽음을 그녀는 목도해야 했다. 비명을 삼키는 날카로운 파열음과 유리 조각 사이로 흘러내리는 투명하고도 뜨거운 체액, 무엇보다 조금 전까지 한 생애를 이루었던 신체의 부분들이 그저 다른 물질로 대체될 수 있는 광물로 변하여 바닥에 흩어져 있는 풍경은 비현실적이면서도 섬뜩했다. 깨진 유리 조각들은 누군가 수습하기 전까지 거의 그대로 방치되었다. 술집 야외 테라스에서 기울인 맥주잔의 손잡이일 수도 있고 그 맥주를 함께 마신 동료의 살점일 수도 있는 유리 조각들을 사람들은 무심히 짓밟고 지나갔다. 거리는 언제나 유리 조각들로 넘쳐났기 때문에 그 누구도 자신의 발밑을 주의 깊게 신경 쓸 수가 없었던 것이다. 누군가의 손가락이나 귓바퀴일지도 모르는 길바닥의 유리 조각들은 점점 더 작은 파편들로 쪼개지고 부서지다가 결국엔 먼지와 함께 한 줌 바람에 실려가곤 했다. 그녀는 그곳에서, 나른한 환멸을 배웠다.

열네 살 때, 그녀는 그 유리 도시를 떠나왔다. 그 후로 그녀는 누구에게도 그곳에 대해 말한 적 없다. 어차피 아무도 믿어주지 않을 이야기였고 그녀 자신조차 그때 보고 경험한 모든 것이 긴 악몽이었을지 모른다는 의심을 떨치기 힘들었다. 그 도시를 빠져나올 때 발바닥에 박히던 유리 조각의 감촉이 생생하게 기억날 때도 있었지만 실체 없는 고통이 지나간 한 시절을 온전히 되살릴 수는 없는 법이었다.

*

스쿨버스가 고속도로 갓길로 들어서더니 갑자기 멈춰선다. 간간이 있어왔던 버스 고장일 것이다. 창밖으로는 싸락눈이 내리고 있었다. 그녀는 담배라도 한 대 피울 생각으로 가방을 들고 도로로 내려가 버스 뒤쪽으로 걷는다.

—아무래도 오늘은 지각이야, 지각.

곽의 목소리다. 뒤를 돌아보자 휴대폰을 들여다보며 하얀 입김과 함께 한숨을 내쉬는 곽이 서 있었다. 그녀와 곽은 둘 다 K대학에서 아홉 시에 시작하는 1교시 강의가 있었다. 그렇지 않아도 눈이 내리는 도로는 계속 막혀왔다. 강의 시간은 불과 십 분만 남아 있는 상황이니 곽의 말대로 지각은 기정사실이 된 듯하다. 다음 주면 강의 평가가 있을 것이고 학생들은 평가 항목 중 강사의 성실함을 묻는 질문 앞에서 오늘을 떠올릴지 모른다.

—참, 한 선생님도 그거 봤죠?

곽이 문득 그녀 곁으로 성큼 다가오더니 무심한 듯한 목소리로 그렇게 물으며 주머니를 뒤적여 사탕 하나를 꺼낸다. 태도가 좋거나 리포트가 훌륭한 학생에게는 사탕을 준다고 했던가. 그녀는 사탕을 내미는 곽에게 말없이 고개만 저어 보인다. 사탕을 사양한다는 건지, 아니면 '그거'를 본 적 없다는 건지 확실한 대답도 하지 않고 애매한 고갯짓만 하는 그녀가 곽은 불쾌한 모양이다. 사탕을 쥐고 있던 손을 거둬가는 곽의 얼굴은 깨지기 직전의 유리처럼 여기저기 금이 가 있다. 언젠가 K대 인문관 앞에 붙어 있는 학생들의 대자보를 다 읽은 그녀가 지나가는 말투로 등록금 문제를 거론했을 때도 곽은 꼭 저런 얼굴이었다. 그때 곽은, 등록금이 인하되면 정년이 보장된 교수나 퇴직금 혜택을 받을 수 있는 교직원이 아니라 외부 용역이나 시간강사에게 그 피해가 오지 않겠느냐며 다소 격앙된 목소리로 반문했었다. 일군의 사람들이 짙은 빨강의 파라솔 아래서 연둣빛 사과를 깨물어 먹으며 구경하고 있다는 것도 모르고 서로를 낭떠러지로 밀어내기 위해 발버둥 치는 가진 것 없는 자들의 우둔한 싸움을 지켜보는 것 같아 그녀는 더 이상 아무런 대꾸도 하지 못했다.

— 시동 걸렸어요. 어서 타세요.

마침 버스 기사가 저쪽에서 곽과 그녀를 향해 큰 소리로 말하며 손짓을 한다. 곽이 먼저 버스 쪽으로 다가가고, 그녀는 담뱃갑을 꺼내보지도 못한 채 눈 위에 새겨진 곽의 구두 굽 자국을 피해 걷는다. 버스에 오른 곽은 기사 바로 뒷자리에 앉더니 무가지를 한 장 한 장 거칠게 넘기기 시작한다.

곽은 그녀와 비슷한 시기에 같은 전공으로 박사학위를 받았고 지난 학기부터 Y시에 있는 K대학 교양학부에서 6학점씩 글쓰기 강의를 해왔다. 최근 K대학 교양학부는 글쓰기 강의 전담 계약직 교수를 채용하겠다는 공고를 냈다. 곽이 말한 '그거'는 바로 그 채용 공고를 의미할 터이다. 아무려나 강의 전담 교수가 생기면 곽과 그녀, 둘 중의 한 명은 더 이상 글쓰기 강의를 배당받지 못하게 될 것이다. 아니, 어쩌면 두 사람 다 낙오될지 모른다. 서류 접수 마감은 이 주 후였다.

K대 본관 앞에 정차한 스쿨버스에서 내려 시계를 보니 아홉 시 십오 분이다. 곽은 그녀를 지나쳐 부지런히 인문대 건물을 향해 걷는다. 모직 체크무늬 스커트 밑으로 보이는 밤색 스타킹의 올이 나가 있는 게 멀리서도 뚜렷하게 보인다. 곽에게서 강의를 듣는 학생들이 식당이나 술집에 모여앉아 곽의 허술한 옷차림을 화제에 올리며 잠시 웃는 모습을 상상해본다. 마지못해 받기는 하지만 대학 강의실을 초등학교 교실 분위기로 뒤바꿔버리는 사탕 이야기가 나오면 여기저기서 신경질적인 폭소가 터질지도 모른다. 이 상상은 조금은 악의적인 반복이다. 지난주, 방금 전에 일어난 사람처럼 머리칼이 잔뜩 헝클어진 모습으로 곽이 스쿨버스에 올랐을 때도 그녀는 똑같은 장면을 상상했고 그 순간만큼은 아무것도 생각하지 않았다. 갑자기 바람이 불었던가. 그녀는 가슴속에서 통증의 촉수가 하늘거리는 걸 느낀다. 언젠가 한번은 곽에게 상처를 줄 것 같은 예감 때문일 것이다. 그러나 이 통증의 예감은 곽이 상처를 받고 안 받고의 차원은 아니다. 타인의 결점만을 확대하여 지켜보는 사람은 방심한 자의 손가락이나 발가락 끝을 공격하게 마련인 깨진 유리와 다를 것 없는 존재이고, 그녀는 다른 누군가에게 그런 존재로 각인되는 게 염려될 뿐이다.

강의실로 들어서자 사십여 명의 학생들은 오늘의 궂은 날씨와 도로 정체와는 아무런 상관없다는 듯 반듯하게 앉아 있다. 언뜻 봐도 결석한 학생은 없어 보인다. 십일월 말의 이른 눈발과 갑작스러운 버스 고장을 탓한 후 지각은 어쩔 수 없는 상황이었음을 이야기하면서 강의를 시작하려 했던 그녀의 계획이 머릿속에서 스르르 무너진다. 교탁 쪽으로 걸어가 형식적인 인사를 나눈 뒤 출석부를 펼치고 이름을 부르자 학생들은 네, 네, 금속성의 목소리로 재깍재깍 대답한다. 서른여덟 번째 학생의 이름을 부를 때, 그녀는 심호흡을 한 번 한다. 영문학과 최호석. 네. 고개를 든다. 너였구나. 그녀는 맨 뒷자리 창가 자리에 앉아 있는 최를 유심히 건너다본다. 대담하게 눈을 한 번 찡긋해 보이는 스물두 살의 최. 아니, 스물두 살은 학번으로 유추한 나이일 뿐 어쩌면 그는 스물한 살이거나 스물다섯 살일 수도 있다. 지난주, 최가 제출한 리포트 마지막 장에 쓰여 있던 한 줄의 문장이 11포인트의 바탕체로 눈앞을 둥둥 떠다니는 것 같다.

—최호석 학생, 제출한 리포트에 대해 할 말이 있는데 수업 끝나고 잠깐 저 좀 볼까요?

—그러죠.

학생들의 시선이 최와 그녀를 번갈아 훑는다. 내가 강사라서 우스워 보이니? 난 그렇게 한가한 사람 아냐. 다시는 이런 장난 치지 마라. 손톱에 피가 몰릴 만큼 힘주어 볼펜을 잡고 최의 출석칸에 체크를 하는 동안, 최에게 쏟아부을 날 선 문장들이 금세 만들어진다.

강사의 지각과 궂은 날씨 때문인지 수업 분위기는 삼십 분이 지나면서 산만하게 흐트러진다. 세 시간짜리 수업이었지만 그녀는 두 시

간도 채우지 못한 채 대충 수업을 정리한 후 기말고사와 학점 기준
에 대해 언급한다. 각자의 의자에 헐겁게 앉아 있던 학생들이 그제
야 자세를 바로 하더니 하나둘 필기를 시작한다. 학생들에게 그녀는
학점을 주는 기계이고 그녀에게 그들은 세 시간의 노동을 보장해주
는 하나의 집단이다. 그녀는 늘 그렇게 생각해왔다. 공감이나 연민
이라는 필터로 상대의 등 너머를 보지 않아도 되는 사이, 죽음조차
서로에게 알려지지 않은 채 차가운 땅속에 묻히게 될 관계. 시험 준
비 잘하라는 말과 함께 책을 덮자 학생들이 일제히 일어나 순식간에
강의실을 빠져나간다. 혼자 남은 최는 느긋하게 가방을 챙긴 뒤 그
녀 쪽으로 뚜벅뚜벅 걸어온다. 어디로 갈까요? 커피 좋아하세요? 교
내 카페테리아로 가면 되겠군요. 아뇨, 제가 잘 가는 곳으로 안내할
게요. 가까워야 해요. 가까워요. 걸어서 오 분? 그녀는 대답을 못하
고 망설인다. 최와 긴 이야기를 나눌 마음은 없지만 교내엔 시선이
많다. 다음 주는 강의 평가 기간이고 평가 항목엔 일부 학생에 대한
강사의 편애를 묻는 질문도 포함되어 있었다. 잠시 뜸을 들인 뒤 그
녀는 얼떨결에 말하고 만다. 그럼, 앞장서세요.

*

기억은 파편처럼 흩어져 있다. 그 유리 도시를 떠올릴 때면 어느
유리엔가 비치는 사람들의 겁먹은 표정부터 아프게 밝힌다. 당연한
일이겠지만 그곳 사람들은 서로에게 마음을 여는 일이 드물었고 그
누구와도 진심을 나누려 하지 않았으며 가벼운 신체적 접촉도 삼갔

다. 단 한 번의 인간적인 교류로도 불필요한 충동이 생길 수 있었고 불필요한 충동은 때때로 되돌릴 수 없는 파멸로 이어지기도 한다는 걸 그들은 알고 있었던 것이다.

그 도시에 사는 동안, 그녀는 일주일에 한 번 정도 깨졌다. 부서졌다. 가루가 되었다. 교실 청소함 옆에서, 화장실 칸막이 안에서, 때로는 과학실이나 음악실의 구석진 자리에서. 함부로 주먹을 휘둘렀던 아이들이 다 돌아가고 나면 그녀는 꾸부정히 쭈그리고 앉은 채 자신의 조각들과 가루 뭉치가 바람에 날리지 않도록 잘 모아서 잇고 붙이고 끼워맞추는 일에 몰두했다. 완벽하진 않더라도 완벽에 가깝게 자신의 몸을 다시 조립한 후에야 그녀는 삐거덕삐거덕, 뒤틀린 소리를 내며 일어나 집으로 향하는 길을 걸었다.

시장에서 함께 생선 가게를 꾸리던 부모님은 죽거나 죽기 직전의 생선들을 끊임없이 보살펴주고 손질해주어야 했으므로 틈만 나면 잠에 빠졌고, 곤한 잠을 자느라 자신들의 맏딸이 어금니가 썩어 무언가를 씹을 때마다 얼굴을 흉하게 찡그리곤 한다는 것을 눈치채지 못했다. 목욕을 제때 하지 않아 몸에서 비린 냄새가 난다는 것도, 종종 여기저기 금 가거나 깨진 상태에서 하교한다는 사실도 알지 못했다. 교실에서 그녀의 책상 서랍이 쓰레기통 대용으로 사용된다는 것이나 점심시간엔 늘 혼자서 도시락을 꺼내 먹는다는 것 역시, 부모님은 아무것도 몰랐다.

그 시절 그녀에게 가족이란, 이를테면 아침을 나눠먹는 관계에 지나지 않았다. 자명종이 울리면 아버지와 어머니, 그리고 그녀와 동생들은 식탁에 둘러앉아 서로의 추운 얼굴을 흘끗거리며 더운밥을 나눠먹었다. 그 전날 아무 일도 없었던 것처럼, 아니 아무 일도 없었다고 믿어야만 이만큼의 평온이라도 지켜진다는 걸 침묵 속에서 동의하며, 노동하듯 입안의 음식을 꾸역꾸역 씹어삼켰다. 투명하게 비치는 유리 살갗 밑에서 언제나 힘차게 박동하는 가족들의 심장을 그녀는 때때로 혐오했다.

열네 살의 어느 여름밤, 그녀는 운동장 뒤편 소각장을 빠져나와 학교 정문에서 시작된 비탈길을 온 힘을 다해 내달렸다. 길 끝에 위치한 허름한 공중전화가 눈에 들어오자 그녀는 우뚝 멈춰섰다. 한순간 유리에서 초록색 플라스틱으로 변한 공중전화는 세상의 가장 외진 모서리에 안겨 있는, 누군가의 타전을 받아주기 위해 유리 도시를 찾아온 고독한 사물 같았다. 뚜벅뚜벅 다가가 떨리는 손으로 수화기를 들고는 번호판을 훑었지만 마땅한 수신자가 떠오르지 않았다. 한참 후에야 담임의 집 전화번호를 기억해내어 차례로 꾹꾹 누르다가 문득 겁먹은 얼굴로 뒤를 돌아본 순간, 트럭 한 대가 강렬한 서치라이트를 뿜어내며 지나갔다. 그녀는 그 불빛에 놀라 수화기를 들지 않은 왼쪽 팔로 얼굴을 가렸다. 여보세요? 말씀하세요. 여보세요?

*

―여보세요?

불도 켜지 않은 방에서 바닥을 기어다니다가 손에 잡힌 휴대폰을 더듬어 무작정 통화 버튼을 누르자 누군가 전화를 받는다. 당황한 듯한, 그러나 온기는 없는 목소리다. 무슨 일이냐고 묻는 휴대폰 저편에 그녀는 나쁜 꿈을 꾸었다고 솔직하게 말한다. 아직 잠에서 깨지 않은 몽롱한 두 귀로 느슨하게 풀어진 웃음소리가 스민다. 순간 작은 입술 사이로 언뜻언뜻 보였던 하얀 덧니가 떠오르면서, 그제야 그녀는 지금 전화를 받고 있는 사람이 최라는 걸 느리게 깨닫는다. 나이가 몇인데 잠투정이에요? 최는 자꾸만 웃는다. 그녀는 더 이상 할 말이 없다. 최가 웃음을 거두자 침묵이 밀폐된 전파 속에서 각자의 숨소리를 안고 흘러간다. 혹시 울었느냐고, 잠시 후 최가 장난기가 빠진 목소리로 물어온다. 시계를 본다. 새벽 두 시, 이십여 년 전처럼 이번에도 그녀는 잘못된 수신자를 택한 것이다.

토요일에 같이 사천 바닷가에 놀러가요.

최가 리포트 마지막 장에 썼던 11포인트의 바탕체가 또 한 번 그녀의 눈앞을 둥둥 떠다닌다. 좋아요. 내가 정말 이렇게 대답했던가. 그녀는 지금도 그 사실이 믿기지 않는다. 전화를 끊기 직전, 토요일 약속 잊지 말라고 최가 한 번 더 다짐을 둔다. 끝까지 그 약속을 취소하겠다는 말을 그녀는 하지 않는다. 그녀는 선생의 품위를 지킬 수 있는 마지막 기회를 놓친 셈이다.

재수도 하고 군대도 갔다 와서 생각보다 나이 많아요, 나. 지난번 따라간 K대 근처 커피숍에서 최는 식은 커피를 벌컥벌컥 들이켠 후 말했다. 내가 강사라서…… 네? 그녀의 목소리가 너무 작았던지 최는 두 눈을 동그랗게 뜨며 되물었고 그녀는 입술을 다문 채 커피 잔에 남은 립스틱 자국을 엄지로 지웠다. 커피숍 안의 음악은 따분했고 지나친 난방으로 공기는 답답했다. 우리 학교에서 애들 가르치는 거, 좀 짜증 나지 않아요? 커피를 다 마실 때까지도 준비해두었던 날

선 문장들을 꺼내보지도 못하는 자신의 미욱함에 조금씩 화가 나고 있는데 최가 느닷없는 질문을 해왔다. 다시 바라본 최는 처음의 호기롭던 자세와 달리 주눅 든 표정이었고 눈동자는 미세하게 흔들리고 있었다. 저런 표정, 저런 눈동자, 유리 도시에서 그녀를 되비추던 모든 유리들에 깃들어 있던 익숙함. 열네 살 이후 품었던 단 하나의 열망은 꿈도 없고 눈물도 없는 숙면뿐이었다는 말이 입술 밖으로 불쑥 비어져나올까봐 그녀는 창가 쪽으로 시선을 돌렸다. 서울에 있는 명문대 나오셨잖아요. 우리 학콘, 내 입으로 이런 말 하긴 뭣하지만, 완전 삼류대고요. 이어지는 최의 말에 그녀는 입가에 번지는 웃음을 순간적으로 제어하지 못했다. 그녀의 웃음 때문인지 최의 얼굴은 다시 환해졌고 그녀는 말했다. 좋아요. 가요, 사천. 최는 신이 난다는 듯 이전보다 한 옥타브 올라간 목소리로 떠들어대기 시작했다. 사천이 경포대랑 가깝지만 사람들 발길은 뜸하거든요. 그 근처서 해안 경계병으로 군 생활을 했는데, 아아, 진짜 지루해 죽는 줄 알았어요. 암튼 거기 단골 식당 주인이 직접 낚시한 생선으로 요리도 해주는데요, 아마 제가 가면 서비스도 왕창 줄걸요? 그거 먹고 막차 타면 서울까지 세 시간 안에 갈 수 있어요. 덧니를 보이며 최는 웃었다.

그녀는 일어나 형광등을 켜고 커피포트에 물을 끓인다. 홍차 티백을 넣은 머그에 뜨거운 물을 부은 후 일어난 김에 강의 준비라도 하려고 노트북을 켜는데 휴대폰이 울린다. 휴대폰 액정엔 김 선배의 이름이 뜨고 있다. 새벽 두 시에 통화를 해도 되는 사이였던가, 우리가. 망설이다가 통화 버튼을 누르니 김 선배의 목소리에선 술기운이 느껴진다.

―너도 들었지?

늦은 시간에 전화한 것에 대해 양해도 구하지 않고 그는 대뜸 묻는다.

―뭘요?

―다음 학기 강의 말이야, 강의 평가로 가른다는 거.

―아뇨, 못 들었어요.

그녀는 거짓말을 한다. 술 취한 사람의 푸념을 오래 들어주고 싶지는 않았다. 김 선배에게서 한숨 소리가 길게 흘러나온다.

―나는 학교에 이십대, 삼십대를 다 바쳤어. 그놈의 박사 논문 쓸 땐 오 년을 햇빛 한번 제대로 못 보고 도서관에 처박혀 살았다고. 누가 교수 시켜달라고 졸랐어? 겨우 삼 년이야, 삼 년. 삼 년 강의 줘놓고 이젠 강의 평가 나쁘면 강의를 못 주겠다? 어떻게 학교가 나한테 이럴 수가 있어?

해줄 수 있는 말이 없어 그녀는 김 선배가 볼 수 없을 텐데도 고개만 끄덕이고 있다. 그러고 보니 강의실과 도서관, 각종 세미나와 학회를 순례하며 하루하루 허겁지겁 살아오는 동안 시간은 거짓말처럼 사라졌다. 하지만 그녀는 새삼 그 시절이 아깝다는 생각은 전혀 들지 않았다. 길 잃은 자가 낯선 곳에서 그녀의 지나간 시간을 발견하고는 갈퀴 같은 손으로 일 초의 깜빡임까지 그러모아 한달음에 도망가버린다 해도 그녀는 놀라지도, 슬퍼하지도 않을 터였다.

―너는 뭐, 믿는 구석이라도 있는 거야?

피곤하다. 자신의 무응답에 대한 김 선배의 해석에 그녀는 피곤함을 느낀다. 교직에 있는 아내가 지방 사립대에라도 마땅한 자리가 나면 퇴직금을 대주겠다고 약속했다던 그의 목소리가 머릿속에서 자동으로 재생되기 시작한다. 그 어떤 성찰이나 배려도 느껴지지 않던 목소리, 그저 혀의 놀림으로 치부할 수밖에 없었던 그런. 원망도, 서글픔도 없었다. 그저, 삼 년 전 여자 쪽 집안이 보잘것없다는 이유로 부모가 결혼을 반대하자 기다렸다는 듯이 이별을 통보한 자가 다른 사람도 아닌 그 상대 여자에게 자신의 현재를 떠벌리는 방식치고는 지나치게 진부하다는 생각뿐이었다.

　술자리에 누가 왔는지 휴대폰 너머가 갑자기 소란스러워진다. 그녀는 할 일이 있다고 말한 후 김 선배가 어, 어, 허둥대는 사이 급하게 전화를 끊는다. 노트북의 푸른색 바탕화면을 건너다보며 다음 학기 배정받을 수 있는 수업을 계산해본다. K대학이 강의 전담 계약직 교수를 채용한다면, 게다가 모교에서 그녀의 강의 평가가 최하위권이라면 다음 학기 강의 시수는 제로가 될 가능성도 있다. 강의를 해도 월세와 공과금을 못 내는 달이 있었는데 강의가 없다면 독촉장이 날아올지도 모른다. 생면부지의 사무원에게서 메마른 욕설을 들을 수도 있을 것이다. 노트북 뚜껑을 다시 닫고 그대로 침대에 눕는다. 천장이 멀어지더니 물결처럼 출렁인다. 그녀는 수면 너머, 부서지는 햇살과 이제 막 수영을 배운 아이들의 장난스러운 물장구와 부드러운 모래에 새겨지는 연인들의 발자국을 올려다본다. 조개껍질이 고독 속에서 단단해지는 소리, 정주를 두려워하는 바닷새들의 젖은 날갯짓 소리, 푸르게 다가왔다가 하얗게 부서지는 파도 소리도 듣는다. 그리고 수면에 어리는 물그림자, 아직은 미래가 건강한 젊은 남자와 유리에 긁힌 상처가 몸 여기저기에 남아 있는 여자가 나란히

서 있는 모습 같은…… 그녀가 들어갈 수 없는 깊이였다. 수면을 꿰뚫고 들어온 햇빛이 눈이 부실 만큼 강렬하게 그녀에게로 내리꽂힌다. 이 빛의 강도는 낯익다. 방문을 열고 나가면 초록색 플라스틱 공중전화가 누군가의 타전을 기다리며 고요하게 반짝이고 있을지도 모르겠다. 그녀는 무의식적으로 왼쪽 팔로 얼굴을 가린다. 여보세요? 말씀하세요. 여보세요? 저예요……

*

저예요, 선생님. 어머, 네가 이 시간에 웬일이니? 내일 전학 간다고 전화 준 거야? 실은요, 선생님, 제가 좀…… 이상한 것 같아서요. 이상하다니? 아무래도 아까 소각장에서 귀를 가슴에 잘못 붙여놓은 것 같아요. 심장박동 소리가 하나하나 다 들리는 거 있죠. 아무것도 못하겠어요. 너무 시끄러워서. 그게 무슨 말이니? 그러니까요, 제가 좀 아픈 것 같다고요, 제가요. 그래? 그럼 우선 병원부터 가봐야지, 나한테 전화하면 어떡하니. 선생님, 근데 전 진짜 아니에요. 뭐? 소각장에서 우리 반 남자애들 깨뜨린 거, 저 아니라고요. 얘가, 너 대체 무슨 말 하는 거야? 웬 여자 하나가 줄곧 따라와서는, 그러니까 처음 보는 여자가요, 근데 저는 그 여자를 기다리긴 했거든요. 여자? 어떤 여자? 선생님, 그러지 말고 지금 당장 저 좀 여기에서 빼주시면 안 돼요? 내일까지 도저히 못 참겠어요. 뭐? 빼달라고요! 안 들려요? 얘, 너 꿈꿨니? 무슨 말인지 도통 못 알아먹겠으니까 부모님 옆에 있으면 좀 바꿔봐라. 정말 모르세요? 모르는 척하는 건 아니고요? 뭐?

왜 못 들은 척하고 못 본 척해요, 왜! 나 하나 빠져도 아무 문제 없잖아! 다, 괜, 찮, 잖, 아, 다아! 얘가, 너 지금 어디다가 소리를 질러, 어? 얘, 얘! 뚜뚜뚜뚜…… 뚜뚜뚜뚜……

*

뚜뚜뚜뚜…… 지금 귓가를 맴도는 이 조그맣고 둥근 소음은 저 검푸른 바다가 보내오는 살아 있다는 신호일까.

— 왜 이렇게 못 드세요? 더 드세요.

그녀가 먼저 젓가락을 내려놓자 최가 그녀 쪽으로 접시들을 밀면서 말한다. 가족과 떨어져 살면서 그녀는 생선 요리를 먹지 않았다. 못 이기는 척 다시 젓가락을 들긴 했지만 어느 접시를 헤집어야 하는지 판단이 서지 않는다.

이곳은 최가 말해둔 것과 조금씩 다르다. 식당 주인은 오래전 군인 시절의 단골을 기억하지 못했고 메뉴판 어디에도 주인이 직접 낚시한 자연산으로 요리했다는 설명이 없다. 경포대보다는 확실히 인적이 뜸했지만 사천 주변도 각종 횟집과 카페, 모텔과 노래방 등이 현란하게 빛나는 번화가다. 지금 그녀가 최와 함께 앉아 있는 이 식당도 이층부터 삼층까지는 모텔을 겸하고 있었다.

접시가 다 비워질 때쯤 최는 화장실에 가고 그녀는 쟁반을 들고 온 주인에게 신용카드를 건넨다. 쉬었다 가진 않고요? 테이블을 정리하던 식당 주인이 신용카드를 받으며 넌지시 묻는다. 네, 방값도 같이 계산해주세요. 그녀는 건성으로 대답한다. 막상 바다를 보니 혼자서라도 자고 간다 해도 나쁘지 않겠다는 생각이 들었다.

최는 좀처럼 화장실에서 돌아오지 않고 그녀는 먼저 식당을 나와 해변을 향해 걷는다. 파도 앞에 이르러서야 등 뒤에서 빠르게 달려오는 운동화 소리가 들린다. 그녀의 어깨를 툭, 치는 최의 손이 얼음처럼 차갑다. 그녀는 아무 말 없이 등대가 있는 쪽으로 걷고 최는 곁에서 휘파람을 불거나 허밍을 하며 그녀를 따라온다.

—이제 그만 가요. 추워요.

등대 앞에 이르렀을 때, 그녀의 한쪽 손을 잡아끌며 최가 말한다. 식당에서 받아왔는지 그의 다른 손에는 플라스틱 패가 달린 열쇠가 들려 있었다. 그녀는 어깨를 옹송그린 채 추위에 떨고 있는 최를 넌지시 바라보다가 충동적으로 손을 뻗는다. 점자를 읽듯 세심하게 자신의 얼굴을 더듬는 그녀의 손길에 놀랐는지 최가 한 발 뒤로 물러난다. 그녀는 현재의 허물 같은 지나간 모든 시간을 내던지듯 최의 가슴에 안긴다. 이 순간의 선택으로 앞으로 꽤 긴 시간을 끊임없는 후회 속에서 소모하겠지만, 아무것도 하지 않고 아무도 기다리지 않는 어제 같은 오늘보다는 후회라도 할 수 있는 하루하루가 더 인간적일지 모른다는 단순한 변명에 그녀는 한 번만 더 기대보고 싶었다.

바다 쪽으로 창이 나 있는 방에 도착하자마자 최는 서둘러 옷을 벗는다. 그녀는 코트 앞섶을 손으로 여미며 벽에 기대선다. 최가 청바지를 벗다 말고 다가와 그녀의 코트를 벗겨낸 후 셔츠의 단추를 풀며 목에 입을 맞춘다. 근데 선생님 이름, 좀 귀여운 거 알아요? 꼭 어린애 이름 같잖아요. 만화 캐릭터 운동화 신고 리본 머리띠 하고 있는 여자애. 그냥…… 뜨거워진 최의 손목을 잡으면서 그녀는 가까스로 말한다. 그냥, 난 그냥 자고 싶은 거예요. 최가 웃으며 팔을 뻗어 형광등을 끈다. 사위가 캄캄해진다. 알았어요, 이제 우리 자요. 최의 웃음소리가 계속 들리곤 있지만 새까만 어둠에 잠긴 이 방에선 최가 정말로 웃고 있는 것인지, 아니면 그저 웃는 척 소리로만 연기를 하는 것인지 확인할 수가 없다.

침대는 생각보다 축축하고 포근하다. 혀로 핥으면 비 알갱이를 잔뜩 품은 젖은 구름 맛이 날 것 같다. 그래서인지 최가 그녀의 몸 안으로 성큼성큼 걸어들어오려 할수록 침대는 아래로 푹푹 꺼지고 그녀는 구름에서 떨어지지 않기 위해 사력을 다해 버둥거린다. 최는 그녀에게, 아무것도 하지 못한다.

새벽에 최의 휴대폰은 여러 번 울린다. 그녀는 잠든 척 벽을 향해 돌아눕는다. 다섯 번째 진동이 울릴 때, 최는 침대에서 내려가 바닥에 내팽개쳐져 있던 휴대폰을 집어들며 볼륨을 줄인 라디오처럼 속닥인다. 왜 또. 술 마신다니까. 친구들하고. 야, 나도 지금 엉망이야. 그런 게 있어. 오긴 어딜 와? 됐어, 아침 일찍 들어갈게. 그래, 잘 자고. 응, 나도. 전화를 끊은 최가 침대 옆의 스탠드를 켜자 그녀가 마주 보는 벽에는 최의 그림자가 어린다. 웅크리고 있다가 그녀 쪽을 내려다보는 그림자는 사려 깊어 보이기도 하고 어수룩하게 비치기도 한다. 잠시 후, 최의 손바닥이 그녀의 눈앞을 몇 번 오간다. 그녀는 꿈쩍도 하지 않는다. 곧이어 최가 옷을 추슬러 입고 방을 나서는 소리가 들린다. 오늘도 숙면은 힘들 것이다. 그녀는 일어나 형광등을 켜며 숙면에 대한 열망을 착착 접어 주머니에 구겨넣는다. 명순응이 더디게 오는지 눈앞으로 물방울이 떠다니기 시작한다. 손가락으로 꾹 누르면 뚜뚜뚜뚜 소리가 날 것 같은, 조그맣고 둥근 물방울이었다. 영원한 반복이라는 굴레에서 벗어나지 못하는 파도 소리가 그 물방울들 속으로 촘촘히 스며들더니 귓바퀴 안의 나선형 계단을 따라 데굴데굴 굴러들어온다. 그녀는 몸 안에서 폭죽처럼 터지는 물방울을 느낀다. 물방울이 모두 터지고 나면 단 하나의 생각만이 명료해질 것이다. 감정이 넘치고 흘러서 주체하지 못하는 순간의 어쩔 수 없는 선택이 아니라 그저 주어진 시간을 견딜 수 없어 여기까지 온 것임을, 이제 남은 것은 스스로를 향한 모멸뿐이란 것도 그녀는 확연하게 깨닫게 될 것이다. 조금만, 아주 조금만 더 기다렸다가 그녀는 울 생각이다.

*

초록색 플라스틱 수화기를 내려놓자 참았던 눈물방울이 그제야 손등 위로 투두둑 떨어졌다. 눈물은 유리가 아니었고 그래서 차갑거나 쓰라리지 않았다. 집으로 돌아가자마자 그녀는 방으로 들어가 그대로 침대 위에 쓰러졌다. 잠결에도 아랫배가 계속 아파와 설핏 눈을 뜨니 침대 시트가 붉게 물들어 있었다. 말로만 듣던 초경인지, 아니면 통증 후의 나쁜 피인지 그녀는 알 수 없었다. 다만 이전까지 어디에서도 본 적 없는 붉은 빛깔의 체액이 그렇게나 많이 자신의 몸 안에 들어 있었다는 사실이 믿어지지 않을 뿐이었다.

작은 소리에도 깜짝깜짝 놀라며 조심스럽게 속옷과 바지를 갈아입고 방을 나오자 부모님이 이삿짐 사이에 상을 놓고 늦은 저녁을 먹고 있었다. 피가 나요, 나. 무슨 말이냐? 그녀의 떨리는 목소리에 아버지가 그녀 쪽을 쏘아보며 싸늘하게 물었고 어머니는 밥을 씹는 중에도 노인처럼 꾸벅꾸벅 졸고 있었다. 피가, 피가…… 말 좀 똑바로 못하겠니? 누굴 닮아 저리 멍충한 건지. 그냥 난…… 아픈 건지도 모르겠어요, 아버지. 어디가, 얼마나 아프다는 거냐? 너만 아프냐? 이 집에 너보다 안 아픈 사람이 있는 줄 알아? 네 엄만 관절염 왔어도 병원 한번 못 가고 있다. 맏딸이란 게 부모 고생하는 걸 알아주길 하나, 집안일을 알아서 할 줄 아나. 오늘만 해도 그렇다, 넌 이 난장판에서 잠이 오냐, 잠이? 아버지가 말을 할 때마다 음식으로 가득 차 있는 그의 검은 입안이 보였다. 그녀는 부동자세로 아버지를 뚫어지게 쳐다보다가 현관 쪽으로 뒷걸음질 쳤다. 이 밤중에 어딜 가니? 뒤늦게 깨어난 어머니가 큰 소리로 물었지만 집을 뛰쳐나가는 그녀를 따라오지는 않았다.

한참을 걷다 보니 발길은 어느새 학교로 되돌아와 있었다. 학생과 교사들이 모두 떠난 빈 교정은 폐쇄된 목재 공장 같았다. 소각장 근처에 아직 남아 있을 깨진 유리들을 확인하고 싶은 마음은 컸지만 혼자서 학교 안으로 들어갈 엄두가 나지 않았다. 그녀는 학교 근처 불 꺼진 상점 차양 아래 몸을 말고 앉아 두 팔로 무릎을 감싼 뒤 그 위에 얼굴을 묻었다. 어느 순간부터 이상한 소리가 들려 고개를 드니 유리 조각들이 여름비처럼 허공에 사선을 그으며 내리붓고 있었다. 그녀는 벌어진 입을 다물지 못한 채 차양 밖 세상을 커다란 눈동자로 건너다봤다. 건물들이 붕괴되면서 그 잔해를 맞은 도로가 깨졌고, 간간이 오가던 사람들도 하나둘 쓰러지고 있었다. 허공엔 파편이 튀었고 바닥은 유리 조각 천지였다. 이상했다. 그녀는 이상하다고 생각했다. 세상은 빠른 속도로 무너지고 있는데 도망가는 사람도, 비명을 내지르는 사람도 없었다. 그건, 믿을 수 없을 만큼 조용한 붕괴였다. 차양에서 나온 그녀는 맥주잔의 손잡이일 수도 있고 동시에 누군가의 살점일지도 모르는 유리 조각들을 밟아봤다. 처음의 통증은 조금씩 무뎌졌다. 열네 살 여름의 문을 열고 나오자 은행과 우체국과 병원과 관공서 들이 즐비하게 나타났다. 쉬지 않고 걸었다. 각기 다른 학교들의 수많은 교실들과 입학식과 졸업식을, 혼자서 밥을 먹고 잠을 자던 방 한 칸짜리 자취집들을, 서울과 지방을 오가던 고속버스를, 그런 곳들을. 짓밟히지도, 짓밟지도 않으면서 그 모든 곳들을 통과하려 했으나 돌이켜보니 세상은 늘 상처의 가능성이 내재되어 있는 유리일 뿐이었다. 상처가 남아 있는 한, 완벽한 망각은 불가능했다.

*

사천을 다녀온 이후 최는 전화를 받지 않았고 수업에도 계속 결석한다. 급기야 그는 기말시험에도 응시하러 오지 않는다. 학생들이 기말시험 답안지를 제출하고 강의실을 모두 빠져나간 후에도 그녀는 교탁 앞 의자에 앉아 아이처럼 발장난을 치며 가끔씩 문 쪽으로 고개를 돌린다. 아무도, 강의실 문을 두드리지 않는다.

해가 저물 무렵에야 가방과 서류봉투를 챙겨 강의실을 나선다. K대 후문 쪽이라고 했다. 수업을 듣는 학생 한 명이 강의실에 지갑과 휴대폰을 놓고 갔다고 하자 영문과 과사무실 조교는 별말 없이 최의 집 주소와 대강의 위치를 알려줬다. K대 후문 근처에서 한 시간을 헤맨 끝에야 그녀는 최가 자취하는 연립주택을 찾는다.

삼층 창문은 불이 켜져 있고 대문은 열려 있다. 옥외 계단을 통해 삼층까지 올라간 뒤 휴대폰을 꺼내 한 번 더 최의 번호를 누른다. 현관문은 아래는 철제였지만 위는 간유리로 되어 있어서 거실을 오가는 실루엣 하나가 흐릿하게나마 비쳤다. 잠시 후 현관문 안쪽에서 울려대는 휴대폰 벨소리가 그녀가 서 있는 곳에까지 닿는다. 여섯 번 혹은 일곱 번 신호음이 지나가자 이번엔 통화가 연결된다. 여보세요? 젊은 여자의 앳된 목소리다. 그녀는 문 옆으로 몸을 피하면서도 간유리에 어른거리는 불투명한 실루엣에서 시선을 떼지 않는다. 여보세요, 누구세요? 저……

—네?

—저, 저는 최호석 학생의 글쓰기 과목 강산데……

—그런데요?

—최호석 학생이 기말 시험을 보지 않아서요. 미안한데 최호석 학생, 좀 바꿔줄래요?

—오빠 지금 화장실에 있는데……

—그럼……

그녀가 뒤이어 무슨 말인가를 하려는데 간유리 안으로 또 하나의 실루엣이 들어온다. 휴대폰을 들고 있던 그녀의 손이 그대로 내려온다. 누구야? 글쓰기 과목 강사래. 뭐? 오빠, 시험도 안 봤다면서? 그 과목 재수강 아니었어? 휴대폰이나 이리 내. 시험을 안 보면 어쩌려고! 외박을 하질 않나, 요즘 진짜 왜 그래? 휴대폰 내놓으라니까!

그녀는 문득 현관문을 부수고 그 안으로 걸어들어가고 싶다는 욕망을 느낀다. 자신이 깨지지 않으려면 상대를 깨뜨려야 하는 유리 도시를 모르냐고, 그곳을 기억하는 사람이 정말 아무도 없는 거냐고, 어리둥절한 얼굴로 자신을 맞바라볼 최에게 간절히 물어보고도 싶다. 오래오래 기다렸지만 간유리를 통해 번져나오는 두 사람의 목소리는 적의나 파멸의 충동으로 치닫지 않은 채 점점 고요해지다가 이내 애정이 느껴지는 온도로 되돌아온다. 하지 마, 간지러워. 그러니까 내놓으라고 할 때 내놨어야지. 에이, 벌써 끊겼잖아. 근데 그 강사가 다른 건 묻진 않았어? 좀 이상하다? 뭐가, 또. 전화한 사람, 진짜 강사 맞아? 무슨 강사가 시험 안 봤다고 전화까지 해? 전환 네가 받았잖아. 이젠 의심을 아주 사서 하는구나. 텔레비나 켜봐. 아아, 지루해 죽겠다.

돌아선다.

옥외 계단을 한 단 한 단 밟으며 그녀는 웃기 시작한다. 웃으며 걷는데, 웃었을 뿐인데도, 길을 오가는 사람들이 한번씩 그녀를 훑어본다. 버스 정류장으로 다가가자 눈에 익은 사람이 발이 시린지 제자리에서 종종거리며 서 있는 게 보인다. 그녀는 큰 걸음으로 저벅저벅, 곽에게 다가간다.

—사탕 있으세요?

인사도 없이 대뜸 그렇게 묻자 그녀처럼 서류봉투를 가슴에 안고 있던 곽이 깜짝 놀랐다는 듯 두 눈을 휘둥그레 뜬다. 잠시 그녀를 살피던 곽은 가방을 뒤적여 사탕 하나를 꺼내는 듯싶더니 이내 한 움큼의 사탕을 다시 집어내어 그녀에게 내민다. 그녀는 사탕들을 받아와 포장을 벗겨낸 뒤 입안으로 하나하나 밀어넣는다. 곽의 눈동자가 좀 더 커다랗게 부풀어오른다.

—한 선생님, 무슨 일 있어요?

—아뇨. 전혀요.

—근데 왜 이렇게 떨어요?

—제가요?

—감기 걸렸나 보다. 병원에 가봐야겠어요. 참……

—……

—그건 냈죠?

그러고 보니 K대 강의 전담 계약직 교수 서류 마감은 오늘이었다. 그녀는 입안의 사탕을 우적우적 씹으며 고개를 젓는다. 집으로 돌아가자마자 부족한 대로 이력서 등을 이메일로 보내고 내일 아침엔 담당 직원에게 전화를 걸어 그 외의 서류는 등기로 부쳐도 되느냐고 사정해봐야겠다고 그녀는 생각한다. 그리고 그 생각 끝에서, 웃음은 다시 터져나온다.

—한유리 선생님?

곽의 표정은 한층 더 심각해지고 그녀는 참으려 해도 참아지지 않는 이 웃음이 지겹다. 버스가 곧 도착한다. 잰걸음으로 버스에 오르던 곽이 슬쩍 뒤를 돌아본다. 그녀는 곽에게 먼저 가라는 듯 손을 흔들어 보인다. 그녀에게는 방금 갈 곳이 생겼다. 이번엔 도망가지 않고 그 모든 장면이 산산조각 날 때까지 버텨낼 생각이었다. 뒤이어 도착한, 고속버스 터미널로 향하는 버스에 그녀는 재빨리 올라탄다.

＊

잠에서 깨자 고속버스는 목적지에 도착해 있다. 그녀는 가방과 서류봉투를 들고 버스에서 내린 뒤 지방 도시의 새벽 공기 속으로 스며들어간다. 인적이 뜸하고 어둡긴 하지만 길을 잃지는 않을 것이다. 그녀는 이 도시에서 십 년을 살았다. 수많은 골목들이 이어지고 모퉁이를 돌 때마다 세상은 조금씩 유리로 변해간다. 그녀는 문득 멈춰선다. 지금 막 이마를 스쳐간 바람에는 멀고 먼 시간을 건너뛴 언어가 가시처럼 박혀 있었다. 어, 저기 온다. 내 말 맞지? 쟤, 일요일마다 여기 지나간다니까. 야, 한유리, 거기 좀 서봐. 너 내일 전학 간다며, 그거 진짜냐? 어, 진짜가 보네. 그럼 우리가 너 데리고 마지막으로 한번 놀아줄까? 그렇게 야려보면 어쩔 건데, 이게 진짜! 야, 안 되겠다. 일단 학교로 끌고 가자.

세 명의 남자아이들에게 에워싸여 끌려가듯 걸음을 옮기고 있던 여자아이가 흔들리는 눈빛으로 뒤를 돌아본다. 그녀의 두 발이 조금씩 빨라진다. 미치도록 그들을, 유리로 만들어진 저 아이들을 따라잡고 싶다. 심장이 터질 듯이 달려보지만 그 거리만큼 아이들은 멀어진다. 어느 순간 아이들은 그녀의 시야에서 흔적도 없이 삭제된다. 그들이 어디로 갔는지는 알고 있다. 그녀는 학교로 향하는 지름길을 찾아 서둘러 발을 내딛는다.

교문은 잠겨 있다. 그녀는 서류봉투를 가방에 구겨넣고는 두 팔을 담 위에 올린 후 있는 힘껏 뛰어오른다. 가까스로 담 위로 올라서긴 했지만 담에서 학교 안으로 떨어질 땐 균형을 잃으면서 오른쪽 다리가 삐끗 접질린다. 통증은 있지만 아이들을 놓쳤을 때에 비하면 아무것도 아닌 고통이다. 그녀는 무릎에 힘을 주어 일어나 절뚝거리며 걷는다. 빈 운동장엔 떨어진 구두 굽이 바닥에 끌리는 소리만 길게 울려퍼진다.

짐작대로 아이들은 교사校舍 뒤편 소각장에 이미 도착해 있다. 키가 크고 강마른 녀석은 망을 보고 있고 키는 작지만 살집은 두터운 녀석은 찰싹찰싹, 여자아이의 뺨을 때리고 있다. 여자아이는 이 정도의 폭력에는 이미 길들여져 있다는 듯 체념한 얼굴이다. 그때, 흐릿한 어둠 속에 반쯤 가려져 있던 안경 쓴 녀석이 뚜벅뚜벅 걸어나와 여자아이의 청바지 버클에 손을 댄다. 망을 보던 녀석까지 끼어들어 순식간에 여자아이의 청바지를 벗기고 셔츠를 끌어올린다. 그제야 여자아이는 사지를 뒤틀며 쉰 목소리로 무언가를 외친다. 누구부터 할래? 반장부터 해. 우리, 그냥 가자. 난 좀 무서워. 그런 말 할 거면 당장 꺼져. 자식이, 지가 계획해놓고서 이제 와서 발뺌이야? 아, 시끄러워 죽겠네. 일단 쟤 팔 좀 붙잡아봐. 입도 좀 가리고. 안경이 짜증을 내며 여자아이의 두 다리를 강제로 벌리기 시작한다.

하나같이 한낱 유리일 뿐이다. 몇 발자국 떨어진 지점에서 그 모든 걸 지켜보고 있던 그녀는 스스로에게 말한다. 깨지면 광물이 되는 유리, 주전자의 뚜껑이나 상점의 진열장과 다를 것 없는, 깨지기 쉽고 언젠가는 깨질 수밖에 없는 유리들. 소각장 주변엔 예나 지금이나 버려진 나무토막과 벽돌들이 많다. 그녀는 땀에 젖어 흘러내리는 머리칼을 뒤로 넘기며 바닥을 살피다가 제법 큰 벽돌 하나를 집어든다.

한 발 한 발 조심스럽게 뒤엉킨 유리들 쪽으로 다가간다. 여자아이만이 그녀를 알아보고 그녀 쪽으로 손을 뻗으려 하고 있다. 이상한 낌새를 느꼈는지 세 명의 남자아이들이 뒤를 돌아본 순간, 그녀는 온 힘을 다해 벽돌을 내리친다. 영문도 모른 채 차례로 벽돌을 맞은 연약한 유리들은 신음 한번 제대로 내지르지 못하고 순식간에 깨진다. 부서진다. 가루가 된다. 이미 형체를 잃고 조각났는데도 단박에 사라지지 않고 질리게도 꿈틀거리는 파편들을 짓밟고 선 채 천천히 여자아이 쪽으로 고개를 돌린다. 도망가서도, 포기해서도 안 된다. 단 한 순간의 망설임도 없이 벽돌을 휘둘러야만 이 장면 속의 여자아이는 완벽하게 망각될 수 있을 것이다. 벽돌을 쥔 그녀의 두 손이 바들바들 떨리고 있었다.

성큼성큼 다가가 번쩍 벽돌을 들어 내리치려는데 여자아이가 겁먹은 듯 두 팔로 머리를 감싼다. 순간 손목에서 힘이 빠져나가면서 휘둘러진 벽돌은 여자아이의 머리통을 비껴간다. 맥없이 바닥에 떨어진 여자아이의 투명한 귀 한쪽을 그녀는 눈이 아프도록 노려본다. 잠시 후, 그녀는 패잔병처럼 돌아서서 운동장 쪽으로 달리기 시작한다. 너덜거리는 구두 굽 때문에 속도는 나지 않고 그녀의 몸은 삐거덕삐거덕, 자꾸만 뒤틀린다. 오른쪽 구두를 벗어 손에 쥐고 걷는데 바람을 타고 소각장에서 날아온 유리 조각들이 발에 밟히면서 익숙한 통증이 한꺼번에 밀려온다. 그녀는 결국 운동장 한가운데에 쓰러지듯 주저앉는다. 그녀의 등 뒤에서 여자아이의 흐느낌은 점점 더 통곡에 가까운 울부짖음으로 변해가고 있었다. 쓰라리면서도 차가운, 조그맣고 둥근 유리 조각들이 넘실거리던 파도처럼 영원히 반복

될 레퀴엠이었다. 어서 빨리 이 도시를 빠져나가 어딘가에 전화를 걸고 싶지만 어쩐지 이곳은 입구도 출구도 없는 밀폐된 유리알 속 같다.

최제훈
미루의 초상화

1973년 서울에서 태어나 연세대 경영학과를 졸업했다. 2007년 《문학과사회》 신인문학상으로 등단했다. 소설집 《퀴르발 남작의 성》, 장편소설 《일곱 개의 고양이 눈》 등이 있다. 2011년 한국일보문학상을 수상했다.

미루. 그녀의 이름일세. 미루나무에서 따온 걸까? 아니면 아름다운 눈물? 사실 본명인지도 확실치 않아. 처음 이름을 물었을 때 그녀는 들릴 듯 말 듯 '미루'라고 웅얼거렸고, 난 그렇게 불렀지. 어쩌면 '미유'나 '이루'라고 대답한 걸 내가 잘못 들은 건지도 몰라. 어쨌든 그녀에게 잘 어울리는 이름이었어. 눈을 감고 미루, 하고 불러보게. 소리가 숨결과 함께 흩어지는 게 느껴지지 않나? 휘파람 같은 여운을 남기면서. 미루.

노인은 생맥주를 길게 한 모금 들이켜고 콧수염에 묻은 거품을 손바닥으로 훔쳤다. 이제 보니 노인이라 부르기에는 다소 애매한 연배였다. 예순은 훌쩍 넘겼을 거라 여겼는데, 희끗한 콧수염만 지우면 오십대 초중반으로도 봐줄 만했다. 아무래도 길게 늘어뜨린 말총머리와 눈만 간신히 가리는 알이 작은 선글라스, 풍신한 낡은 야상에서 풍기는 범상치 않은 분위기 탓인 듯했다. 무림의 은둔 고수 내지는 관록의 허풍선이 같은. 하긴 우리도 그 분위기를 검증해보고 싶은 호기심에 그를 선택했던 것이다.

지난봄 진희와 나는 연극 관람을 위해 오랜만에 대학로를 찾았다. 하지만 그날 우리는 연극을 볼 수 없었다. 내가 패스트푸드점의 식판 위에 티켓을 두었다가 햄버거 포장지와 함께 휴지통에 처넣은 탓이었다. 그녀가 전부터 벼르던 공연이었고 회사 일을 핑계로 계속 미루다가 공연 마지막 날에야 시간을 낸 참이었다. 한마디로 적색경보. '넌, 정말이지'로 시작하는 두어 시간가량의 공습을 각오했으나 진희는 웬일인지 별말이 없었다. 평소 나의 덜렁이 기질을 한 번도 그냥 넘기는 법이 없었는데. 나를 더 깊은 자책의 수렁으로 밀어넣기 위한 작전인가 싶어 기죽은 표정으로 뒤만 졸졸 따랐다. 술을 마시기에는 이른 시간이고 밥은 이미 햄버거로 때웠고…… 분위기 반전을 위한 적당한 돌파구가 떠오르지 않았다. 마로니에 공원을 지나던 중, 고맙게도 그녀가 먼저 사면의 손길을 내밀어주었다. 초상화나 그려볼까?

미대를 졸업하고 난 '무도'라는 섬에 아틀리에를 마련했다네. 말이 아틀리에지 다 쓰러져가는 폐가를 헐값에 임대한 거였어. 거기에 수도승처럼 틀어박혀 종일 그림을 그렸지. 음…… '수도승'이란 표현은 좀 그렇군. 적잖은 여인들이 아틀리에를 거쳐갔으니까. 솔직히 모델료를 아끼겠다는 속셈도 깔려 있었지만, 그보다는 사랑하는 대상을 그리고 싶었기 때문이야. 내 미적 감수성이 가장 고조되는 순간. 남들 눈엔 예술가연하는 난봉꾼으로 보였을지 몰라도, 난 예술과 사랑의 완전한 합일을 갈구한 거라네. 예술혼을 일깨우는 사랑, 사랑의 흔적으로서의 예술. 덕분에 인근 항구에선 나에 대한 소문이 안 좋았지. 시커먼 뱃놈들에게 한밤중에 다구리를 당하기도 했어.

나는 가난하여, 가진 건 오직 꿈뿐이라. 예이츠의 시를 아나? 말 그대로 꿈을 먹고, 꿈을 지펴 불을 때고, 꿈과 연애하던 시절이었지. 그림을 그리다가 돈이 떨어지면 어판장에 나가 며칠 막노동을 하고, 다시 틀어박혀 그림을 그리고. 나의 영혼을 캔버스에 발라 미술사의 한 챕터를 장식할 불후의 명작들을 남기리라. 감각의 세계를 통해 감각의 세계 너머를 보여주는 걸작들을. 그런 예술적 호기가 충만했다네. 가난이나 고독은 미래에 쓰일 내 전기를 꾸며줄 배경에 불과했지. 고흐, 로트레크, 모딜리아니…… 다 그렇지 않았나. 몽마르트르 언덕에 모여 뇌가 녹아내리도록 압생트를 퍼마시고 창부들 틈에서 예술혼을 불태운 선배들. 나도 좀 더 드라마틱한 전기를 위해서는 정신병이나 결핵 같은 결정적 한 방이 필요하지 않을까? 그런 싱거운 공상마저도 즐거운 시절이었지.

어쩐지, 정식으로 회화를 배운 사람이구나. 그는 독특한 분위기만큼이나 그리는 과정도 범상치 않았다. 콧수염을 만지작거리며 선글라스 너머로 진희를 잠시 관찰하더니, 대강의 윤곽선도 잡지 않고 왼쪽 눈부터 거침없이 그려나가기 시작했다. 옹이가 박힌 손가락이 피겨스케이팅 연기를 하듯 도화지 위를 날렵하게 미끄러졌다. 두 눈을 시작으로, 진희의 얼굴이 빙판 아래 숨어 있다가 서서히 떠오르는 것처럼 백지 위에 나타났다. 놀랍게도 그는 초상화를 그리는 동안 거의 고개를 들지 않았다. 스캐너처럼 처음의 일별만으로 이미지를 단번에 빨아들인 듯 도화지만 바라보며 손을 놀렸다. 역시 은둔고수 쪽인가.

완성된 작품에 대해 말하자면, 볼수록 좀 야릇한 초상화였다. 문외

한인 내가 보기에도 거리에서 푼돈에 팔리기는 아까운 솜씨였다. 적당히 기술만 익혀 돈벌이에 나선 이들과 달리 오랜 수련을 거친 깊이와 독창성이 느껴졌다. 다만 연필 초상화의 생명이랄 수 있는 모사의 측면에서 미묘한 어긋남이 있었다. 그렇다고 어느 부분이 실물과 닮지 않았다고 콕 집어 말하기도 어려웠다. 도화지 위에서 뚱한 미소—당시 상황이 상황이니만큼—를 머금고 있는 이는 나의 연인 진희가 틀림없었다. 그런데 아닌 것 같았다. 마치 분장술의 대가가 시치미 뚝 떼고 진희인 척하고 있는 느낌이랄까. 그녀도 그런 인상을 받았는지 못내 꺼림칙한 표정이었다. 잘 그렸는데…… 진희는 고개를 갸웃거리며 도화지를 둘둘 말아 고무줄 머리끈으로 묶었다. 자, 선물. 위기를 무사히 넘겼다는 안도감에 난 싱글거리며 선물을 받았다. 눈치도 없이.

　하지만 사람이 언제까지 꿈만 뜯어먹고 살 수 있겠나. 솜사탕처럼 배도 부르지 않은데. 사 년, 오 년, 육 년…… 해가 갈수록 지치더군. 동기 아무개가 미술대전에서 수상을 했네, 누구는 유학을 갔네, 누구는 교수와의 연줄로 벌써 대학에 자리를 잡았네…… 이따금 뭍에서 건너오는 소식들은 가뜩이나 심란한 마음을 한번씩 들쑤셔놓았지. 나는 그런 세속적인 환쟁이들과 다르다. 나의 붓은 극한의 인간 정신만이 도달할 수 있는 예술의 심장을 겨누고 있다. 그런 고집스런 자위도 이미 약발이 떨어진 지 오래였어.
　나라고 속세를 등지고 그림만 그렸겠나. 공모전에도 출품하고 여기저기 청을 넣어 전시회도 몇 차례 가졌지. 하지만 알아봐주는 사람은 아무도 없더군. 물론 몽마르트르 선배들이 보여주듯 그런 세상의 무관심도 필수적인 요소이기는 하지. 하지만 그들과 나 사이엔 한 가지 중대한 차이가 있었다네. 날 몰라보는 세상을 탓하기 전에, 나 스스로 작품에 확신이 없었다는 거야. 언제나 혼신의 열정을 쏟아 하나의 캔버스를 채웠지만 내가 보기에도 거기엔 결정적인 무언가가 결여되어 있었어. 작품을 캔버스와 물감의 결합 이상의 것으로 만들어주는 꿈틀거리는 무언가가.

아무리 사랑하는 여인을 모델로 세워놓아도 난 그저 생명 없는 마네킹들만 찍어내고 있지 않나. 감각의 세계 너머는커녕 감각의 세계에도 도달하지 못하는. 어쩌면 애당초 나에겐 야망을 따라갈 만한 재능이 부족했던 게 아닐까? 바람만 잔뜩 들어 인생을 낭비하는 얼간이. 의심이 열정을 갉아먹으며 가슴에는 구멍이 뻥 뚫렸지. 그 구멍으로 불안과 공허가 스멀스멀 기어들어오더군. 하얀 캔버스가 아틀리에 허공에 나타난 괴물의 아가리처럼 보이기 시작했어. 내 주위의 모든 것을 빨아들여 삼킬 것 같은.

점점 아틀리에보다는 바닷가 술집에서 보내는 시간이 늘어갔다네. 몽마르트르 선배들을 따라갈 수 있는 건 그것밖에 없었으니까. 만일 알코올중독과 한순간 반짝이는 예술적 영감 사이에 바늘 끝만한 상관관계라도 있다면 기꺼이 내 간과 뇌를 제물로 바치고픈 심정이었어. 물론 알코올중독과 상관관계가 있는 건 수전증과 기억상실, 환각, 환청 등이라는 사실만 확인했을 뿐이지. 그렇게 난 하루하루 풍선에 바람이 빠지는 것처럼 쪼그라들고 있었다네. 차라리 누군가 바늘로 찔러 한 방에 팡! 터뜨려줬으면 좋았으련만…… 그러던 어느 날, 난 우연히 그녀의 이야기를 듣게 된 거야. 미루.

노인과 나의 눈길이 동시에 테이블 위에 놓인 초상화에 쏠렸다. 갑작스런 시선이 쑥스러운 듯 그녀는 작고 도톰한 입술을 어정쩡하게 벌리고 웃었다. 기름한 얼굴에 갸웃하게 처진 눈초리는 '우수'와 '우울' 사이를 타박타박 배회하고 있었다. 섬세한 연필 선 하나하나가 그녀의 내면까지 묘사하고 있는 듯했다. 순간 그녀가 콧잔등을 찡긋한 것 같았다. 또다시 등골이 오싹해졌다.

책상 서랍을 정리하다가 다이어리 밑에 깔려 있는 두루마리를 발견했을 때, 반년 전의 대학로 데이트가 고스란히 떠올랐다. 그게 우리의 마지막 데이트였다. 그날 진희의 관대함이나 난데없는 초상화 선물에는 다 이유가 있었던 것이다. 까만 고무줄 머리끈에 엉켜 있는 머리카락 한 올. 왠지 동병상련의 정이 느껴졌다. 너와 나는 같은 곳에서 떨어져나왔구나. 시답잖은 감상에 젖어 도화지를 펼치는 순간, 머릿속 톱니바퀴들이 한꺼번에 멈춰섰다. 눈이 받아들인 시각 정보를 분석하는 데 오 초 정도의 시간이 걸렸다. 오 초 후 톱니바퀴가 다시 돌기 시작했고, 난 등골이 오싹해졌다.

간만에 뭍으로 나가 옛 친구들과 술판을 벌인 날이었지. 얼근하게 술이 오르고 두서없이 이어지던 잡담은 사랑과 결혼이라는 테마에 한동안 머물렀다네. 모두 서른을 훌쩍 넘긴 가난한 총각들이었으니까. 사랑은 하되 결혼은 하지 마라, 결혼은 하되 사랑은 하지 마라, 사랑하고 결혼하라, 사랑도 결혼도 하지 마라. 그러다가 한 친구가 예전에 선배 결혼식에 갔다가 섬뜩한 사건을 목격했다며 말문을 열더군.

지루한 주례사가 이어지던 중 하객석에서 긴 생머리의 여자가 일어나더니 단상으로 곧장 다가가더라는 거야. 주례사가 끊기고 신랑, 신부가 돌아보고 양가 부모며 식장 안의 하객들이 모두 어리둥절하게 있는데, 신랑 혼자 사색이 되었지. 그 선배가 예전에 사귀던 여자였거든. 어, 하는 사이 일은 순식간에 벌어졌다는군. 신랑, 신부 바로 앞에 멈춰선 여자가 들고 있던 접이식 면도칼로 자기 손목을…… 식장은 순식간에 아수라장이 됐지. 사방에서 비명을 질러대고, 신부는 기절하고, 신랑은 어느 여자부터 일으켜야 할지 몰라 우왕좌왕. 여자는 곧바로 병원에 실려간 덕분에 목숨은 건졌다고 하더군.

그 친구가 나중에 선배에게 들은 바로는 여자가 원래 정상이 아니었다는 게야. 처음엔 애교 섞인 가벼운 질투인 줄 알았는데 점점 감당하기 힘든 집착과 이상행동을 보이더라고. 알고 보니 정신 병력이 있었다지. 그 때문에 일찌감치 헤어진 거고. 이후에도 자살하겠다는 협박 전화에 몇 번이나 골탕을 먹었나봐. 그러다 좀 잠잠하다 싶어 한시름 놓았는데, 결국 결정적인 순간에 한 방 터뜨린 거지. 사건 직후 여자의 이모라는 사람이 찾아와 눈물을 흘리며 사죄했고, 선배는 정신과 치료비를 대는 조건으로 다시는 나타나지 말아달라고 오히려 사정을 했다는군.

술판의 친구들도 혀를 내둘렀지. 멋지다, 무섭다, 그 선배 결혼식은 다시 했냐, 저마다 추임새를 넣고 소주잔을 비웠다네. 나? 그때는 그냥 독한 여자라고 한마디 거들고 술이나 마셨지.

그런데 말이야, 그날 밤 배를 놓치고 항구의 여인숙에 누웠는데 도통 잠을 이룰 수가 없는 거야. 눈만 감으면 선명한 이미지 하나가 떠올라 머릿속을 할퀴고 다녔거든. 희고 가녀린 손목에서 36.5도의 체온을 고스란히 간직한 선혈이 뿜어져나와 눈밭을 파고들듯 새하얀 웨딩드레스에 점점이 흩뿌려지는…… 단 한 컷뿐이었지만 너무나 강렬하더군. 가만히 누워 있는데도 백 미터를 전력 질주한 것처럼 가슴이 벌떡거릴 정도로. 그래, 심장이 먼저 느낀 거야.

그날 이후 낮이고 밤이고 그 이미지는 나를 틀어잡고 놓아주지 않았어. 아나콘다처럼 머리부터 발끝까지 나를 휘감고 몸통을 비틀어 서서히 조여드는데, 숨이 막히는 와중에도 난 저릿한 희열에 몸을 떨었다네. 이런 그림을 그릴 수 있다면…… 그런 운명적 예감이 꽂힐 때가 있지 않나? 우연히 마주친 누군가가 나의 구세주가 되어줄 것 같은. 그때가 바로 그랬지. 사랑과 집착의 경계에서, 정상과 광기의 경계에서 흔들리는 여자. 그녀가 나의 캔버스에 꿈틀거리는 생명을 불어넣어줄 뮤즈가 아닐까.

노인은 남은 맥주를 비우고 고개를 돌려 그윽한 눈빛으로 허공을 응시했다. 삼십 분도 안 지났는데 벌써 세 잔째였다.

"한 잔 더 하시겠어요?"

"그럴까?"

손님도 없는 휑한 실내에 비틀스의 〈오블라디 오블라다〉만이 요란하게 울려퍼졌다. 나는 종업원을 불러 생맥주를 주문하고 볼륨을 조금 낮춰달라고 했다.

반년 만에 다시 찾은 대학로, 노인은 그 모습 그대로 마로니에공원 한구석에 이젤을 세워놓고 앉아 있었다. '또라이' 취급받을 각오하고 노인에게 다가가 눈앞에 초상화를 펼쳐 보였다. 저기, 여기서 여자친구 초상화를 그렸는데요, 아니, 지금은 헤어졌지만. 아무튼 이상하게 들리시겠지만, 그림이…… 막상 설명하려니 입이 안 떨어졌다. 콧수염을 만지작거리며 초상화를 들여다보던 노인이 내가 맺지 못한 뒷말을 이었다. 변했군. 서늘한 미풍이 노인과 나 사이를 무심하게 지나갔다. 그렇다. 그림이 변한 것이다. 도화지 속에는 진희가 아닌 다른 여자가 있었다. 선글라스 안쪽에서 흔들리는 노인의 눈빛만으로도 충분히 짐작할 수 있었다. 그림 속의 여자를 그는 알고 있다는 걸. 그리고 둘 사이에는 이 괴이한 현상을 해명해줄 수 있는 사연이 있다는 걸. 그리고 A/S 차원에서라도 나는 그 사연을 들을 권리가 있다는 걸.

노인은 맥주를 기다리는 동안 포크로 소면을 뒤적여 골뱅이를 골라먹었다. 나는 다시 옆에 놓인 초상화를 곁눈질했다. 남의 결혼식장에 난입해 자해 소동을 벌일 만한 객기는 보이지 않았다. 여자가 새치름하게 시선을 피했다.

"그래서 그 흔들리는 여자분을 만나보셨나요?"

자네, 모딜리아니의 그림 본 적 있나? 여인들을 주로 그렸지. 화가는 몰라도 그림은 어디선가 봤을 걸세. 목이 길고 얼굴도 길고, 고개를 갸우뚱하게 기울여 멍하니 정면을 쳐다보고 있는 여인들. 그런데 뭔가 이상하지 않던가? ……눈동자가 없어. 모딜리아니는 대부분의 인물화에 눈동자를 그려넣지 않았거든. 그래서 그들에겐 표정이 없지. 눈은 마음의 창이라고 하잖나. 마음이 가려져 있으니 아무리 쳐다봐도 무슨 생각을 하고 있는지 도통 알 수가 없는 거야. 되레 쳐다보는 상대방이 당황하게 되고, 안절부절못하며 시선을 피하고, 자신을 빨아들일 것 같은 그 영혼의 침묵이 두려워 급기야 적개심까지 품게 되는 거지. 그녀의 첫인상이 꼭 그랬다네.

김포 변두리에 있는 조그만 이발소였어. 친구 녀석을 협박하다시피 졸라 입수한 정보에 따르면, 그녀는 거기서 면도사로 일하고 있다더군. 알아내느라 그 선배에게 욕깨나 먹었겠지. 오해하지 말게, 퇴폐 이발소 같은 곳은 아니었으니. 요즘은 퇴폐고 모범이고 이발소 자체를 찾기 힘들지만 예전엔 이발소에 여자 면도사들이 있었어. 아무튼 면도사라니, 그것 참……

얼마 남지도 않은 머리칼을 포마드로 눌러붙인 늙수그레한 이발사가 커트를 하는 동안, 난 거울 속으로 뒤쪽 소파에 앉은 그녀를 관찰했지. 흰 가운을 걸친 여윈 몸피에 윤기 없는 입술, 손수건으로 동여맨 푸석한 머리채, 허공을 더듬는 멍한 눈길. 사람들 앞에서 그런 짓을 저지를 만한 여자라고는 생각되지 않았다네. 아이들 색칠공부 책의 만화 캐릭터처럼 보였어. 왜 있지 않나, 속은 비어 있고 까만 선으로 테두리만 그려놓은 것 같은. 왼쪽 손목에 칭칭 감긴 화려한 비즈 팔찌만이 생뚱맞게 반짝이더군. 그 팔찌를 보고 확신했지. 맞구나, 그녀가. 커트가 끝나자 나는 일부러 큰 소리로 말했어.

"면도도 해주세요."

종이에 그려진 윤곽선처럼 앉아 있던 그녀가 부스스 일어나 다가왔다. 철컹, 소리와 함께 의자 등받이가 뒤로 넘어갔다. 나도 모르게 양손으로 팔걸이를 움켜잡았다. 그녀가 플라스틱 거품통을 가져와 뻣뻣한 솔로 내 뺨과 턱에 면도거품을 바르기 시작했다. 사늘한 거품이 목에 닿자 오소소 소름이 돋았다. 사각형으로 자른 신문지 조각을 내 어깨에 걸쳐놓고 그녀는 초록색 자루가 달린 접이식 면도칼을 꺼냈다. 저게 그 칼일까? 그녀는 거울 옆에 한쪽 끝을 고정시켜 매달아놓은 가죽띠에 면도칼을 비스듬히 문질러 날을 세웠다. 뒷모습이 미사를 준비하는 사제처럼 숙연해 보였다.

상상 속에서 수없이 봤던 그대로 희고 가녀린 손목이었다. 하지만 면도칼을 다루는 손길은 능숙했다. 얼굴 굴곡을 따라 칼날의 각도를 달리하고 손목의 힘을 적정하게 넣고 뺐다. 칼날은 뺨 위를 시원스럽게 내달리다가 입술 주위를 갉작이고 턱뼈 모서리를 섬세하게 매만졌다. 나는 실눈을 뜨고 그녀가 작업하는 모습을 지켜보았다. 그녀는 중간중간 면도날에 묻은 거품을 신문지로 닦아내고 손가락 끝으로 내 턱의 각도를 세밀하게 조절했다. 팔찌에 박힌 색색의 비즈가 눈앞에서 찰랑거렸다. 손을 뒤로 감추고 과장되게 도리질 치는 아이처럼. 면도날이 목의 곡선을 타고 올라왔다.

"팔찌 예쁘네요."

목울대가 출렁이며 칼날에 눌리는 느낌이 왔다. 그녀의 손이 멈칫했다.

"말하시면…… 안 돼요."

눈을 지그시 감았다. 가느다란 떨림이 날카로운 칼날을 통해 전해졌다. 어쩐지 핵전쟁으로 인류가 멸망하고 지구가 황무지로 변해버린 후, 지상에 남은 마지막 이발소에 들러 면도를 하는 기분이었다. 저 팔찌가 조금만 덜 화려했더라면, 저 칼날이 조금만 더 무디었더라면……

　그녀와 사랑에 빠지지 않았을 텐데. 그런 엉뚱한 생각을 했던 게 떠오르는군. 바로 그날부터 구애작전을 시작했네. 매일 이발소 앞에서 기다리고 꽃을 바치고 따라다니며 익살을 늘어놓고 엽서에 초상화를 그려 선물하고, 뭐, 그런 거. 하지만 그녀는 요지부동이었지. 그렇다고 길거리에서 날 쏘아붙이거나 발걸음을 재촉해 달아나지도 않았어. 일이 끝나면 항상 일정한 속도로 타박타박 걸어서 자취방으로 돌아가는 거야. 미안하지만 눈동자가 없어 당신이 보이지 않는다는 투로. 물론 쉽지는 않을 거라 예상했어. 이전의 연애가 그 지경으로 끝났으니. 그래도 난 포기하지 않았다네.

　그래요, 그럼. 어느 날 그녀는 이 한마디로 마음의 빗장을 열더군. 뭘 그러자는 건지, 되레 내가 대꾸도 못하고 멀뚱히 서 있었지. 그 직전까지도 아무런 변화의 조짐이 보이지 않았거든. 그냥 길 가다가 문득 생각났다는 듯이, 그래요, 그럼. 나중에 물어보니 그녀도 이발소에서 나를 처음 봤을 때부터 마음이 끌렸다더군. 면도할 때도 굉장히 설렜다는 거야, 하. 그런데 왜 그렇게 애를 태웠냐고 물었더니 고개를 숙이고 쓸쓸하게 웃더라고. 어쨌든, 우린 그렇게 시작된 거야.

　"참, 자네는 그때 같이 왔던 여자친구와 헤어졌다고?"

노인이 맥주잔을 들고 물었다.

"예, 그게…… 유학을 갔어요. 미국으로."

"음, 미국. 똑똑한 친군가 보군."

"예, 뭐…… 저보다는 훨씬."

노인은 잘 알겠다는 듯 고개를 주억거렸다.

초상화를 그린 며칠 후, 진희는 회사에서 석사과정을 지원해주는 유학 프로그램에 선정된 사실을 통고해왔다. 이미 다 결정된 일이었기에 상의나 의사 타진이 아닌 통고였다. UCLA를 포함한 세 곳의 대학에서 입학 허가가 떨어졌고 최소 삼 년 과정이라고 했다. 내 여자친구가 얼마나 유능한 커리어우먼인지 친구들에게 자랑이라도 하고 싶었다.

미안해, 도저히 놓치기 아까운 기회야. 난 놓쳐도 안 아까운 사람이냐는 질문을 꾹 참고 고개만 끄덕여주었다. 유학 프로그램은커녕 회식 프로그램에도 인색한 내 변변찮은 직장을 정리하고 함께 떠나는 문제를 잠시 고민해보았으나, 형식적인 절차라는 건 서로가 알고 있었다.

"사랑하나?"

노인이 갑자기 눈을 맞추며 물었다. 반사적으로 예, 라고 대답하려다가 멈칫했다. '사랑했나?'라는 과거형이 아니라 현재형 질문이었다. 그 시제 차이가 잠시 내 감정을 혼란스럽게 만들었다. 나는 어느 순간까지 그 질문에 선뜻 현재형으로 대답할 수 있었을까?

모딜리아니에게는 잔느라는 연인이 있었다네. 연인인 동시에 최고의 모델이자 뮤즈이자 어머니 같은 존재였지. 사랑과 예술의 극적인 합일을 보여주는 사례라고 할까. 방탕하게 지내던 모딜리아니가 젊은 나이에 세상을 뜨자 그녀도 이틀 만에 아파트에서 뛰어내렸다네. 뱃속에 팔 개월 된 그의 아이를 품은 채로. 모딜리아니는 그런 잔느를 그릴 때조차도 눈동자를 그려넣지 않았어. 당신의 영혼을 알게 되면 당신의 눈동자를 그리겠소. 왜 눈동자를 그리지 않느냐는 물음에 그렇게 대답했다나. 영혼이라니, 그 양반 욕심도 참.

미루는 일단 마음의 빗장을 풀고 나자 대문까지 활짝 열어젖히더군. 한 달쯤 매일같이 만나다가 아예 짐을 싸서 그녀의 자취방으로 들어갔다네. 그녀가 이발소에서 일하는 동안 난 화집을 뒤적이거나 간단한 데생을 하며 시간을 보냈지. 퇴근하면 함께 장을 보고, 비좁은 주방에서 함께 요리를 하고, 저녁을 먹고, TV를 보고, 서로의 몸을 만지고, 느리고 포근한 섹스를 즐기고…… 쉬는 날에도 어디 놀러가거나 외출을 하지 않았어. 매일 똑같은 일상으로도 충분했으니까. 뭐랄까, 우린 퍼즐 조각처럼 잘 맞았지. 가만히 함께 있는 자체로 서로의 빈자리를 꼭 맞게 채워주는.

그렇다고 그녀가 모딜리아니의 화폭에서 뛰쳐나와 밝고 화사한 르누아르의 화폭으로 옮겨간 건 아니었다네. 미루는 여전히 무심하게 침울했고 감정 표현이 무뎠어. 할 수만 있다면 가죽띠를 팽팽하게 당겨잡고 쓱쓱 문질러서 날을 세워주고 싶었지. 원래 그런 성격이었는지, 그 사건 이후 변한 건지…… 분명히 정신과 치료의 영향도 있었을 거야. 그녀는 그때까지도 아침저녁으로 주방 찬장 깊숙이 숨겨놓은 약을 복용하고 있었거든. 하긴 그 덕분에 그녀의 칼날에 내 목을 맡길 수 있었겠지만.

우리에겐 둘만이 치르는 신성한 의식이 있었다네. 면도. 지금도 그 느낌만은 생생해. 내가 무릎을 베고 누우면 그녀가 손으로 촉촉한 면도거품을 발라주었지. 잘 벼려진 칼날이 얼굴 구석구석을 세심하게 어루만지는 동안 그녀는 위에서 난 아래에서 거꾸로 마주 보고 있는 거야. 그녀가 새끼손가락을 곧게 편 채 나머지 네 손가락으로 초록색 자루를 잡고 면도칼을 다루는 모습이 얼마나 섹시하던지. 마지막 순서로 스킨로션을 손바닥에 덜어 착, 착, 두 번 박수를 치고 마사지하듯 발라주면 피부가 화끈거리며 새로 돋아나는 기분이었어. 미루도 그 시간이 좋았나봐. 수염이 조금만 올라와도 나를 무릎에 눕히고 칼을 갈곤 했지.

행복했냐고? 아마 그랬을 거야. 누군가의 무릎을 베고 편안히 누울 수 있었으니까. 그녀를 만나기 전까지 나를 짓누르던 불안과 공허가 가셨으니까. 자연스럽게 술을 멀리하면서 건강도 회복했고. 하지만 유감스럽게도 그건 오래 지속될 수 있는 성질의 행복이 아니었어. 불안과 공허 속에서도 나를 지탱해주던 그림에 대한 열망까지 함께 가셨으니까. 내 유일한 존재 이유였던.

내가 여기서 뭐 하는 건가? 나의 잔느가 되어줄 여인을 찾아온 건데, 도리어 그림 따윈 뒷전이고 이발소 면도사에게 얹혀사는 룸펜 노릇이라니. 자괴감이 가슴에 묵직하게 얹히기 시작했지. 모든 감정을 묽게 희석시켜 품고 있는 듯한 미루의 표정이, 점차 평온함이 아닌 갑갑함으로 다가왔네. 그녀에게 또다시 상처를 주고 싶진 않았는데…… 아니, 어쩌면 난 그걸 원했는지도 몰라. 내게 필요한 건 그녀의 소박한 기쁨이 아니었던 게야.

　노인은 다시 고개를 돌려 시선을 한동안 허공에 던져두었다. 아련한 추억이 북받치는 것이려니 생각했는데, 습관적인 동작이라고 보기엔 그 각도가 너무 일정했다. 노인의 그윽한 시선을 따라가보니 선반에 진열된 양주병들이 조명을 받아 반짝이고 있었다.

　"맥주 더 시킬까요?"

　"어, 맥주는 배가 불러 더 못 마시겠군."

　당연하시겠지. 내가 두 잔 홀짝일 동안 일곱 잔인가 여덟 잔을 쉬지 않고 비웠으니. 머릿속으로 양주 값과 남은 이야기를 놓고 저울질해봤지만 얼른 답이 안 나왔다. 초상화 속 여인이 노련한 바람잡이처럼 미스터리한 눈웃음을 흘렸다.

　노인은 메뉴판을 꼼꼼히 살피더니 커티샥 십이 년산을 골랐다. 고맙게도 터무니없이 뻔뻔한 선택은 아니었다. 나는 종업원에게 위스키를 주문하고 과일안주도 추가했다. 멋들어진 돛을 활짝 펼치고 커티샥이 테이블에 입항했다. 스트레이트로 한 잔 들어가고 나자 노인의 입이 다시 열렸다.

　"어디까지 했더라?"

　그녀는 내 심경 변화를 예민하게 감지했다네. 그때부터였어. 우리의 포근한 단칸방이 망망대해에서 출렁이는 뗏목으로 변하기 시작한 게. 언젠가 그 선배라는 사람이 말했던 감당하기 힘든 집착과 이상행동의 실체를 알겠더군. 갑자기 화장이 짙어지고, 내 혼잣말에도 과민하게 반응하고, 방바닥에 떨어진 내 머리카락을 서랍에 모아두지를 않나, 하루에도 수십 번씩 집으로 전화를 걸어댔어. 전화를 받지 않았더니 일하다 말고 달려온 적도 한두 번이 아니었다네. 한번은 숨을 헐떡이며 문을 열어젖히는데 손에 거품이 묻은 면도칼이 들려 있더라고. 기겁을 했지. 밤이면 나를 눕혀놓고는 손, 발, 입술, 혀, 가슴, 머리채를 동원해 내 몸 구석구석을 애무하는 거야. 어둠 속에서 그녀의 과장된 신음을 듣고 있노라면…… 어린 창부에게 화대를 듬뿍 찔러준 음탕한 노인네가 된 기분이었어.

미루의 처연한 노력은 나를 더욱 비참하게 만들 뿐이었다네. 다시 술을 입에 대기 시작했고 그게 상황을 악화시켰어. 입에 댄 정도가 아니라 밤낮으로 달고 살았지. 자학의 감정은 나를 꿰뚫고 곧장 뒤에 서 있던 미루를 향하더군. 자네도 알겠지만 술이라는 게 어떤 감정이든 뺑튀기하지 않나. 진폭이 커지는 거지. 가학적으로 폭언과 독설을 퍼붓다가 다음 날이면 엎드려 그녀의 발을 끌어안고 엉엉 울기만 했어. 넌 뮤즈가 아니라 또 하나의 굴레다, 네 영혼의 침묵이 나까지 빨아들인 거다, 잘못했다, 내겐 너뿐이다, 미치겠다, 당장 떠나겠다, 어느 날은 옷을 찢고 거칠게 다리 사이를 파고들고, 어느 날은 갓난아기처럼 젖가슴에 묻혀 잠이 들고…… 술에서 깬 후와 다시 취하기 전까지의 자투리 시간은 에곤 실레의 자화상 같은 얼굴을 하고 방구석에 쪼그려 앉아 있었어.

미루는 그 모든 걸 묵묵히 받아냈지. 그게 부끄러워 나는 또 화가 났고, 화가 나서 또 술을 마셨고. 그녀는 말리지 않았어. 말리기는커녕 항상 술값을 넉넉히 챙겨주고 집에도 술이 떨어지지 않도록 신경

썼지. 차라리 내가 매일 인사불성이 되기를 바라는 눈치였다네. 두 다리로 떠날 기운조차 없도록. 그녀에겐 '어떤 나'가 아닌 '나' 자체가 필요했던 거야. 황송한 노릇이지. 언제부턴가 주방 찬장 안의 약이 줄어들지 않더군. 나는 그녀가 두려워지기 시작했네. 그녀를 떠나지 못하는 나 자신도.

재밌는 건, 그렇게 지지고 볶는 와중에도 성스러운 면도 의식은 계속됐다는 거야. 수염이 까칠하다 싶으면 그녀는 가죽띠에 정성껏 칼날을 벼렸고 난 얌전히 그녀의 무릎을 베고 누웠지. 그녀가 거뭇하게 웃자란 내 수염 위로 새하얀 거품을 바를 때면 묘한 스릴이 느껴졌다네. 고개를 젖히고 그녀를 올려다보며, 난 뭔가 끔찍한 일이 벌어지기를 바랐는지도 몰라. 하지만 그녀는 언제나처럼 능숙한 손놀림으로 주정꾼의 초췌한 얼굴을 말끔하게 만들어줄 뿐이었지. 매번 어긋나는 기대에 지쳐버린 걸까? 어느 날 난 해서는 안 되는 말을 뱉고 말았어. 만취해 폭언을 퍼부을 때도 참았던 말을.

"손목에 그 흉터 말이야……"

칼날이 턱 밑에서 우뚝 멈췄다. 내 앞에서는 항상 왼쪽 손목을 팔찌나 옷소매로 가리고 다니던 그녀였다. 이쯤에서 그만둬야 한다고 생각했지만 알 수 없는 힘이 목구멍 안쪽에서 입술을 잡아벌리고 목소리를 밀어냈다.

"놀랄 거 없어. 결혼식장 일…… 처음부터 알고 있었으니까."

턱 밑에서 파들파들 떨리는 칼날이 느껴졌다. 이상하게도 마음이 편안해졌다.

"그 남자, 그렇게 사랑한 거야?"

미루는 대답이 없었다. 내려다보는 그녀의 눈동자가 설핏 흔들렸다.

"정말로 죽을 생각이었어?"

연한 피부를 누르고 있던 칼날이 떨어져나갔다. 미루는 내 눈길을 피하며 칼날에 묻은 하얀 거품을 신문지로 닦아냈다.

"아니, 쇼한 거야."

그녀가 왼손 검지와 중지로 내 턱을 잡고 뒤로 젖혔다. 평소와 달리 손끝에 단단하게 힘이 들어가 있었다. 칼날이 목의 대동맥 위에 얹혔다.

"왜?"

거침없는 손길이 면도날을 턱 끝까지 한 번에 쓸어올렸다. 칼날이 지나간 자리가 알알하게 시렸다.

"나를 기억하게 하려고. 적어도 그 사람은 평생 나를 잊지 못할 테니까."

아주 잠깐, 그녀의 눈동자에 검은 물그림자 같은 게 스쳐갔다.

"아니, 싫으면 훌쩍 떠나면 그만이지, 왜 그 지경이 되도록 옆에 붙어서……"

여자를 괴롭혔냐는 말은 생략했다. '진드기처럼'이라는 수식어도.

"사랑했으니까."

노인은 눈을 끔뻑이며 대답하고 술을 목구멍으로 털어넣었다. 우문에 현답이로군.

"미루와 나는 만나는 순간 이미 고무줄의 양 끝을 서로의 허리에 비끄러맨 거야. 아무리 서로를 밀쳐내고 반대 방향으로 달려도 우린 연결되어 있었지. 고무줄의 장력이 버티는 한도 내에서는."

장력. 문득 미국으로 떠난 진희가 떠올랐다. 우리들의 장력은 어느 정도였을까? 영화나 드라마에서 사랑은 어지간한 현실적 제약은 가뿐히 뛰어넘는 초능력을 발휘하지만, 현실에서는 번번이 후순위로 밀리며 깍두기 취급받기 일쑤였다. 내가 할 수 있었던 건 영화의 한 장면처럼 공항 게이트 너머로 손을 흔들어주는 것뿐이었다. 포스트 잇처럼 깔끔한 이별이었다. 이 년이라는 시간을 감안한다면, 청테이프의 그악스런 흔적까지는 아니더라도 스카치테이프의 투명한 끈적임 정도는 남아도 좋았으련만.

나도 잔을 들어 술을 목구멍으로 털어넣었다. 노인이 내 잔과 자신의 잔을 차례로 채웠다.

"하지만 언제까지 그렇게 버틸 수 있겠나. 하루하루 이어붙여가기 급급한 날들을. 막연한 파멸의 예감이 목을 죄어오더군. 결국 내가 먼저 허리에 묶인 매듭을 풀어버린 거야. 팽팽하게 당겨졌던 고무줄이 총알처럼 날아가 그녀의 등짝을 후려칠 줄 알면서도."

저 나무 보고 싶다. 어느 날 멍하니 TV를 보고 있던 그녀가 웅얼거렸어. 고개를 돌리니 코끼리 다리 같은 줄기가 하늘을 향해 곧게 뻗은 거대한 나무가 TV 화면을 채우고 있더군. 우산을 쓴 것처럼 윗부분에만 가지들이 수평으로 퍼진 생소한 모양새였어. 남자 성우가 단정한 음성으로 나무에 대해 설명하더군. 바오밥나무는 아프리카 주술사들에 의해 예로부터 신성한 나무로 여겨졌다, 속이 빈 줄기에 구멍을 뚫어 사람이 살기도 하고 시신을 매장하기도 한다. 가지가 퍼진 윗부분이 뿌리처럼 보여 신이 거꾸로 심은 나무라는 전설도 전해온다. 평균수령이 오천 년에 이른다…… 바오밥나무. 《어린 왕자》에 등장하는 나무라는 정도만 알고 있었지, 실물을 보기는 나도 처음이었어. 아프리카의 선홍빛 노을을 배경으로 수십 그루의 바오밥나무들이 거대한 석상처럼 우뚝 솟은 풍경은 장관이었다네. 저 나무 보고 싶다. 그녀가 무릎을 끌어안고 넋 나간 사람처럼 되풀이했지. 그 힘없는 넋두리가 홑겹 티슈처럼 방 안을 너풀너풀 떠다녔어. 벌떡 일어나 잡아채 휴지통에 구겨넣고 싶은 마음 때문이었나봐. 내 입에서 그런 말이 튀어나온 건. 가자, 우리.

지금 생각해보면 무언가에 홀렸던 것 같아. 아프리카 오지와 김포 변두리의 단칸방 사이에서 흔적도 없이 사라졌어야 할 흰소리가, 단 며칠 만에 현실이 되어버렸어. 바오밥나무였겠지. 그 수천 년 묵은 요괴가 지구 반대편에서 TV 화면을 통해 내게 최면을 건 거야. 어서 오라. 이곳에 너희를 위한 제단이 준비되어 있다.

난 여기저기 안면이 있는 사람은 모두 찾아다니며 푼돈을 긁어모았네. 다큐멘터리의 배경이 된 마다가스카르에 관한 정보를 수집하고 여권을 만들고 항공편을 예약하고 짐을 꾸리고…… 정신을 차려보니 그녀와 난 방콕으로 가는 비행기에 앉아 있더군. 우리는 방콕에서 마다가스카르의 수도인 안타나나리보 행 비행기로 환승했고, 거기서 다시 비행기를 바꿔타고 모론다바라는 해안 도시로 날아갔어. 호텔을 잡고 짐을 풀자마자 다시 차를 타고 비포장도로를 두 시간쯤 달렸지. 드디어 자취방 TV에서 봤던 바오밥나무 군락지에 도착했는데, 거기엔…… 바오밥나무가 있더군. 그래, 가장 단순한 말로 표현할 수밖에 없는 순간이 있는 법이라네. 인간이 만들어낸 어떤 수식어도 누가 될 수밖에 없는. 우리는 아프리카 초원에 나란히 앉아 하늘을 움켜쥔 거대한 나무들을 하염없이 바라보았지.

맙소사, 오천 년이라니…… 그럼 저 나무들 중에는 이순신 장군이 거북선을 지휘할 때에도, 예수가 십자가에 못 박힐 때에도, 소크라테스가 독배를 마실 때에도, 석가모니가 '천상천하 유아독존'을 외칠 때에도, 이집트 노예들이 피라미드를 쌓을 때에도, 살아서 저 자리를 지킨 나무가 있다는 건가. 그럼 저 어린 나무들은 앞으로 인간 세상이 또 그 정도의 변화를 겪을 동안 살아간다는 건가. 신령함을 넘어 두려움이 엄습하더군. 그 위압적인 세월을 조롱이라도 하듯, 핏빛 노을은 불현듯 나타나 채 오 분도 머물지 않고 떠나갔다네. 끈적하게 땀이 밴 손이 겨드랑이를 파고들더니 팔짱을 끼어왔어. 미루는 해맑게 웃고 있더라고. 눈에 눈물이 고인 채로. 지평선 너머로 사라지기 직전, 바오밥나무들을 모조리 태워버릴 듯한 아프리카의 석양이 그 눈물에 고스란히 담겨 뺨을 타고 흘러내렸지. 아마 그때 마음의 결정을 내렸던 것 같아. 처음부터 그럴 생각은 아니었는데……

우리는 대부분의 시간을 바오밥나무 군락지에서 보냈다네. 필수 관광코스라는 칭기 국립공원이나 노지베 섬도 둘러보았지만 미루의 관심은 오직 바오밥나무뿐이었어. 비포장도로를 왕복 네 시간이나 달려야 하는 고충을 마다 않고 매일같이 가자고 졸랐지. 한번은 이런 일도 있었다네. 구멍이 뚫린 고사목을 하나 발견했는데 그녀가 대뜸 구멍 안으로 들어가더니 천연덕스럽게 몸을 웅크리고 눕는 거야. 한참을 움직이지 않기에 살펴보니 잠이 들었더라고. 어찌나 곤하게 자던지 차마 깨울 수가 없었어. 반나절 만에 일어난 그녀는 눈을 비비며 배시시 웃기만 했지.

꿈꾸는 듯한 표정으로 아프리카 초원을 거니는 미루를 보고 있노라면, 보이지 않는 튜브를 통해 바오밥나무들로부터 영기靈氣를 수혈 받는 것 같았어. 그림에 덧칠을 하는 것처럼 그녀는 하루하루 변해갔지. 조금씩이나마 얼굴에 표정이 생기고, 늘 어색하고 뻣뻣하던 몸놀림도 한결 자연스러워지고. 이곳에서 아무것도 하지 않고 미루와 평생 사는 건 어떨까. 그런 생각을 했다네. 아주 잠깐이었지만.

마다가스카르에 도착한 지 열흘째 되는 날, 난 동이 트기 전에 침대에서 일어났어. 미루의 여린 숨소리가 어둠 속에서 나지막하게 울리더군. 난 조용히 옷을 걸치고 전날 꾸려놓았던 가방을 챙겨 방을 빠져나왔지. 프런트에 일행은 며칠 더 묵을 거라 말하고 남은 돈을 털어 숙박비를 선불로 지불했네. 미리 부탁해놓은 지프에 오르기 전, 내가 빠져나온 호텔방을 올려다보았지. 불이 켜져 있더군. 커튼 뒤에 여자의 실루엣이 서 있었어. 무기력하게 양팔을 늘어뜨리고 고개를 살짝 기울인 길쭉한 실루엣이. 난 지프 뒷좌석에 몸을 던지고 문을 닫았네. 차는 요란한 소리를 내며 공항으로 출발했지.

"아니, 미루 씨를 거기 혼자 놔두고 도망쳤다는 말입니까? 아프리카 오지에?"

나도 모르게 목청이 높아지며 억양이 부자연스럽게 꺾였다.

"응."

노인은 태연하게 고개를 끄덕였다.

"어떻게 그럴 수가 있습니까? 헤어지더라도 한국에 돌아와서 깔끔하게 정리했어야지. 그게 매너죠."

"어쩔 수가 없었어. 그녀와 난 완전한 한 쌍이었으니까. 우리가 다시 갈라져야 한다면 바오밥나무가 우거진 그곳이 그녀에게 어울린다고 생각했어. 김포 귀퉁이의 낡은 이발소가 아니라."

"무슨 소립니까, 그건?"

노인은 술병 라벨에 그려진 범선을 한참이나 쳐다보다가 입을 열었다.

"그런 얘기 있지 않나. 원래 인간은 네 개의 팔과 네 개의 다리와 반대쪽을 바라보는 두 개의 얼굴을 가진 자웅동체였는데, 인간의 힘을 두려워한 신이 반으로 갈라놓았다고. 그래서 인간은 평생 자신의 반쪽을 그리워하며 찾아헤매는 거라고."

"어디서 들은 것도 같네요."

"찾으면 어떻게 될까? 원래 한 몸이었던 자기 반쪽을 운 좋게 찾으면. 어이구, 반가워요, 하며 다시 변신 합체해서 오래오래 행복하게 살게 될까? 네 개의 팔과 네 개의 다리와 두 개의 얼굴을 가진 괴물로? 글쎄…… 우린 너무 오랜 세월을 반쪽으로 살아왔어. 그 불완전한 몸뚱이에 더 익숙해진 거야. 완전함에 대한 막연한 동경을 갉아먹고 사는 생활에. 그러니 어쩌겠나. 나의 오리지널 반쪽임을 확신한 순간, 이젠 달아나기 위해 발버둥치는 수밖에. 거센 인력에 필사적으로 저항하면서. 나와 미루처럼."

"아무리 그래도 그건 범죕니다. 범죄. 그녀에게 무슨 일이 생길 줄 알고."

노인은 피식 웃었다.

"걱정 말게. 진짜 범죄는 아직 시작도 안 했으니까."

난 무도의 아틀리에로 돌아왔네. 돌아올 곳은 거기밖에 없었으니까. 이 년 만에 다시 찾은 아틀리에는 완전히 흉가로 변해 있더군. 실내 전체에 잿빛 천을 덮어놓은 것처럼 먼지가 쌓였고 바닥에 굴러다니는 쥐똥이며, 여기저기 꺼멓게 썩어들어간 마룻장, 울긋불긋 녹이 앉은 수도관…… 구석에 거미줄을 뒤집어쓰고 있는 이젤과 화구박스를 보니 가슴이 먹먹하더라고. 나는 가난하여, 가진 건 오직 꿈뿐이라.

미루에 대해서는 아무런 죄책감도 들지 않았어. 희미한 감정의 동요조차 일지 않고 이상하리만치 고요하더군. 그녀를 만나고, 함께 지내고, 아프리카에 버려두고 온 게 마치 삼십 년 전의 일처럼 느껴지는 거야. 회한도 그리움도 없이, 그냥 그런 일이 있었다는 아렴풋한 기억뿐. 며칠 지내다 보니 알게 됐지. 그녀를 마음에서 떨쳐내기 위해 내가 삼십 년의 시간을 진하게 우려내어 단번에 들이켰다는 걸. 앞으로는 똑같은 날들만이 지루하게 이어지리라는 걸. 별수 있나. 견디는 수밖에. 오천 년을 그러고 있는 친구들도 있는데. 더 이상 해야 할 일은 아무것도 없다고 생각했다네. 반년쯤 지난 어느 날 밤 그녀가 불쑥 여행가방을 들고 나타나기 전까지는.

"미루⋯⋯"

그녀는 타박타박 걸어들어와 침대 곁에 여행가방을 내려놓았다. 반년 전 남대문시장에서 구입했던 베이지색 체크무늬 가방이었다. 보자마자 이름을 불러놓고도 나는 확신할 수가 없었다. 정말 미루가 맞는 걸까? 멍하니 허공을 더듬는 눈길이며 겨울나무처럼 앙상한 몸피, 까슬하게 메마른 입술, 모딜리아니의 화폭 속에서 걸어나온 듯한 모습. 갈색으로 그을린 피부 외에는 변한 게 없었다. 하지만 그녀는 왠지 내가 아는 미루가 아닌 것 같았다.

그녀는 침대에 걸터앉아 목운동을 하듯 고개를 한 바퀴 돌려 주위를 둘러보았다.

"여기가 당신 아틀리에구나. 안 그래도 꼭 와보고 싶었는데."

"여긴⋯⋯ 어떻게 알고 찾아온 거야?"

"뭘 그렇게 놀라. 당신도 나를 찾아왔었잖아."

미루는 입을 벌리고 배시시 웃었다. 나는 아틀리에 한복판에 어정쩡하게 서서 어찌할 바를 몰랐다.

"언제 돌아왔어?"

"지금 막."

"왜⋯⋯ 온 거야?"

미루가 일어나 수줍은 소녀처럼 뒷짐을 지고 다가왔다. 우리의 몸이 맞닿을 때까지 다가오더니, 까치발을 딛고 갈고리를 걸듯이 내 왼쪽 어깨에 턱을 얹었다. 그리고 속삭였다.

"사랑해."

이상한 일이었다. 압축된 삼십 년의 시간 속에서 닳아 없어졌다고 생각한 '사랑'이라는 단어가, 그 순간 막 캐낸 다이아몬드 원석처럼 빛났다. 미루의 팔이 부드럽게 늘어나더니 내 허리를 휘감았다.

"나를 그려줘. 당신의 그림이 되고 싶어."

나를 그려줘. 그 나직한 속삭임이 마법의 주문이었네. 그간 우리가 쌓아온 감정들은 모두 흩날려 사라지고, 어디선가 또 하나의 심장이 뛰는 것처럼 십 년 전의 예술혼이 다시 피돌기를 시작하더군. 마치 그 한마디를 위해 우리는 만나고 사랑하고 싸우고 도망쳤다는 생각까지 들었다네.

이튿날부터 당장 작업을 시작했지. 이젤을 세우고 붓과 팔레트, 나이프, 물감, 용제 등의 화구를 꺼내는데 손끝이 저릿하더군. 작품 구상에도 오랜 시간이 걸리지 않았네. 난 미루에게 발가벗고 침대에 엎드려 누운 포즈를 주문했지. 눈을 감고 아프리카에서 보낸 시간을 떠올리라고. 그 여윈 몸뚱이가 아틀리에를 꽉 채우는 느낌이었어. 그곳을 거쳐간 모든 여자들이 그녀 안에 숨 쉬고 있는 것처럼. 그리고 그녀와 나 사이에는 하얀 캔버스가 놓여 있었지.

정말 아틀리에를 처음 마련한 그 시절로 돌아간 기분이더군. 하지만 그때와는 달랐네. 불후의 명작을 남기겠다는 야심도, 세상의 인정에 대한 욕망도, 버텨내야 할 고독도 없었어. 오로지 눈앞의 그녀를 그리고 싶다는 순수한 갈망뿐. 그녀와 함께한 원색의 시간들이 팔레트 위에서 혼합되고 붓과 나이프가 춤을 추며 그 시간들을 캔버스로 옮겼지.

두 달여의 작업 끝에 드디어 첫 번째 작품을 완성했다네. 아프리카

초원에 팔을 베고 누워 꿈을 꾸고 있는 미루. 배경에는 마다가스카르의 핏빛 노을과 바오밥나무를 그려넣었어. 풀어헤친 머리채가 나무뿌리처럼 그녀와 대지를 이어주었고, 수수께끼 같은 표정은 그녀의 꿈을 엿보고 싶은 호기심을 불러일으켰지. 이전의 어떤 작품보다도 만족스러웠다네. 드디어 화폭에 꿈틀거리는 생명력을 불어넣었다는 기쁨. 가슴이 뻐근하게 당겨왔어. 마지막 붓질을 마친 후 기진맥진해서 침대에 몸을 던졌지. 아마도 헤벌쭉 웃는 표정으로 잠들었을 거야. 캔버스 속 미루가 일어나 아틀리에를 돌아다니는 꿈을 꾸었어. 그녀의 머리채는 아프리카의 대지에 연결된 채 고무줄처럼 늘어났고. 그런데 잠에서 깨어보니……

　여전히 꿈속인 줄 알았다. 벌거벗은 미루가 이젤 앞에 우두커니 서 있었다. 대각선으로 길게 찢긴 캔버스와 그녀의 손에 들린 날카로운 팔레트나이프. 머릿속에서 그 둘을 연결시키는 데 잠시 시간이 걸렸다. 난 튕기듯이 일어나 그녀에게 달려갔다.
　"너…… 너…… 무슨 짓을 한 거야!"
　미루는 캔버스 위 반으로 잘린 자신의 몸뚱이를 내려다보며 중얼거렸다.
　"이건 내가 아니야."
　그녀가 고개를 들어 나를 보는 순간 나도 모르게 한 발짝 뒤로 물러섰다. 그녀의 투명한 눈동자 안쪽에서 시뻘건 마그마 같은 게 흘러가는 걸 보았다.
　"나를 그려줘…… 당신 마음속에 있는 진짜 나를."

조용히 읊조리는 그녀에게 나는 아무런 대꾸도 할 수 없었다. 허리가 잘린 그녀는 여전히 수수께끼 같은 표정으로 꿈을 꾸고 있었다. 갈라진 마다가스카르의 하늘 사이로 썩은 마룻장이 들여다보였다. 나는 비틀거리며 새 캔버스를 가져와 이젤에 걸쳤다.

다시 밤낮으로 작업에 매달렸다네. 내 마음속에 있는 진짜 미루…… 이번에는 그녀에게 특별한 포즈를 주문하지 않았어. 그저 그녀를 보며 떠오르는 느낌을 따라 바로 칠을 시작했지. 몸이 서서히 달궈지면서 팔레트와 캔버스를 오가는 손길이 절로 빨라지더군.

두 번째는 반추상에 가까운 그림이 나왔다네. 기하학적 무늬의 벽지가 발린 작은 방에서 미루가 비정상적인 각도로 몸을 뒤틀고 있었지. 춤을 추는 것도 같고 절규하는 것도 같은 몸짓. 육체는 벽지에 스며들 것처럼 경계가 희미했고, 눈, 코, 입이 어긋난 얼굴은 표정을 잃었어. 아니, 타인이 감지할 수 없을 뿐 더욱 강렬한 표정을 드러내고 있었지. 내겐 생소한 화풍이었지만 작품은 처음 것보다 훨씬 더 흡족했다네. 마무리 붓질을 하는 동안 가슴이 떨려 잠시 손을 멈춰야 할 정도였어. 하지만 최종 마무리는 내가 하는 게 아니었지.

미루와 나란히 서서 완성된 그림을 감상하는데 숙제 검사를 받는 아이가 된 것 같더군. 이번엔 도장을 찍어주겠지. 하지만 물끄러미 그림을 바라보던 그녀가 팔레트나이프를 집어들었어. 팽팽하게 당겨진 캔버스가 갈라져 터지는 소리. 다리가 풀리며 나도 모르게 털썩, 무릎을 꿇었지. 그녀가 다가와 내 머리를 감싸안고 토닥여주었어. 나를 그려줘…… 진짜 나를.

세 번째 그림도, 네 번째 그림도 모두 퇴짜였어. 미루는 캔버스를 시원스럽게 찢어발긴 후 차분한 음성으로 새로운 그림을 그려달라고만 했지. 나는 또다시 허공에 뻥 뚫린 하얀 아가리 앞에 앉아야 했고. 감히 거역할 수도 없었다네. 그녀를 이곳까지 끌어들인 건, 결국 나였으니까.

그리고, 찢고, 그리고, 찢고…… 몇 점이나 그렸는지 기억도 나지 않아. 그림이 거듭될수록 미루의 모습은 점점 뒤틀리고 뭉그러졌어. 갈색으로 그을린 부드러운 누드는 형체를 알 수 없는 고깃덩어리로 변해갔지. 그마저도 잘리고 찢겨 사방으로 흩어지기 시작했어. 눈, 코, 입이 제자리를 이탈해 뒤섞이다가 결국 형체마저 희미해지고, 그녀의 표정은 순간순간 돌변했지. 분노하는 것 같다가 어느새 활짝 웃고, 웃고 있는 줄 알았는데 끔찍한 비명을 내지르고, 찡그리다가 무표정으로, 무표정에서 무無로.

난 제대로 먹지도 씻지도 않고 잠도 거른 채 이젤 앞에만 붙어 있었다네. 오로지 내 마음속에 웅크린 그녀를 끄집어내야 한다는 강박뿐이었어. 진짜 그녀를. 그림은 점차 의미를 알 수 없는 추상화가 되어가더군. 반면 내 모습은 렘브란트 풍으로 명암이 강조된 광인의 초상이 되어갔고. 움푹 팬 뺨에 하관을 뒤덮은 수염, 어깨까지 늘어진 떡진 머리칼, 입에서 풍기는 썩은 냄새. 하나의 작품을 끝내면 찾아오는 찰나의 환희는 그녀의 한마디로 가차 없이 날아갔지. 이건 내가 아니야.

모든 일에는 한계란 게 있는 법이라네. 그 미치광이 같은 작업에도 한계가 찾아왔지. 아무런 형체도 남지 않은, 캔버스에 원색의 물감 반죽만 떡칠해놓은 작품을 미루가 또다시 찢었을 때, 난 그녀에게 달려들어 팔레트나이프를 빼앗았어. 그리고 그녀의 목과 어깨가 만나는 지점에 깊숙이 박아넣었지. 카드뮴레드 빛깔의 핏줄기가 힘차게 뿜어져나오더군. 쓰러진 그녀를 올라타고 나이프를 휘두르고 또 휘둘렀어. 나이프 날이 부러져나가고, 자루만 거머쥔 주먹을 계속 휘둘렀지. 짓이겨지는 그녀의 얼굴에서 형체와 표정이 사라져갔다네. 내 그림 속의 그녀처럼.

노인은 이쑤시개로 키위 두 조각을 한 번에 찍어 입안에 집어넣었다. 물컹거리는 시큼한 과육의 감촉이 내 입에까지 전해지는 느낌이었다. 내가 지금 살인자와 술을 마시고 있다니.

"한참 후 정신이 돌아왔을 때에야 내가 무슨 짓을 저질렀는지 알게 되었지. 얼굴이며 손이며 옷에 온통 피칠갑이었어. 미루, 내 반쪽의 피. 하지만 후회는 없었다네. 왠지 처음부터 예정되어 있던 일이라는 생각이 드는 거야. 난 배우처럼 그 역할을 충실히 해냈을 뿐이고. 그런데 자네, 표정이 왜 그런가?"

"아니, 영감님이…… 갑자기 사람을 죽였다니까. 그래서 어떻게 하셨나요?"

"어쩌긴, 얼굴만 대충 닦고 파출소로 가서 자수했지."

"그럼 옥살이를 하신 건가요?"

"아니."

"어째서요?"

"미루가 죽지 않았거든."

이건 또 무슨 뚱딴지같은 소린가.

피투성이 몰골로 파출소 문을 밀고 들어가자 난리가 났지. 난 차분하게 자초지종을 설명하고 경관들을 범행 현장인 아틀리에로 안내했다네. 그런데…… 시체가 없어진 거야. 내가 나올 때까지만 해도 아틀리에 한가운데 뻗어 있던 그녀가. 분명히 내가 여기서 미루라는 여자를 죽였다. 팔레트나이프를 흉기로 사용했다. 누가 그새 시체를 치운 게 틀림없다. 아무리 소리쳐도 경관들의 표정은 점차 싸늘해지더군. 난 피 묻은 셔츠를 벗어 들이밀며 나의 유죄를 주장했지. 왜 그런지, 그 순간에는 기필코 미루의 살인범임을 공인받아야 한다는 생각뿐이었다네.

셔츠를 살펴보던 경관이 고개를 갸웃거리며 말하더군. 이거 물감 같은데. 빨간 물감. 난 그럴 리가 없다며 셔츠를 빼앗았지. 물감이 맞더라고. 내가 애용하던 카드뮴레드. 누군가 날 만화경 속에 처넣고 빙글빙글 돌리는 것 같았어. 어지러워 그 자리에 풀썩 주저앉았지. 경관들은 피식거리며 한마디씩 던지고 돌아갔다네. 병원에 가보라는 둥 몸 챙기면서 예술 하라는 둥 또 이러면 공무집행방해로 처벌을 받는다는 둥.

내가 미친 거냐고? 솔직히 나도 그런 줄 알았어. 도대체 어디까지가 실제로 있었던 일인지…… 하지만 며칠 후 난장판이 된 아틀리에를 정리하다가 알게 됐지. 미루가 어디로 사라졌는지를. 찢어지고 부서진 캔버스들 틈에 빨간 물감이 덕지덕지 묻은 멀쩡한 캔버스 하나가 있더라고. 새 캔버스에 물감을 뿌리다니. 이상했지. 그런데 말

이야, 뒤로 물러나서 보니 그건 고개를 갸우뚱하게 기울인 여자의
형상이었어. 흩뿌려진 점들과 흘러내린 선들로 절묘하게 그려진 미
루의 초상. 난 우두커니 서서 하얀 캔버스에 빨간 흔적으로 남은 그
녀를 하염없이 바라보았지. 웨딩드레스에 뿌려진 선혈 같은 그녀를.
창으로 불어들어온 눅눅한 바닷바람이 귓전에 속삭이더군. 당신의
그림이 되고 싶어.

"그녀가 그림 속으로 들어갔다는 말입니까?"

노인은 지그시 고개를 두 번 끄덕이고 술잔을 던지듯이 입안에 위
스키를 털어넣었다.

"그 그림, 영감님이 새로운 기법으로 그린 걸 수도 있잖아요? 그때
상태가 안 좋으셨으니……"

'알코올중독'이란 표현은 자제했다. '광인'이란 표현도.

"자네 눈으로 직접 보지 않았나."

노인이 턱짓으로 테이블 위의 초상화를 가리켰다.

"그날 이후 내가 그리는 그림은 전부 미루의 초상화로 변했다네.
사람을 그리면 이목구비와 얼굴 윤곽이 보일 듯 말 듯 변해가더니
어느새 미루가 나를 쳐다보고 있는 거야. 풍경이나 정물을 그려도,
꿈이나 공상을 그려도 마찬가지였어. 착시를 이용해 두 가지 그림이
보이도록 하는 작품처럼, 캔버스에 그려넣은 형상들이 교묘하게 움
직여 미루의 모습을 화폭에 띄우더라고."

출입구 쪽이 소란스러워지더니 손님들 두 팀이 연이어 들어왔다.
턱을 괴고 인터넷을 하고 있던 종업원은 갑자기 바빠졌다. 그새 날

이 저문 모양이었다. 노인은 옆자리에 벗어놓았던 야상을 걸치고 화구가 든 배낭을 집었다.

"그림 안 그린 지도 오래됐어. 그래도 배운 게 도둑질이라고 막걸리 값이나 벌어볼까 나온 건데, 이젠 이 짓도 못하겠군."

노인은 자리에서 일어서는 것과 동시에 절반 정도 남은 커티샥 병을 배낭에 챙겨넣었다. 빠르지도 느리지도 않은 우아한 동작이었다.

"잘 마셨네."

노인은 어깨 너머로 손을 흔들며 멀어져갔다. 나와 초상화를 남겨놓은 채로.

계산을 하고 밖으로 나오니 벌써 어스름이 내린 후였다. 이십일만 오천 원. 꽤 비싼 이야기였다. 과연 그만한 값어치가 있는 은둔 고수의 비사를 엿들은 걸까? 상식적으로 판단하자면 난 관록의 허풍선이에게 바가지를 쓴 꼴이었다. 하지만 그 상식적인 판단을 일거에 뒤집을 수 있는 확실한 물증이 바로 내 손에 있었다.

마로니에공원의 가로등 아래서 초상화를 펼쳤다. 그녀는 여전히 의미를 알 수 없는 모호한 미소만 짓고 있었다. 정말 노인의 그림 속으로 들어가 이렇게 사방에 출몰하시는 겁니까? 그런데 초상화를 계속 들여다보고 있자니, 희끄무레한 불빛 아래 드러난 얼굴이 어쩐지 낯익은 느낌이었다. 머릿속으로 진희를 떠올려 그림과 비교해보았다. 떠난 지 얼마나 됐다고 그녀의 얼굴이 빙판 아래 묻힌 것처럼 흐릿했다. 그래도 한 부분씩 떼어서 자세히 관찰하다 보니 차분하면서도 장난기 서린 눈맵시만은 분명 진희였다. 틀림없었다. 눈은 마음의 창이라고 하지 않나. 눈에 초점을 두고 다시 전체 얼굴을 살펴보았다. 그림이 정말 변한 걸까? 사실 처음부터 진희와 판박이도 아니지 않나. 볼수록 야릇한 초상화였다. 마치 이번에는 진희가 분장한 채 시치미 뚝 떼고 있는 것 같았다. 얼굴도 모르는 미루라는 여자로.

조현
그 순간 너와 나는

1969년 전남 담양에서 태어났다. 2008년 《동아일보》 신춘문예에 단편 〈종이 냅킨에 대한 우아한 철학〉이 당선되어 등단했다. 소설집 《누구에게나 아무것도 아닌 햄버거의 역사》가 있다.

1

철로가 길게 늘어져 있었다. 멀리 남쪽으로부터 흘러온 곡선이, 혹은 언젠가 다시 거슬러야 할 궤도가 아직은 쌀쌀한 초봄의 햇볕에 반짝였다. 어지럽게 교차하는 철로들, 국철의 오래된 담벼락. 그 밑으로 잿빛으로 말라버린 지난 시절의 풀들.

장례식장과의 거리를 따지자면 2호선으로 환승해서 한 정거장을 더 가야겠지만, 나는 중앙선 왕십리역에 내렸다. 그리고 잠시 숨을 고르는 것처럼 멀리 누워 있는 철길을 보면서 어린 시절의 추억을 매만졌다. 왠지 그래야 할 것 같았다. 아무렴, 나는 길 위에 서 있으니까. 그리고 여전히 살아 있으니까.

그렇다. 죽은 이를 만나기 위해서는 마음의 준비가 필요한 법이다. 죽은 이가 어린 시절 절친했던 친구여서 한여름이면 같이 윗옷을 벗고 등목을 하거나 만우절이면 담임에게 같은 반 급우의 부모님이 돌아가셨다는 가짜 쪽지를 보게 만들어 순진한 선생님의 얼굴에서 눈물을 흘리게 했던 사람이라면. 그리고 그가 중학교를 졸업하면서 강남에 새로 지은 아파트로 이사 갈 때 그동안 모은 만화책과 함께 《선데이 서울》 같은 잡지에서 가장 야한 얘기만 오려서 만든 기사집을 주고 간 친구라면. 우리는 자주 그걸 '선데이 서울 특별판' 혹은 '진짜 선데이 서울'이라고 불렀다.

어쩌면 그 시절 친구들과의 추억은 과장되어 있을지도 모른다. 아무려면 어떤가. 이를테면 언젠가 교탁 위 출석부에 넣어둔 거짓 쪽지에 선생님이 조용히 눈물을 흘렸지만, 장난을 친 우리 사인방 외에는 그 누구도 선생님이 왜 출석부를 펴자마자 울어버렸는지 알지 못했다. 그러나 그 후로 난 어리석고도 얄궂은 장난에 진심으로 눈물을 흘리는 사람이 있음을 알게 되었고 모든 벌어진 일들은 이미 손으로 다시 쓸어담을 수 없는 곳으로 흘러가버린다는 것을 알게 되었다. 그러나 난 거슬러야 했다. 나는 여전히 살아 있고 이제 곧 만나야 할 사람, 더불어 반드시 물어야 할 질문이 있으니까.

내가 한강 고수부지 공원에서 딸을 잃어버린 것은 사람들의 입에 '밀레니엄 버그'라는 말이 오르내릴 무렵이었다. 그러니까 거의 십 년의 세월이 흐른 셈이다. 어쩌면 그것은 백악기처럼 멀리 느껴지기도 하고 한편으로는 바로 엊그제 일인 듯 생생하기도 하다. 지금도 나의 왼손에는 마지막으로 손을 잡고 여의도의 벚꽃 사이를 걸었던 딸아이의 온기가 남아 있는 듯하다. 그리고 아이가 들고 있었던 색색의 풍선들도 그즈음 찍은 폴라로이드 사진처럼 영원히 씻을 수 없는 탁한 색채로 굳어버렸다.

그건 유괴였을까? 어쩌면 그럴지도 모른다. 그러나 범인으로부터는 아무런 연락이 없었다. 아니면 사고였을까? 그렇지만 딸애가 물에 빠지는 것을 본 사람도, 그리고 시신도 발견되지 않았다. 고수부지에 벚꽃이 만발하고 흩날리는 꽃잎처럼 사람이 많았음에도 불구하고 말이다. 어쨌거나 산 것도 아니고 그렇다고 죽은 것도 아닌 채로 아이를 잃어버린 초창기에는 어디든 찾아다녔지만 아무런 소득이 없었다.

아이를 잃어버린 것은 순식간의 일이었다. 고수부지에서 거래처와 중요한 사업상의 전화를 하느라 잠깐 손을 놓았는데 그걸로 끝이었다. 전화를 마치고 난 후 딸애를 찾아보았지만 다시는 아이를 볼 수 없었던 것이다. 그리고 오랜 시간이 흘렀다. 나는 이 세월 동안 수없이 생각했다. 전화하는 동안 계속 손을 잡고 있었어야 했다거나, 혹은 아이의 옷에 이름표를 붙여놨어야 했다거나, 혹은 이리저리 풍선 꾸러미를 들고 있는 아이들을 쫓아다닌 대신 바로 경찰에 신고했어야 했다거나, 혹은, 혹은, 그리고 수많은 혹은……

어쨌거나 그 일이 있고 난 후 몇 년의 시간이 흐르자 주위에서는 점차 포기하라고 권유하기 시작했다. 자주 초점을 잃은 눈빛을 보내는 아내와도 헤어졌으며 그 후로 난 자주 손을 자해하는 꿈을 꿨다. 그렇게 땀에 젖어 깨는 새벽이면 이루 말할 수 없는 비애에 젖어 나의 빈 손을 들여다보았다. 그깟 전화가 뭐라고 아이를 놓친 손. 떨리는 마음으로 앨범을 뒤적여 아이의 얼굴이 선명하게 나온, 동시에 누구라도 한번 보면 꼭 찾아주고 싶을 만큼 측은하게 보이는 사진을 고르던 손. 이런 일이 아니라면 평생 한 번 가보지 못할 낯선 동네에서 아이의 사진이 새겨진 전단지를 나눠주던 손.

그렇게 십여 년이 흐르고 제보 전화도 그에 비해서 점점 줄어들었지만, 나는 때때로 딸아이의 시신을 발견하고 오열하는 꿈을 꾸기도 하였다. 그리고 꿈의 맨 마지막에서 항상 나는 안도하였다. 한껏 울수 있으니까, 그리고 잊을 수 있으니까.

　내가 친구 민혁의 부고를 접한 것은 점심 나절, 운영하던 회사에서 의뢰받은 주문서를 살펴보고 있을 때였다. 부고를 듣는 순간 내 안의 무언가가 터지는 소리를 들었다. 사실 민혁의 부음은 이미 예견된 일이었다. 위암 말기로 병세가 위중하다는 얘기를 들은 것이 벌써 지난 연말이니 민혁은 나름대로 오래 버틴 셈이었다. 빈소는 예전부터 입원해 있던 왕십리 쪽 대학병원의 장례식장이었다. 난 사무실 한 켠의 옷장을 열어 검정 양복을 꺼내입었다. 양복 안주머니에서는 오래된 편지의 촉감이 느껴졌다. 난 양복 아래에 둔 가방을 들고 사무실을 나섰다. 어쩌면 난 언젠가부터 이 소식을 기다렸는지 모른다.

　그러자 내 자신이 약간은 혐오스러워졌다. 언젠가 민혁을 위시한 친구들과 함께 덫에 갇힌 쥐를 물이 가득한 양동이에 집어넣을 때처럼 말이다. 그 후로 한동안 난 헛구역질을 했지만 사실 인생이 그런 게 아닌가. 누구나 다 자기 안에 약간의 역겨운 기억들을 축적하며 보다 큰 혐오를 이겨내는 법이 아니던가. 그러니까 그것은 일종의 예방주사인 셈이다. 몸 안에 약간의 더러운 균을 집어넣어 오히려 목숨을 이어가게 만드는 예방주사의 역설 말이다. 그렇게 생각하자 약간은 마음이 편해졌다. 더불어 나는 오늘 밤 간절하게 기다려야 할 사람이 있음을 알았기에 차분하게 넥타이를 매고 사무실을 나섰던 것이다.

그리고 한 시간, 왕십리역 광장에 서자 새삼스럽게 달라진 풍경들이 눈에 들어왔다. 왕십리 역사 앞 광장은, 과시 욕구에 사로잡힌 독재자들의 광장만큼은 아니었지만 한때 이곳에서 십 년도 넘게 살던 나로서는 꽤나 생경한 풍경이었다. 대형극장 체인이 입점한 민자 역사를 비롯하여 못 보던 건물들이 여럿 솟아 있었고 옛날 미군부대였던 자리에는 구청과 아파트 단지가 들어서 있었다. 산동네였던 행당동과 금호동 쪽은 산이 깎여나가고 지형이 뒤틀린 채 거대한 아파트 군락이 생겨나 있었다. 몰라보게 뒤바뀐 랜드스케이프를 보니 그 옛날 시골에서 상경하여 처음 이 왕십리역에 내리던 어린 시절이 떠올랐다.

2

내가 시골에서 부모님을 따라 서울에 왔을 때 처음 자리 잡은 곳이 이곳 왕십리였다. 그건 1980년도의 일이었고, 그때 난 열두 살이었다. 처음 왕십리역에 내릴 때가 지금도 생각나는데, 막 해가 질 무렵이어서 역사는 온통 핏빛으로 물들어 있었다. 왕십리의 골목길들이 아직은 황톳빛 흙으로 덮여 있고 나무로 된 전봇대가 쓸쓸한 동요의 여운처럼 지는 해의 뒤편으로 긴 그림자를 드리우던 때였다.

나는 내 학년에 맞게 집 근처 학교로 전학 수속을 밟았지만, 입에 밴 심한 사투리 때문에 꽤나 오래 아이들의 놀림을 받아야 했다. 수업 중간에 선생님의 질문에 답을 할 요량이면, 교실 한구석에서 남도의 사투리를 흉내 내며 큭큭거리는 소리가 들리곤 하였다. 그럴 때마다 나는 정말로 난감하기도 하고 창피하기도 했다. 만약 지금이라면 그렇게 말하는 아이들을 무시하거나 경멸의 한마디를 쏘아붙일 것이다. 그러나 그때 난 낯선 환경에 위축된 시골 아이였고 당시 학교 앞에서 팔던, 골판지 박스 안에서 바르르 떨던 병아리 같았다.

그래서 한동안은 아이들과 어울리지 못하고 학교 수업이 끝나면 일부러 먼 길을 돌아 집으로 오면서 왕십리의 여러 곳을 구경하며 지내야 했다. 1980년의 왕십리에는 볼거리가 많았다. 지방에서 실어 온 소를 도축하는 우시장과 연탄공장이 있었고 마찌꼬방과 미군부대가 있었으며, 무엇보다도 어디론가 궤적이 교차하는 긴 철길이 있었다.

새 학기가 되고 난 나처럼 전학 온 친구와 짝이 되었는데, 그가 바로 민혁이였다. 민혁은 가족과 함께 미국에서 살다가 아버지의 교수 임용에 맞춰 귀국한 아이였다. 그리고 아버지의 학교 근처에 있는 우리 학교로 전학 온 것이었다. 어쨌거나 나는 시골 사투리로, 민혁은 약간의 미국식 말투로 아이들 사이에서 겉돌아서인지 우리 둘은 그렇게 자연스럽게 친해지게 되었다. 그것은 약간 기묘한 조합이기도 했다. 아무럼 시골에서 상경한 촌놈과 발음하기도 힘든 미국의 대도시에서 막 귀국한 그 애는 말이다. 그 시절 난 민혁이네 집에 자주 놀러갔는데, 그때마다 서재가 있는 민혁이네를 정말로 부러워했다. 그것은 어쩌면 질투였을 것이다. 왜냐하면 오랜 시간을 보내고서도 민혁이네 서재를 생각하면 책들이 가득 찬 서가로 암갈색의 햇볕이 호젓하게 젖어오는 저녁나절이 떠오르기 때문이다.

어쨌거나 민혁이네 어머니는 꽤나 엄격했다. 토요일 같은 주말에 놀러와서 그 애와 같이 책을 읽는 것은 뭐라 하지 않았지만, 두 가지 암묵적인 규칙이 있었다. 첫째, 저녁식사 전에는 돌아가야 한다는 것. 둘째, 책은 절대로 빌려주지 않는다는 것. 그래서 나는 토요일 오후가 되면 아쉬움을 뒤로하고 친구의 서재를 나서야 했다. 그리고 나에게 친근하던 민혁에 대해 몹시도 기묘한 감정을 느껴야 했다. 그건 참으로 이율배반적인 감정이었다. 민혁이네 집 서재를 나서 집으로 돌아가는 길에 생각해보면 내가 그 애한테 느끼는 감정은 무조건 좋은 것만도 아니고 그렇다고 온전한 슬픔도 아니었다.

여하튼 다시 새 학기가 시작되고 우리 둘은 차츰 동네 아이들의 놀이에 끼어들기 시작했다. 남도의 사투리 대신 서울말이 웬만큼 입에 붙을 무렵의 일이었다. 원체 공부를 잘했던 민혁은 혀 꼬부라진 발음을 여전히 버리지 못했지만 가끔 반 친구들의 숙제도 도와주며 아이들과의 거리를 좁힐 수 있었다. 그러던 어느 날 살곶이다리에서 내기를 건 자전거 경기가 있다는 얘기를 들었다. 당시 왕십리에는 민혁의 아버지가 근무하던 대학 밑으로 한강으로 이어지는 중랑천이 있었는데, 살곶이다리는 거기에 있는 돌다리였다. 한쪽에 횡뎅그렁하게 세워진 안내판에 의하면 조선시대 선비들이 과거를 보기 위해 건넜다는 오래된 돌다리라고 했다. 내기는 자전거를 타고 그 울퉁불퉁한 돌다리를 눈 감고 건너는 것이었다. 민혁이와 함께 가보니 돌다리는 폭이 꽤 됐지만 이렇다 할 난간이 없어 눈 감고 자전거로 건너기엔 위험해 보였다.

그렇지만 내기로 건 물건들이 유별났으므로 아이들은 흥분에 들떠 돌다리의 양쪽을 에워쌌다. 철호라는 아이가 건 것은 로봇 마징가제트의 얼굴을 본뜬 철가면이었다. 철호는 상왕십리 쪽에 사는 애였는데 아버지가 마찌꼬방 기술자라고 했다. 마찌꼬방은 플라스틱이나 금형 제품을 만드는 작은 프레스 공장을 말하는데, 아버지가 금형 제품을 만들고 남은 금속판을 용접해 로봇 모양의 가면을 만들어준 것이라고 했다. 그리고 아이들은 자주 그걸 빌려쓰고 사진을 찍곤 하였다. 물론 그때마다 철호는 아이들이 하나씩 주는 군것질거리를 얻어먹었다.

승훈이란 아이가 건 것은 월남전에 참전한 삼촌이 물려주었다는 탄피 목걸이였다. 목걸이에는 놋쇠로 된 탄피가 여러 개 걸려 있었는데, 삼촌 말로는 베트콩을 죽일 때마다 하나씩 기념으로 보관한 탄피라고 했다. 세상에나, 사람을 죽인 탄피라니. 비록 우시장 도축장에서 허드렛일을 하는 처지지만 발을 절룩거리며 다니던 승훈의 삼촌은 동네에서 유명한 상이군인이었으므로, 총알 한 발에 베트콩 한 명씩을 죽였다는 그 목걸이도 아이들 사이에서는 굉장히 유명했던 셈이다.

어쨌거나 난간도 없는 돌다리를 눈 감고 자전거로 건너는 것은 꽤나 위험해 보이는 일이었다. 물이 깊진 않다 해도 일단 떨어지면 최소한 자전거는 완전히 고장 날 판이니 말이다. 이윽고 경주는 시작되고 손수건으로 눈을 가린 두 아이는 출발했다. 그런데 아니나 다를까 방향을 잃고 아슬아슬 건너던 두 아이의 자전거는 서로 얽히게 되었는데 그 순간 뒤엉킨 자전거를 막아세우려다 강물로 함께 빠진 것이 가장자리에서 구경하던 민혁과 나였다. 다행히 강물은 얕았지만 자전거와 함께 물에 빠진 우리들은 모두 약간의 가벼운 골절상을 입고 한 달 정도씩 붕대를 하고 학교를 다니게 되었는데, 그 결과 우리들은 '깁스 사인방'이란 이름을 얻게 되었다.

그 후로 우리들은 정말로 사인방이 되어 왕십리 철로변 연탄공장의 석탄 더미에 죽은 쥐를 파묻기도 하고, 아침 조회 시간에 선생님의 출석부에 장난 쪽지도 넣어두어 눈물이 쏙 빠지도록 혼나기도 했다. 더불어 가끔 눈 감고 자전거를 탄 채로 살곶이다리를 건너기도 하다가 그게 지겨우면 몰래 왕십리역 근처에 있는 미군부대로 들어가 야구를 하면서 놀기도 했다. 사실 우리가 자주 모였던 곳은 미군부대 공터였다. 지금의 성동구청 자리에는 미군의 보급부대가 있었고 당시에는 기능을 전혀 하지 않았는지 부대 안에는 한적한 운동장만 덩그러니 있었는데, 그곳에는 잔디가 깔려 있어서 우리는 자주 담장을 넘어들어가 야구를 하며 놀았던 것이다.

오후 내내 야구를 하다가 부대 관리인에게 들켜 쫓겨나기라도 하면 철호네 아버지가 기술자로 있는 상왕십리 마찌꼬방 거리에 가서 철커덕거리며 프레스 기계들이 이런저런 금형들을 찍어내는 것을 구경했다. 여름날의 햇살에 번쩍번쩍 빛을 내는 금형들이나, 용접을 할 때 튀는 불꽃들은 어린 우리들에게 기묘하고도 근사한 행복감을 가져다주었다.

그러던 어느 날, 살곶이다리 앞에 서 있는 오래된 열녀비에 야구공을 던지며 놀 때였다. 헐레벌떡 뒤늦게 뛰어온 승훈이가 좋은 구경거리가 있다고 했다. 어디서 듣고 왔는지 옆 동네에서 곧 굿판이 벌어진다는 것이었다. 우리들은 비석에 야구공을 맞히는 것도 싫증 났으므로 굿판이 벌어지는 곳으로 뛰어갔다. 굿당은 왕십리역 철로변 바로 옆에 붙어 있었다. 한창 무당이 굿을 하고 있었고 나이 든 동네 사람들은 치성을 드리고 있었다. 우리는 나눠준 떡을 얻어먹으며 굿을 구경했다.

그러다가 지겨워진 나는 다른 데나 구경하려고 사람들 틈에서 혼자 빠져나와 당집 뒤편으로 돌아갔다. 그리고 거기서 난 뜻밖으로 어떤 여자애를 봤다. 여자애는 당집 뒤편으로 뚫린 이층 창문으로 손깍지에 고개를 괴고 멀리 철로를 바라보고 있었다. 여자애의 눈빛은 까맣고 깊었고, 무어라 말할 수 없는 그 묘한 분위기는 처음 본 순간부터 내 마음을 두근거리게 만들었다.

나는 그때 그런 분위기의 이름을 몰랐다. 막연하게 나를 설레게 하는 것, 이를테면 그건 토요일 저녁나절, 민혁의 서재를 나올 때 느끼던 두렵고 안타까운 노을빛의 느낌과도 같았다. 아니, 그보다는 처음으로 펼쳐보는 동화책에 담긴 이국의 이야기와도 같았다. 나는 나중에서야 그것이 성숙해가는 여자애의 분위기라는 것을 깨달았다. 아직은 덜 익은 것. 그러나 곧 익어갈 어떤 과일의 달콤한 냄새 같은 것 말이다.

무언가에 홀리듯이 그렇게 그 여자애를 쳐다보자 그 애가 고개를 돌려 나를 빤히 쳐다보았다. 창피해진 나는 다른 데로 갈까 하고 잠시 망설였으나 그 애의 눈빛이 무슨 말을 할 듯싶어 잠시 그대로 서 있었다. 그러자 그 애가 말했다. "너도 저게 보이니?" "저거라니?" "저거, 저쪽 말이야." 난 여자애의 눈빛이 가리키는 방향을 바라보았다. 하지만 멀리, 남쪽으로 엇갈리는 철로만 보였다.

"뭐? 뭐가 말이야?" "고양이가 기차에 치여 죽는 거. 너도 저게 보이니?" "아니, 무슨 고양이? 여기서 전에 고양이가 치여 죽었니?" "아니, 전에 그랬다는 게 아니라 앞으로, 나중에 말이야." "나중에?" "그러니까 언젠가……"

나는 그 애의 느닷없는 말에 당혹스러웠다. 당집 뒤편에서는 굿이 한창이었지만 내게는 그 애 목소리만이 또렷하게 들려왔다. 그러면서 생각했다. 나중에, 그러니까 언젠가 고양이가 죽다니? 그 애는 계속 말했다. "이렇게 굿판이 벌어지는 날이면 보기 싫어도 그런 게 보여. 난 그게 싫어." 그 애가 조용히 말했다. 그러면서 그 애는 이렇게 한마디를 덧붙였다. "그런데 참 이상하다, 너도 저게 보이는 줄 알았는데……"

이게 그 애와의 첫 만남이었다. 나중에야 철호에게서 그 애가 좀 이상한 아이라는 얘기를 들었다. 그 애는 그 무당집 딸로 가끔 이상한 소리를 한다는 것이었다. 하여 동네 사람들은 역시 피는 못 속인다고 수군거린다는 것이었다. 그 후 가끔 동네에 굿거리라도 있으면 동네의 왈가닥 패거리들은 모두 그 당집으로 총출동하여 구경을 하기도 하였는데, 그럴 때면 그 애는 아무리 한여름이라도 방문을 꼭꼭 잠가걸고 얼굴을 내밀지 않았다. 그럴수록 나는 그날 그 애의 까맣고 깊은 눈빛이 궁금했다. 그러던 어느 날 나는 우연히 뜻밖의 장소에서 그 애를 다시 만나게 되었다.

3

어쩌면 믿음이란 새로 산 운동화 한 켤레 같은 것이다. 세트로만 의미 있고, 한 짝만 있어서는 절대로 팔리지 않는다. 믿기 힘든 얘기를 하는 사람과 그것을 들어주는 사람이 짝을 이루어야 한다. 그리고 그것을 신고 발걸음을 내디디면 세상은 걷기에 편해진다. 글쎄, 세상은 그렇게 걸어야 하는 걸까? 그건 잘 모르겠다. 다만 확실한 것은 앞으로 내딛는 길이 좀 더 부드럽고 말랑말랑해진다는 것이다. 이것이 믿음이다.

내가 그 애를 다시 본 것은 뜻밖에 교회의 여름성경학교에서였다. 왕십리의 나무 전봇대에서마저 땀이 배어날 것 같은 한여름이었다. 지금도 그런지는 모르겠지만, 당시 왕십리의 고만고만한 교회들은 무더위가 절정에 이르면 성경학교를 열고 아이들을 불러모았다. 물론 교회에서 나누어주는 과자며 선물에 홀린 아이들이 몰려들었고, 그것은 나름대로 즐거운 일이었다. 대형 선풍기가 틀어진 예배당에 옹기종기 모여앉아 교회에서 나눠주는 브라보콘을 먹으며 한낮의 더위를 피하는 것은 여름이면 볼 수 있는 그 시절의 유행이었다.

물론 재미없는 찬송가 대신 〈짱가〉나 〈마징가제트〉 같은 만화영화의 주제가를 불렀으면 더 좋았겠지만 뭐 그건 어쩔 수 없는 것이다. 우리는 어렸지만, 모든 일에는 그만한 대가가 있다는 것쯤은 알고 있었다. 그리고 그해 한 교회에서는 여름성경학교 기간 동안 가장 많은 성경 구절을 암송한 아이에게 커다란 프라모델 선물세트를 준다는 소문도 났으니까. 우리 사인방은 그 소문을 듣고 그 교회에 다니기로 했다. 물론 한여름, 여름성경학교가 열릴 동안만 다닐 요량이었다. 사실 교회에 가지 않으면 달리 할 일이 없었다. 그 시절 여름이면 온 동네 아이들은 대부분 성경학교를 다녔고, 왕십리 골목길엔 같이 놀 아이들이 없었던 것이다.

그런데 여름성경학교 첫날 나는 거기서 그 애를 보았다. 교회 설교단 뒤로는 여름성경학교 일정이 적혀 있는 현수막이 걸려 있었는데, 바로 그 애가 예배당 앞쪽에 앉아 있었던 것이다. 동네에서 몰려든 아이들이 무당집 딸이라고 소곤거릴 것 같았지만 모두들 여름성경학교 일등상 상품을 구경하느라고 정신이 없었다.

예배당 뒤쪽의 높다란 선반 위에는 일등상인 프라모델 로봇과 인형 상자가 위풍당당하게 아이들을 내려다보고 있었고, 역시 소문대로 무지하게 멋졌다. 아이들은 프라모델 로봇의 삐까번쩍한 날개와 공주인형의 금발을 보면서 모두들 작은 한숨을 내쉬었다. 워낙 공부를 잘했던 민혁이는 집도 잘사는 주제에 프라모델은 자기가 맡아놨다며 큰소리치고 있었고, 나머지 아이들은 행운상이나 받든지 하다 못해 개근하면 모두 준다는 짬뽕공이라도 받겠다고 다짐했다. 그 와중에도 나는 예배당 앞쪽에 앉아 있는 그 애를 쳐다보느라 신경을 곤두세웠다.

그 애 엄마는 인근 동네에 널리 알려진 무당이라서 알아보는 사람이 많았고 평소에는 나 역시 시장통 같은 데서 가끔 마주치곤 하였다. 평소에는 조용한 얼굴로 시장의 채소 가게에서 열무 같은 찬거리를 사곤 하였는데, 당집에서 무복을 입고 번쩍거리는 칼을 흔들며 춤을 출 때면 눈빛이 완전 달라져 알 수 없는 말을 쏟아내곤 하였다.

그것은 이제 내가 웬만큼 버리고 만 시골 사투리 같기도 했고 어쩌면 만화책에서 본 외계인의 기묘한 말소리 같기도 했다. "쟤는 엄마가 무섭지도 않나, 교회에 와 있게?" 뒤늦게 그 애를 본 동네 아이들이 작게 소곤거렸다.

여름성경학교 첫날 조 편성을 할 때 난 눈치껏 줄을 서 그 애와 같은 조가 되었다. 그 애는 자기소개 시간에 미설이라고 이름을 알려주었는데, 단내 나는 포도알처럼 까만 눈을 반짝이는 그 애는 다른 어떤 애들보다도 확연히 돋보였다. 그래서인지 여름성경학교는 즐거웠다. 성경에 나오는 옛날 얘기를 듣는 것도 좋았고, 누가 틀리지 않고 더 오래 외우나 하고 손에 땀을 쥐고 조별 대결을 벌이던 성경 구절 암송 게임도 재밌었다.

미설이는 곧잘 성경 구절을 외워 상으로 주는 쿠폰을 많이 모았다. 교회에서 달란트라고도 부르던 쿠폰을 위해 아이들은 거의 목숨을 걸다시피 했는데, 왜냐하면 여름성경학교 기간 동안 쿠폰을 많이 모은 아이가 일등상을 탈 수 있기 때문이었다. 물론 나 역시 로봇 프라모델이 무척이나 갖고 싶었기 때문에 쿠폰을 열심히 모았다. 철호는 마징가제트 철가면을, 그리고 승훈이는 탄피 목걸이를 가지고 있었고 민혁이는 미제 만년필이나 원하면 언제든 밤새워 읽을 수 있는 근사한 서재를 가지고 있었다. 그러니 내게도 남들에게 자랑할 수 있는 뭔가가 있으면 좋겠단 생각을 했다.

그러던 어느 날, 성경학교 예배가 끝나 집에 가려는데 미설이가 교회 입구에서 여자애들에게 거짓말하지 말라며 채근을 당하는 것을 보게 되었다. 곧잘 성경 구절을 암송해 쿠폰을 많이 얻자 평소에도 너 같은 무당집 딸이 교회에는 왜 오는 거냐고 따지던 여자애들이었다. 난 나 역시 심한 사투리로 아이들의 놀림을 받던 기억이 떠올라 여자애들을 말리고 미설이를 데리고 교회를 나섰다.

그날 오후 같이 집으로 가면서 미설이에게 물었다. "야, 거짓말이라니 무슨 말이야?" 그러자 미설이는 걸음을 멈추고 응봉동 산마루에서 멀리 한강을 내려다보며 말했다. "전에 한번 얘기한 것 같은데 난 가끔 이상한 걸 봐. 오래전에 죽은 새나 앞으로 죽을 고양이 같은 것들을. 그리고 어떤 땐 더 큰 것도 보여……" "더 큰 것? 더 큰 게 뭔데?" 미설이는 대답 없이 한강이 보이는 언덕배기에 앉더니 한참을 땅바닥에 낙서를 해댔고 나도 그 애 옆에 앉아 그즈음 막 완공된 성수대교를 내려다봤다.

"사람 말이야, 사람." "사람? 죽은 사람이 보인다고?" "응, 바람이 없는 날 저녁에 가만히 밖을 내다보면 오래된 비닐처럼 희미하게 서 있는 사람 모습이 보여. 너도 내가 거짓말하는 거 같아?" 난 한강을 내려다보며 잠시 생각했다. 새로 지어진 다리는 한강을 가로질러 남쪽으로 향하고 있었고 그 끝에는 역시나 같은 시기에 지어진 압구정동의 아파트 단지들이 성냥갑 모양으로 밝게 빛나고 있었다.

그리고 우리와 강 건너편 사이로 동그란 석양이 검붉은 강물 속으로 가라앉아 있었다. 핏빛 해는 마치 언젠가 미설이네 당집에 처음 갔을 때 굿거리 끝나고 얻어먹은 빨간 사탕 같았다. 그러고 보니, 한번 들은 것도 같은데 입이 빨개지도록 먹었던 그 사탕 이름이 가물가물했다. 제사상이나 굿상에 올리는 그 사탕 이름이 말이다. 강물을 보며 그렇게 멍하니 생각에 잠겨 있을 때 미설이가 어깨를 톡톡

치더니 내 눈을 들여다보며 말했다. "석양 보니까 빨간 사탕 생각나지? 그 사탕 이름은 옥춘이야."

난 그 말을 듣는 순간 오싹한 소름이 돋았다. 마치 등목을 할 때 등 뒤로 서늘한 물이 쏟아지는 것처럼. 아니, 내가 그 사탕을 생각하는 줄 어떻게 알았지? 난 내 마음을 읽는 그 애가 한순간 두려웠지만, 그와 동시에 묘한 호감이 생겨났다. 그래서 난 속으로 중얼거렸다. 그래, 난 네 말을 믿어. 하지만 네가 귀신을 보는 건 싫어. 왜냐하면 그때 넌 웃지 않으니까……

내가 믿는다고 얘기하자 미설이 말했다. "우리 엄마는 나한테까지 신기가 있다며 맨날 한숨이야. 나도 이런 내가 싫어. 아이들한테 놀림당하는 것도 싫지만 가끔 귀신을 보면 며칠을 피곤하게 앓거든. 내가 지금 교회 다니는 거는 엄마도 알아. 엄마는 어쩌면 신기가 눌려질 수도 있으니 차라리 교회를 다니래. 언제고 신내림 받아봤자 엄마처럼 손가락질 받으며 평생을 험하게 산다고 말이야……"

미설이 엄마는 무당이라는 이유로 남편과 헤어져 딸을 홀로 키우고 있다고 언젠가 시장통 아줌마들이 소곤거리는 얘기를 들은 적이 있었다. 나 역시 서울에 와서 한동안 아이들의 놀림을 받았기에 미설이의 처지가 이해가 갔다. 평소에도 아이들은 미설이에게 미쳤다는 둥, 새끼 무당이라는 둥 험한 말을 해가며 따돌린다는 얘기도 들었다. 어쩌면 내가 처음 미설이를 볼 때 그 까만 눈에서 본 것은 어떤 외로움의 그림자였는지도 모른다. 마치 내가 줄기줄기 사이로 부드러운 햇살이 내리쬐던 대숲을 시골에 두고 온 것처럼, 미설이 역시 자기만의 고향을 어딘가에 두고 온 아이였던 것이다.

그날 그렇게 행당동 고개에서 한강을 내려다보며 얘기하는 동안 나는 미설이와 꽤나 친해졌다고 생각했다. 그래서 그때까지 아무에게도 말하지 않고 숨겨온 비밀 하나를 그 애한테 말해주었다. 그것은 일종의 답례였다. 그렇다. 믿음이란 한 켤레의 운동화 같은 것이므로 왼발 다음에는 오른발을 앞으로 내디뎌 보조를 맞춰야 한다. 결코 왼발만으로는 세상의 길을 걸을 수 없는 법이다. 그렇다. 왼발, 그다음에는 오른발이다.

　내가 귀신을 본 것은 고향 마을의 대숲에서였다. 그 겨울, 나를 애틋해하던 사촌누나가 죽어서 상을 치른 얼마 후의 일이었을 것이다. 죽은 누나는 농촌의 풍습대로 논두렁 사이로 꽃상여를 타고 먼 곳으로 떠났다. 그런데 얼마 후, 시골집 바로 뒤에 있는 대숲에서 평소보다 심하게 싸르락거리는 소리가 났다. 나는 그 소리에 끌려 마당으로 나와보았다. 시골집의 나무 마루에는 죽기 전 누나가 내게 자주 주던 홍옥이 놓여 있었다. 그리고 그 한밤, 사과는 심연의 빛깔을 머금고 고요히 자리를 지키고 있었다.

　난 그 홍옥을 들고 대나무숲 한가운데로 들어가 밤하늘을 올려다보았다. 댓잎 사이로 흐르는 하늘에 별바다가 출렁거리고 있었다. 평소에도 높아 보이던 시골의 하늘이 그날따라 왜 그리도 수심이 깊어 보이던지, 나는 갑자기 이 우주가 서러운 빛깔로 막막해지는 것을 느꼈다. 그때였다. 대숲 저쪽으로 희끗희끗 회백색의 광채가 서 있는 것이 보였다. 죽은 누나였다. 언젠가 시골집 마당에서 까맣게 구운 옥수수 알갱이를 한 알씩 떼어 입에 넣어주던 그 누나였다.

그리고 나는 그 밤에 싸르락대며 뒷산 대숲이 내는 저승의 소리를 들었다. 아니, 어쩌면 그것은 저승의 소리가 아니라 누나가 전하는 다른 차원의 통신이었는지도 모른다. 나는 모두 잊어버렸을지 몰라도 어쩌면 누나는 그 밤 댓잎들이 부딪치는 소리를 통해 앞으로 내 인생에 어떤 기쁨이 있고 또한 어떤 슬픔이 있는지를 일기예보 하듯이 모조리 들려줬는지도 모른다. 나는 그것을 들으며 연신 고개를 끄덕이고 말이다.

그건 이런 말이었던 것 같다. '네가 스무 살 때는 이런 슬픈 일이 생길 거야. 하지만 걱정 말렴. 그 일이 계기가 되어 너는 몇 년 후, 그 일이 계기가 되지 않았으면 도저히 경험하지 못할 어떤 기쁨을 누릴 테니까. 하지만 그 서른 살을 지나치게 기뻐하지 말렴. 넌 또 그 일이 계기가 되어 슬픈 일을 겪을 거니까. 그렇지만 너무 울지 말렴. 그게 씨앗이 되어 너에겐 다시 좋은 일이 생길 테니까. 원래 인생이란 그런 거지……'

그건 유년기의 밤, 대숲이 가르쳐준 미래의 일기예보였다. 즉 미래로부터 흘러들어온 뉴스에는 앞으로 내가 겪어야 할 기쁨과 슬픔이 실려 있었고, 이제 난 죽은 누나가 예고해준 대로 내 안에 딱 들어맞는 온정과 풍경, 그리고 애수와 염원을 찾아헤매야 하는 것이다.

"오늘 얘기 고마워. 나도 네 말이 진짜라고 믿어……" 그렇게 미설이는 내게 마음을 터놓게 되었고 그렇게 친해지게 되었다. 우린 여름성경학교의 일과가 끝나면 같이 어울려 왕십리 이곳저곳을 쏘다니곤 했는데, 그때 미설이는 자기가 보는 이상한 일들에 대해 얘기를 해주었다. 그리고 나는 미설이와 오직 둘만의 비밀을 공유한 듯해서 정말 기뻤다.

그렇지만 미설이는 여전히 아이들에게 따돌림을 받고 있었고, 그나마 호의적이었던 사인방 친구들도 내가 미설이하고만 놀자 점차 싫은 기색을 내보였다. 그렇게 여름성경학교도 막바지에 이르던 어느 날이었다. 자주 몸살을 앓던 와중에서도 교회에는 악착같이 나오던 미설이가 예배시간에 이상한 말로 기도를 하기 시작했다. 그건 마치 시장에서 찬거리를 살 때는 더없이 조용하다가, 무복을 입고 굿거리를 할라치면 사람이 달라지던 그 애 엄마의 외계어 같았다. 형식적으로 눈을 감고 기도하는 시늉을 하거나 혹은 아예 실눈을 뜨고 앞사람의 뒤통수에 고무줄을 튕기며 장난하던 아이들은 모두 놀라 그 애를 돌아다보았다. 예배가 끝나면 나눠주는 과자를 받아들고 곧 텔레비전에서 해주는 만화영화를 보러 달려가려고 엉덩이를 들썩이던 아이들이었다.

기도가 끝나자 전도사는 이게 바로 방언기도이며, 성령의 은혜를 받은 증거라고 했다. 그러면서 전도사는 미설이를 본받아 여름성경학교가 끝나더라도 교회에 계속 다니라고 하며 훈계를 했다. 예배당 맨 앞에 불려나가 전도사의 칭찬을 받고 덤으로 쿠폰까지 듬뿍 받은 미설이를 여자애들이 샐쭉한 표정으로 흘겨보았다. 나 역시 기분이 묘하긴 마찬가지였다. 나는 그 애가 무당인 엄마처럼 말하는 게 싫었고 그 말을 알아들을 수 없어서 더 당혹스러웠다. 더구나 그 애는 한 번도 자신이 이상한 기도를 한다는 얘기를 해준 적이 없었다. 나는 화가 났다. 전도사는 그 애 엄마가 무당이라는 것을 알기나 알까? 심지어 그런 생각까지 들었다.

나는 처음으로 내가 알 수 없는 기묘한 말로 기도하는 미설이에게 거리감을 느꼈다. 그건 댓잎이 싸르락거리는 소리가 아니었다. 그 소리는 더 먼 곳에서 들려왔고 마치 당집 굿거리장단의 태평소와 바라의 가락처럼 듣기 거북한 소리 같았다. 나는 왠지 모르게 미설이한테 서운했으므로 처음으로 그 애한테 같이 가자는 말도 하지 않고 교회를 나섰다. 그렇게 혼자서 교회를 나올 때 목덜미 뒤쪽으로 미설이의 시선이 느껴졌지만 나는 애써 외면했다.

"저 계집애, 전도사에게 잘 보이려고 일부러 쇼하는 거야. 무당집 딸년이 방언기도는 무슨." 여자애들이 쑥덕거리는 소리가 들렸다. 난 신경질이 났다. 난 미설이에 대해 모든 것을 알고 있다고 생각했는데 사실은 그게 아니었던 것이다. 그리고 자기가 방언기도를 한다는 사실을 미리 나에게 말해주지 않은 미설이가 야속하게 느껴졌다. 그래서 나는 날 쫓아나오는 사인방 아이들에게, 그동안 미설이가 나혼자만 알고 있으라고 해준 말들을 털어놔버렸다.

오랜 세월이 흐른 후 돌이켜 생각해보면 그것은 정말 어리석은 실수였다. 약간의 억하심정과 채 사춘기에 이르지 못한 아이다운 치기와 질투가 섞여 있었지만, 결과적으로 그것 때문에 나는 그 애에게 평생 지울 수 없는 큰 상처를 입혀버렸다. 그렇다. 우리는 그때 너무나 철이 없었던 것이다. 어쩌면 너무나 무지해서 사소한 흥분이 어떤 식으로 한 사람의 인생을 바꿔놓을지 아직은 계량하기 힘든 나이였던 것이다. 어쨌든 내가 한 말을 들은 아이들은 그다음 날 우리 사인방의 아지트라고도 할 수 있는 철호네 마찌꼬방 창고로 미설이를 불러냈다.

4

　다음 날 우리들은 여름성경학교에 가지 않았다. 대신 난 교회 끝나는 시간에 맞춰 미설이를 데리러 갔다. 교회에서 철호네 마찌꼬방으로 오는 내내 우리 둘은 한마디도 하지 않았다. 나는 대로변 마찌꼬방의 어른들을 피해 뒷골목 쪽 창고 문을 열었다. 까만 기름먼지 더께로 덮여 있는 문을 열자 창고 한쪽으로 금형 사출기만 철커덕거리는 소리를 내며 움직이고 있었다. 마찌꼬방 일감이 밀려서 자동으로 기계를 계속 가동시키는지 철판으로 된 금형들이 배출구로 바쁘게 나오고 있었다.

　더불어 공장 안에는 날카로운 금속음과 함께 알싸한 윤활유 냄새가 떠돌고 있었다. 그 냄새를 맡자 나는 서울에 와서 겪은 차멀미가 생각나 약간의 구토기를 느꼈다. "할 말 있다는 게 뭐야?" 계속 잠자코 있던 미설이가 말을 떼었다. 약간은 원망스러운 목소리였다. 어두컴컴한 창고 구석으로는 금형 상자들이 높이 쌓여 있었다. "내가 전에 철호는 나중에 로봇을 만드는 과학자가 되고 싶어한다고 했었지?" 난 구석에 쌓인 상자들을 보며 잠시 망설이다가 마저 물었다. "그랬더니 넌, 철호는 그런 과학자가 되지 못한다고 했었지? 그거 정말이야? 무슨 근거로 그렇게 얘기한 건데?"

　"이미 너한테 말했잖아. 나한테 가끔 이상한 게 보인다고. 어쩔 땐 깨질 듯 머리가 멍멍하다가 이상한 무늬들이 보인다고. 그럴 때면 가끔 아무 데나 책을 펼치는 것처럼 주변 사람들의 어렸을 적 모습이나 나중 모습이 보인다고…… 그때 네가 내 말을 믿는다고 했잖아. 그리고 그때 너도 비슷한 걸 봤다고 했잖아?" 미설이가 목소리를 떨면서 말했다. 난 대답하지 않고 계속 추궁했다.

"그리고 너, 어른이 된 승훈이가 우시장에서 일한다고도 했지? 그것도 정말이야?" 승훈이가 몹시도 질색하는 게 바로 아버지나 삼촌이 일하는 우시장의 도축장이었다. 도축장에는 붉은 피가 섞인 폐수가 지천으로 고여 있는데, 아이들은 그런 승훈이에게서 썩은 피 냄새가 난다고 꽤나 따돌렸다. 어쩌면 그것은 어느 정도 사실이기도 했다. 마치 철호에게서도 항상 희미하게 알싸한 쇳가루 냄새며 윤활유 냄새가 나는 것처럼 말이다. 그렇지만 왕십리의 좁은 집에서 식구들과 부대끼면서 몸에 밴 그 냄새는 철호와 승훈이가 그렇게도 벗어나고 싶어했던 그 무엇이었다.

미설이는 그렇게 추궁당하면서도 아무 말 하지 않고 입술만 깨문 채 나를 빤히 쳐다보았다. 그리고 내가 눈시울이 붉어진 미설이의 까만 눈을 외면할 때 구석에 쌓인 상자 뒤에 숨어 있던 승훈이가 제일 먼저 달려나와 그 애를 밀쳐내며 화를 냈다. "야, 너 정말 그런 말 했어? 진짜 그랬냐고?" 그렇다. 내가 미설이를 데리고 공장 문을 열 때부터 아이들은 구석에 숨어 있었던 것이다. 철호 역시 미설이를 다그쳤다. "이 거짓말쟁이야, 너 정말 방언기돈가 뭔가 한 거 맞아? 여자애들 말처럼 괜히 쇼한 거지?"

민혁이가 미설이를 심하게 다그치는 철호와 승훈이를 말리며 말했다. "좋아, 그럼 여기서 방언기도를 해봐. 지금 여기서 방언기도를 하면 지금까지 했다는 얘기 모두 믿어줄게." 미찌꼬방 금형기에서는 철컥거리는 소리가 요란했지만 입술을 꼭 깨문 미설이는 조용히 고개를 숙이고 있었다. 난 미설이에게 약간씩 미안해지기 시작했다. "그래 좋아, 네가 전도사님 말처럼 방언기도를 한 게 맞다고 치자. 근데 우리들은 전혀 알아듣질 못하겠는데 그럼 그게 무슨 뜻이었냐?" 역시 민혁이었다. 영리하면서도 침착한 민혁이는 나를 대신하여 내가 궁금해한 걸 꼭 집어 물어봐주었다.

그렇지만 그 말에도 미설이는 아무런 대꾸를 하지 않았다. 대신 고개를 들어 나를 쳐다보는 미설이의 눈빛에는 어떤 종류의 고요한 슬픔이 묻어 있었다. '난 널 믿었는데 넌 날 믿지 않았니? 그리고 그 얘기를 그렇게 가볍게 여겨 친구들에게 떠벌렸어야만 했니?' 나는 그런 미설이의 눈빛을 받는 순간, 왠지 굉장히 미안한 일을 한 것 같아 부끄러워졌다. 그렇지만 끝내 아이들을 말릴 수는 없었다. 미설이도 좋지만, 나에게는 아이들도 소중했다. 내게 밴 시골 사투리를 털어낼 수 있도록 함께해준 친구들이었다.

그때 민혁이가 말했다. "좋아, 마지막으로 물을게. 내가 지금 무슨 생각 하고 있는지 맞춰봐. 넌 그런 것도 할 수 있다며? 그럼 더 이상 아무것도 묻지 않을게." 그러자 철호와 승훈이가 화를 냈다. "묻긴 뭘 물어. 무당집 딸년이 또 거짓말이나 치겠지!" 그러자 미설이가 아이들을 노려보았다. 무당집 딸년이라고, 비록 뒤에서 소곤거리는 것을 짐작하고는 있었겠지만 면전에서 그런 말은 처음 들었는지 미설이는 입술을 파르르 떨었다. 그러더니 민혁이를 노려보며 뭐라고 작게 말을 했다. 그리고 그 순간 사고가 벌어졌다.

오랜 세월이 흐른 뒤까지 그때부터의 일은 슬로모션으로 내 기억 속에서 꽤나 여러 번 반복되었다. 고개를 숙이고 잠깐 미설이의 얘기를 듣던 민혁이가 무슨 말을 들었는지 갑자기 얼굴이 파랗게 질려 '이 미친년이!' 하면서 미설이를 뒤로 밀쳐버리는 모습, 그렇게 떠밀린 그 애가 금형 사출기 쪽으로 쓰러지는 모습. 그리고 그 애의 윗소매가 프레스기의 윗부분에 걸리는가 싶더니 선반을 짚은 손이 압착기로 빨려들어가는 모습…… 이 모두가 한순간에 벌어진 일이었다. 미설이의 비명 소리가 들리고 그 애의 손을 잡아끌던 우리가 뒤늦게 전원을 내렸지만 이미 약지의 끝마디와 무명지의 거의 전부가 압착기에 으스러진 뒤의 일이었다.

놀란 우리들이 어른들을 부르고, 어른들이 급히 미설이를 가까운 대학병원으로 옮겼지만 봉합은 애당초 불가능하다고 의사는 처음부터 고개를 저었다. 으스러져 끊어진 손마디를 비닐에 넣어 나름대로 잘 챙겨가긴 했지만, 오늘날에도 대수술을 해야 성공할까 말까 한 상태였으니 당시의 의료 수준으로는 어림없는 얘기였다. 겁에 질린 우리들은 민혁의 아버지가 교수로 있는 그 대학의 병원에서 죄인처럼 부들부들 떨어야만 했다.

어쨌거나 사고는 미설이의 말에 따라 공장에서 놀다가 순전히 그 애의 실수로 넘어진 것으로 처리되었다. 그렇다 하더라도 그날 저녁 우리 모두는 각자의 집에서 눈물이 쏙 나도록 호되게 혼이 나야만 했다. 특히나 창고라고는 하나 일감이 많은 때는 금형 사출기를 가

동시키는 위험한 곳으로 애들을 출입시킨 철호는 얼마나 맞았는지 이틀 동안인가 밖으로 나오질 못했다.

　얼마 후 나는 미설이한테 병문안을 갔다. "오늘 여름성경학교 마지막 날이지? 너 프라모델은 탔니?" "프라모델은 무슨. 그 뒤로 교회도 못 나갔는데. 그리고 지금 그게 문제냐." "그래도 프라모델이나 타고 그만두지. 내가 쿠폰 열심히 모은 거는 다 너 주려고 한 건데……" 난 미설이 손에 감긴 새하얀 붕대를 만져봤다. 핼쑥한 미설이 손으로 단단한 석고의 감촉이 느껴졌다. 나는 괜스레 무안해져 말했다. "미안해…… 나, 네 말 처음부터 믿고 있었어. 알지?" 그러자 미설이가 고개를 끄떡였다. "알아. 그리고 내가 너한테 쿠폰 주면 넌 네 거랑 합쳐서 나한테 인형 타줬을 거라는 것도."

　미설이가 입원해 있는 병실은 굉장히 높은 층이었고 왕십리 모든 곳이 내려다보였다. 그리고 그 너머로 물비늘이 반짝이는 한강도. "그건 아닌 거 같다. 난 프라모델이 무지 갖고 싶었거든." "아냐, 넌 분명히 그랬을 거야. 왜냐하면 너랑 행당동 고개에서 한강을 바라보던 날 밤에 금발인형을 선물해주는 네 꿈을 꾸었거든." "아, 그랬니? 그럼 네 꿈도 틀릴 때가 있는 거네." "그럼, 당연하지. 내가 무슨 초능력잔 줄 아니? 다만 내 얘기는 만약에 네가 쿠폰을 다 모았으면 프라모델 대신 인형을 탔을 거란 거지. 꿈이야 가끔 다른 걸로 바뀐다고."

　나는 그런 시시한 대화 말고 정말로 궁금한 게 있었다. 그건 도대체 그날 무슨 얘길 했기에 얌전하던 민혁이가 화를 냈는지 하는 것이었다. 그렇지만 어쩐지 그건 물어볼 수 없었다. 그래서 병실을 나서기 전 딴 얘기를 했다. "근데, 나는 커서 뭐가 될까? 전에도 넌 친구들 얘기만 했지 내 얘긴 안 해줬잖아?" "정말 궁금해? 알려줄까?"
"응, 궁금해." "그래, 알려줄게. 언제고 나중에 꿈에서 어른이 된 네
모습이 보이면 말이야……"

그렇게 병실을 나서는데, 복도 끝에서 미설이네 굿당에서 일을 거
드는 분들이 하는 말이 얼핏 들렸다. "그렇잖아도 쪼그만 게 시름시
름하더니 이제 액운까지 생기는구먼…… 이를 어쩌누?" "그러게.
무업을 잇는 게 싫다고 교회로 내돌리더니 신벌을 받은 게지. 어디
그게 사람 마음대로 되는 일인가?" "그렇다고 저렇게 어린 나이에
내림굿을 받을 수도 없고……" 나는 그렇게 굿당 어른들이 혀 차는
소리를 들으며 병원을 나섰다.

다음 날 우리 사인방은 오랜만에 미군부대에서 다시 만났다. 사실
우리에게는 아직 남은 일이 있었다. 그날 사고가 나고 미설이가 병
원에 실려갈 때 우리도 따라갔는데 어쩐 일이지 봉합이 불가능하다
고 의사가 고개를 저은 손마디를 우리가 다시 가져왔기 때문이었다.
다들 경황이 없던 중의 일이었지만 이제 와서 어른들에게 말할 수
도, 그렇다고 미설이 어머니께 드릴 수도 없는 일이었다. 우리들은
그늘 쪽 잔디밭에 누워 애꿎은 풀들만 뽑으며 손가락을 어떻게 할지
의논했다.

"미설이한테 물어볼까?" 혼자서 담벼락에 홍키공을 던지던 승훈
이가 말했다. 승훈이답게 어처구니없는 말이어서 우리는 모두 무시
하고 노란 고무줄로 동여맨 비닐을 쳐다보았다. 투명한 비닐 안쪽으
로 검게 변색된 핏빛에 막바지 여름 볕이 쏟아지고 있었다. 우리들
은 의논 끝에 철로변 공터에 묻기로 했다.

당시 왕십리역 안에는 기관차의 고장 난 부속품들이 놓여 있는 공터가 있었는데 동네 아이들은 가끔 용돈이 궁하면 개구멍으로 들어가 그 쇠붙이들을 몰래 훔쳐다 먼 곳 고물상에서 팔아넘기기도 했다. 역사 소유의 그 공터는 철조망으로 둘러싸여 있어 그곳에 손마디를 파묻는다면 아무 문제가 없을 것 같았다. 나 역시 딱히 반대할 이유는 없어 우리 사인방은 맨드라미와 샐비어만 한가롭게 피어 있는 그곳에 그 애의 으스러진 손마디를 묻었다. 그때 "어디선가, 누군가에 무슨 일이 생기면……" 하고 만화영화 주제가를 부른 것은 역시나 약간 멍청한 승훈이였다. 그러나 우리는 승훈이를 타박하지 않고 곧 숙연한 마음으로 〈짱가〉를 따라불렀다.

그리고 얼마 후 퇴원은 했지만 훨씬 더 핼쑥해진 미설이는 병치레를 하는 일이 더 잦아졌고 결국은 엄마와 함께 시골로 이사를 갔다.

이윽고 해가 바뀌어 1981년이 되었다. 그해에는 '국풍81'이라는 국가적 관제행사가 벌어졌고 구월에는 바덴바덴에서 서울이 올림픽 개최지로 확정되었다는 뉴스가 날아들어 온 나라를 떠들썩하게 만들었다. 왕십리역으로는 2호선이 연장 개통되고 그즈음 골목길의 나무 전봇대는 모두 시멘트 전봇대로 교체되기 시작했다. 그리고 왕십리 골목들은 서울의 다른 모든 곳처럼 아스팔트로 포장이 되었다. 그리고 그즈음 미설이는 나에게 딱 한 번 편지를 보냈다.

그 후로도 왕십리는 조금씩 변해갔다. 왕십리 철로변의 연탄공장은 사라지고 미군부대 자리의 잔디밭도 모두 뒤엎어졌다. 그리고 그 자리에 아파트 단지와 구청이 들어섰다. 초라했던 살곶이다리도 조금씩 보수가 되었으나 그 후로 한 번도 가보지 않아 예전에 다리 위쪽에 있었던 비석은 그대로 있는지는 모른다. 예전에 우리가 야구공으로 멀리서 맞히기 놀이를 했던 열녀비 말이다.

그리고 그와 더불어 우리들도 어른이 되어갔다. 민혁이는 강남으로 이사 가던 날 무척이나 아끼던 '선데이 서울 특별판'을 나에게 주었다. 철호는 상왕십리에서 계속 살다가 공고를 졸업한 후 바로 아버지의 마찌꼬방을 이어받았으나 서른도 안 되는 나이에 물놀이 갔다가 익사사고로 죽고 말았다. 그때까지 철호는 마찌고방에 예의 마징가제트 철가면을 걸어두었다. 아마도 녀석에게 그것은 그리운 시절에 대한 풋풋한 훈장이었으리라. 승훈이는 도축장이 폐쇄되면서 재개발된 마장동 우시장에서 푸줏간을 크게 해서 돈을 꽤 벌었지만 역시나 어느 해 술에 취해 무단횡단을 하다가 교통사고로 죽고 말았다. 민혁이 대학을 졸업하고 외국에서 공부를 더 할 때쯤이었다.

나 역시 왕십리 근방을 돌면서 십여 년을 더 살다가 사업을 시작하며 이사를 했다. 물론 어린 시절 그렇게도 부러워하던 서재를 품고 있는 아파트였다. 그러나 호사다마라고나 할까, 사업이 본 궤도에 오를 무렵 딸아이를 잃어버리는 일을 겪었다. 그리고 아이를 잃고 삶에 지쳐가던 어느 날 불현듯 민혁이에게서 귀국했다는 연락이 왔다.

5

왕십리역 광장에 내려서자 흘러간 유행가 반주가 흘러나왔다. 나는 이곳 지명이 들어간 트로트를 뒤로한 채 안주머니에 손을 넣어봤다. 편지가 느껴졌다. 언젠가 미설이가 보낸 편지였다. 애당초 편지를 받을 때는 몰랐다. 아련한 파스텔 톤의 편지지 속에 그토록 엄밀한 중력의 집중이 숨겨져 있을 거라곤 말이다. 난 그 편지 내용을 모두 외울 정도로 잘 알고 있었으며 언젠가부터 사무실의 검은 양복 주머니에 잘 넣어두었던 것이다. 그리고 가방도 말이다.

난 오래된 가방의 무게와 편지의 감촉을 느끼며 옛날 그 애의 손가락을 묻었던 공터를 찾아보았다. 지금은 민자역사와 더불어 대형 쇼핑몰이 들어서고 단단한 화강암 판으로 포장한 광장으로 변했지만, 나는 기차들이 지나가는 궤적들 가장자리로 자홍색 맨드라미와 핏빛의 샐비어가 부드럽게 피어 있던 그 공터의 위치를 알아챌 것도 같았다. 그리고 쓸쓸한 석양이 그 애의 으스러진 손마디를 핏빛으로 물들이던 그해 여름도 말이다. 그리고 생각했다. 어쩌면 왕십리역 민자역사의 조성 공사 중에 인부들은 그 조그맣고 하얀 손가락뼈를 찾아냈을까? 아니면 최대한 깊이 묻겠다는 의도대로 그 손마디는 아직도 왕십리의 역사 밑에서 고요히 썩어가고 있을까? 아마도 지금의 대형쇼핑몰 아래쪽에서 말이다.

불쑥 민혁이 연락을 해온 건 오 년 전쯤 일이었다. 아이의 돌은 꼭 들어와서 치러야 한다는 아버지의 원성으로 일시 귀국했다는 것이다. 그동안 민혁에 대해서는 외국에서의 공부도 마치고 이제는 현지에서 사업을 한다는 안부만 이따금 전해듣고 있었는데, 뒤늦게 얻은 아이라 부친께서 돌잔치만이라도 한국에서 해야 한다고 우기셨다는 것이다. 그러나 솔직히 그때는 별로 가고 싶지 않았다. 잃어버린 아이 때문에 정신적으로 많이 허물어져 있었고, 하여 어린애들이라도 볼라치면 가슴 한 켠에 아릿한 통증이 싸하게 스며들었기 때문이었다. 그러나 이번에 다시 나가면 현지에서의 사업 때문에 또 몇 년은 들어올 일이 없다고 하여 억지로 참석했던 셈인데, 역시나 방글방글 웃으며 놀고 있는 민혁의 아이를 보자 씻어낼 수 없는 종류의 어떤 슬픔이 솟구쳤다. 마치 창밖의 얼룩을 창 안쪽에서 하염없이 닦아내는 기분이었다. 아무리 닦아도 지워지지 않는 슬픔. 그건 마치 오래전 민혁이네 서재를 나서며 느꼈던, 저녁나절의 어떤 쓸쓸한 기분이기도 했다. 모든 것을 가진 민혁은 이제 귀여운 아이까지 얻은 셈이다. 그렇게 그는 영원히 나에게 부러운 존재였다. 하여 난 그에 대해 묘한 질투를 다시 느꼈다.

오래전부터 난 민혁을 따라잡기 위해 무던히도 애를 썼다. 아마도 민혁이네 서재를 처음 본 날부터였는지도 모른다. 내가 대기업에서의 안정된 삶에 만족하지 못하고 사업을 시작한 것도 어쩌면 민혁이처럼 많은 것을 가지고 싶었기 때문인지도 모른다. 무던히도 사업에 열중했지만, 결국은 아이를 잃어버렸다. 그리고 이제 민혁의 아이를 보니 앞으로는 영원히 그와 같은 자리에 설 수 없을 거라는 생각이 들었다.

돌잔치도 끝나고 짐이나 들어줄 겸 따라온 민혁이네 아파트 베란다에서 난 담배 하나를 꺼내물었다. 언젠가부터 다시 입에 대기 시작한 담배였다. 밤의 강물 저편으로 이어지는 성수대교가 보였다. 베란다 창을 열자 밤바람이 불어오고 난 다리 저편의 어린 시절을 생각했다. 베란다에서 멀리 한강 쪽 고수부지를 내려다보며 상념에 젖을 찰나 민혁이가 따라나왔다.

"아이를 뒤늦게 낳아서 그런지 힘들어 죽겠다. 요샌 괜히 속이 쓰려 술을 조금만 마셔도 구역질이 나고." "우리 나이를 봐라. 우리도 이제부턴 그런 거지 뭐." "요샌 너무 바빠서 병원 갈 시간도 없다니까. 한국에 들어온 김에 병원 예약까지 해놨다고. 이참에 종합검진이나 하고 나가려고." "하긴 다시 나가면 시간이 더 없을 테지. 그러니까 너무 바쁘게 살지 마. 몸도 생각해야지." "그건 그렇고 너 이게 뭔지 아니?" 민혁이 베란다 한쪽 구석에 세워진 박스를 들추면서 말했다. 민혁이 꺼낸 것은 조그만 인형 상자였다.

"이게 뭔데?" "내가 유학 가기 전까지 계속 이 집에서만 쭉 살았잖아. 뭐 지금은 아버지만 혼자 계시지만 말이야. 근데 이번에 다시 나가려고 오래된 짐들을 풀어 정리하는데, 어렸을 적 교회에서 탔던 인형이 포장도 안 뜯겨진 상태로 있더라고. 왜 있잖아, 무당집 애 다치고 그럴 때." "어? 너 그때 인형 탔었냐?" "그럼. 그때 내가 일등상 타려고 얼마나 열심히 다녔는데. 그런데 왜 그때 내가 무당집 애 밀쳐서 다치게 했잖아. 그게 미안해서 걔 주려고 로봇 대신에 인형 탔었는데, 결국은 못 주고 가지고 있었던 거지 뭐."

난 불현듯 그 당시의 일들이 생각났다. 그리고 그 애한테 사고가 난 날도. 하여 생각난 김에 오랫동안 궁금해하던 일을 물었다. "그때 걔가 다친 날, 너한테 무슨 말을 했길래 그렇게까지 네가 화를 냈었냐?" "아, 그날 일 아직도 기억하는구나. 그때 그 애한테 내가 무슨 생각을 하고 있냐며 맞혀보라고 다그쳤잖아. 그때 잠깐 동안 나를 빤히 쳐다보던 그 무당집 애가 그랬어. '네 엄마가 어디에 있는지 가끔 궁금하지? 왜냐하면 지금 엄마는 새엄마니까.' 딱 이렇게 말이야. 사실 그때 너네들한테는 얘기하지 않았지만 미국에 있을 때 아버지가 재혼하셨고 친어머니랑은 귀국하면서 소식이 영 끊겼거든. 그리고 그날도 새어머니랑 다투고 나온 건데, 그렇게 몰래 감추고 있던 비밀을 그 애가 알고 있다니 너무 당혹스럽기도 하고 화가 나기도 해서 순간적으로 밀쳐버린 거야."

나는 그 말을 듣고서야 내가 민혁이네에 놀러간 첫날 다 못 읽은 책을 빌려가고 싶다고 허락을 구할 때 냉랭하게 거절했던 민혁이네 어머니의 차가운 눈빛이 생각났다. 당연히 빌려줄 거라고 생각했는데 어찌나 싸늘하게 거절하는지 다음부터는 절대로 빌려달란 소리를 하지 못했다. 그래. 그런 이유가 있었던 것이다. 미국에서 귀국해 왕십리에서 가장 좋은 집에 살면서 남부러울 것이 없던 민혁이가 왜 우리들처럼 못사는 애들하고 어울렸는지, 그리고 공부도 잘하면서 왜 밖으로만 돌았는지 그동안 이해가 안 됐는데 그런 사연이 있었던 것이다.

"근데, 참 이상하지? 그때 그 애가 그걸 어떻게 알았을까? 설혹 소문이 나서 우리 어머니가 새어머니라는 것을 어디서 들었다고 치더라도 그 순간 내가 새어머니 생각을 했던 걸 어떻게 알았을까? 정말 소문대로 신기가 있었던 걸까?" 난 그 말을 듣고서야 오래전에 미설이가 보낸 편지가 떠올랐다. 그리고 난 그날 밤 민혁이네에서 돌아오자마자 옛날 책들을 넣어둔 박스를 뒤져 오래된 '선데이 서울 특별판' 사이에서 그 애의 편지를 찾아냈다. 그날 마지막에 민혁은 이렇게 말했다.

"그래서 지금도 난 가끔 그 애의 눈빛이 생각나. 만약 언젠가 그 애를 본다면 묻고 싶은 게 있어. 살면서 딱 한 번 만나고 싶은 사람이 있거든……"

민혁의 장례식장에 도착하니, 어린 꼬맹이가 머리에 삼베 리본을 하고 있었다. 오 년 전 돌잔치 때 보았던 그 아이였다. 작년 연말에 문병 왔을 때 병상에서 민혁이가 그렇게도 눈에 밟힌다던 딸아이. 민혁의 딸은 어느덧 십 년 전 내가 잃어버렸을 때의 딸애만큼 커버렸다.

그해 여름도 다 지나갈 무렵 시골로 가기로 한 미설이를 나는 마지막으로 만났다. 며칠째 지속되던 장마도 끝난 어느 일요일 아침이었다. 우리는 살곶이다리 근처에서 쪼그려 앉아 비 오는 날 멋모르고 나왔다가 다음 날 맑은 날씨에 말라죽어가는 지렁이를 바라보았다. 그 아침, 따뜻한 햇살은 플라타너스 이파리를 다정한 손길로 어루만지기도 했지만, 한편으로는 애꿎은 다른 생명을 아주 천천히 죽어가게 만들기도 했던 것이다.

막 깁스를 푼 미설이와 나는 별말 없이 간헐적으로 꿈틀거리며 생명에 대한 마지막 집착을 보여주는 지렁이를 들여다봤다. 미설이 손은 창백했고, 따뜻한 아침 햇살에 말라가는 지렁이 근처에는 파리 떼가 붕붕거리며 배회하였다. 마치 끓는 물에 라면을 집어넣고 다 익기를 기다리는 것 같았다. 그때 나는 어떤 이상한 소리를 들었다. 그것은 우주가 증발하는 소리였다. 우주가 증발하는 소리는 아주 낮은 저음이었다. 굳이 말로 표현하자면, '오오오오— 옴'이라는 소리를 숨을 멈추지 않고 길게 내뱉는 소리와 같았다.

나는 내가 듣는 소리를 미설이에게 말해주었다. 그것은 생명에 대한 슬픔도 아니었고, 더더욱 기쁨은 아니었다. 어쩔 수 없다는 종류의 무기력함도 아니었다. 뭐라고 딱 집어 그 순간 알아챈 느낌을 형용하기 어렵다. 그때 느낀 우주의 비밀은 슬픔과 기쁨, 체념과 집착, 아쉬움과 안도감, 그리고 승천과 타락이 뒤섞인 씁쓸한 맛이었던 것이다. 그리고 이사 간 미설이 역시 처음이자 마지막인 편지를 써서 나에게 뜻밖의 얘기를 해주었다.

민혁이네 돌잔치에서 돌아온 날, 난 미설이의 그 편지를 찾아 여러 번 신중하게 읽었다. 미설이는 편지에서 나중에 어른이 된 우리 중 한 사람과 만나는 꿈을 꿨다고 했다. 자기가 입원했던, 그러니까 이곳 대학병원에서 말이다. 그리고 자기에게 교회의 일등상과 똑같이 생긴 인형을 선물로 주더라는 것이다. 그리고 그게 민혁이라는 것도.

편지를 받을 당시 난 그걸 아무에게도 말하지 않았다. 특히 민혁에게는 말이다. 미설이의 사고로 정신없는 와중에 일등상은 물 건너갔으니 앞으로 그런 일은 없을 거라 생각했던 걸까. 아니면 미설이가 만난 게 내가 아닌 민혁이라고 해서 기분이 나빴던 걸까. 여하튼 편지의 마지막 부분은 더 스산했고 난 그게 몹시 서운해서 그 후로 자연스럽게 미설이와 연락을 끊었던 셈이었다. 그런데 미설이의 꿈처럼 민혁이가 그 일등상을 가지고 있었다니.

난 그때 인형 상자를 보는 순간 오랫동안 잊고 있었던 미설이 편지의 마지막 부분이 떠올라 전율에 사로잡혔다. 그리고 그날 밤 어떤 언령言靈에 묶이는 것처럼 견딜 수 없는 강박관념에 휩싸이고 말았다. 그걸 미신이라고 해도 좋다. 혹은 그걸 생사를 모르는 상태로 아이를 잃은 부모의 정신착란이라고 해도 좋다. 그저 나는 그 순간만큼은 미설이가 편지에서 예언한 운명을 굳게 믿었고, 또 그걸 바꾸고 싶었다.

하여 돌잔치가 끝난 다음 날 나는 민혁이에게 전화해서 그 인형을 얻고 싶다고 졸랐다. "인형? 그거 가져다 뭐 하게? 달라면 주겠지만, 오늘은 약속이 있어서 바쁜데 다음에 출국하기 전에 주면 안 되겠니? 나 요새 계속 속이 안 좋아서 오후엔 건강검진 받아보려고 예약해놨거든. 다음 주에 출국할 때까지 정말 정신없다고."

그렇다. 바로 그것이었다. 난 민혁의 그 말을 듣는 순간, 그와 나의 운명을 엇갈리게 만드는 어떤 궤적을 선명하게 보았다. 그리고 그 순간 어떤 종류의 기괴한 음성이 귓가로 울리는 것을 느꼈다. 그것은 마치 그날 미설이와 함께 구경한 지렁이가 내는 소리 같았다. 운명이 교차하는 소리, 운 없이 땅 위로 나왔다가 여름 햇살에 말라가며 내는 소리, 어설프게 무엇인가를 놓치는 소리, 놓치고 나서야 놓쳐선 안 된다는 것을 깨닫는 소리, 가장 소중한 것을 잃어버리는 소리, 생명의 온기가 육신을 뿌리치고 대기 중으로 떠나는 소리. 이를테면 하나의 우주가 증발하고 남은 영혼이 지리멸렬 붕괴하는 소리.

난 그렇게 두려운 소리를 들으며, 출국하기 전 송별회를 해야 한다고 우겨 결국 그날 오후 병원에 간다는 민혁을 애써 불러내었다. 그리고 자정까지 이어진 술자리 끝에 일등상 상자를 건네받았다.

그리고 오 년이 흘렀다. 그사이 사업에 몰두하던 민혁은 뒤늦게 암 판정을 받고 귀국을 했다. 그리고 난 지난 연말에야 돌이킬 수 없을 정도로 병세가 악화된 그를 찾아보았다. 그 후로 난 오래 이 날을 기다려왔다. 나에게 미쳤다고 해도 좋다. 난 언령을 믿으니까, 그리고 그 애를 만나야 했으니까. 그런 생각을 하며 난 두 번 반, 죽은 친구에게 정성을 다해 절을 올렸다.

문상을 마치고 난 밖으로 나와 비탈진 대학병원의 주차장에서 잠시 왕십리역 쪽을 내려다보았다. 지형이 뒤바뀐 왕십리의 풍경이 한눈에 들어왔다. 그러자 먼 옛날 대숲의 소리처럼 싸르락거리는 바람이 불어왔다. 그리고 저 멀리 생의 궤적들이 교차하는 왕십리역의 긴 철길이 보였다. 그 철로들은 완만한 곡선으로 멀리 남쪽까지 부드럽게 엇갈려 누워 있었다. 난 그렇게 핏빛 태양이 부드럽게 왕십리의 철길을 물들이는 것을 바라보며 천천히 미설이의 편지를 꺼내어 마지막 구절을 읽었다.

'미안해, 네가 너무 기분 나빠할 것 같아서 그동안 얘기하지 못했어. 전에 딱 한 번 꿈에 보였거든. 어른이 된 나는 민혁이와 오랜만에 만나 너에 대해서 얘길 했는데…… 그날은 네가 죽은 날이었어……' 나는, 나야말로 누군가에게 쉴 새 없이 미안하다고 속삭였다. 그러자 눈시울이 뜨거워지면서 귓가로 사물의 전율이 흘러들어왔다. '오오오오—옴'이라고 자글거리는 그 소리는 무저갱의 주파수였다.

'꿈에서 네 얘기를 하면서 언젠가 내가 입원한 적이 있는 병원 앞에 같이 서 있는데, 민혁이가 그러더라구. 자기가 예전부터 궁금했던 게 있는데 말해줄 수 있냐고. 그래서 난 이렇게 대답했어. 뭐든 물어보라고. 이렇게 어른이 되어 만났으니 뭐든 대답해줄 수 있겠다고…… 하지만 그렇게 뭔가를 간절히 물어보고 싶어하던 사람이 네가 아니어서 난 무척이나 슬펐단다. 너라면 정말 어떤 질문이든 대답해줄 수 있을 것 같았는데 말이야……'

난 오래된 편지를 다시 접어넣었다. 그리고 가방에서 일등상 상자를 꺼내보았다. 저물어가는 석양에 핏빛으로 젖어든 인형이 어딘가를 바라보고 있었다. 도대체 난 이렇게 대학병원의 장례식장에서 저 왕십리역의 기다란 철로를 내려다보며 뭘 기다리는 걸까. 정말로 나는 미설이의 언령을 믿고 있었던 걸까. 그리고 만약 그 애를 다시 보게 된다면 나는 무엇을 물어보게 될까. 도대체 난 무엇을 알고 싶었던 걸까? 그리고 이 인형을 주게 될까? 아무런 죄책감도 없이, 아무런 회한도 없이?

글쎄, 그럴지도 모르겠다. 어찌 생의 한가운데에서 일말의 회한이 없겠는가. 그렇지만 이곳은 이미 1980년의 왕십리가 아닌 것이다. 그때부터 이미 삼십 년도 더 흘러간 왕십리인 것이다. 연탄공장도, 마찌꼬방도, 미군부대도, 도축장도, 그리고 무엇보다도 미설이네 굿당도 없어졌다. 그러니 나 역시 내가 믿고 싶은 대로, 혹은 내가 가고 싶은 대로 갈 것이다. 그렇다. 지금은 21세기의 왕십리다. 그러니 여전히 살아남아야 한다. 난 대학병원으로 이어지는 긴 길을 내려다보았다. 그리고 기다렸다. 엇갈리는 삶의 궤적에 몸을 싣는다 해도 나를 힐난할 사람은 아무도 없을 터이다. 살아남아야 생을 바꿀 수 있고, 정말로 간절한 무언가를 찾아낼 수 있다.

3부

제36회 이상문학상
선정 경위와 심사평

2012년도 제36회 이상문학상
심사 및 선정 경위

2012년도 제36회 이상문학상의 예심 과정에서 본심 후보작으로 추천된 작품은 모두 열두 편으로 다음과 같다.(가나다 순)

김경욱, 〈스프레이〉

김숨, 〈국수〉

김영하, 〈옥수수와 나〉

백가흠, 〈통痛〉

손홍규, 〈화요일의 강〉

윤고은, 〈P〉

여성민, 〈꽃에 대한 두 개의 농담〉

조현, 〈그 순간 너와 나는〉

조해진, 〈유리〉

하성란, 〈오후, 가로지르다〉

최제훈, 〈미루의 초상화〉

함정임, 〈저녁식사가 끝난 뒤〉

이상문학상 본심은 2012년 1월 3일에 열렸다. 심사위원으로는 문학비평가 김윤식, 문학비평가 권영민, 소설가 서영은, 소설가 윤후명, 소설가 신경숙 선생이 참여하였다. 이상문학상 본심은 심사위원들이 본심에 오른 열두 편의 작품들에 대한 전반적인 평과 감상을 밝힌 후, 각각 대상 최종 후보작으로 논의할 세 편 정도의 작품들을 올렸다. 그 결과 최종 후보작은 김숨의 〈국수〉, 김경욱의 〈스프레이〉, 김영하의 〈옥수수와 나〉 등으로 좁혀졌다. 이 작품들은 각각 서로 다른 소설적 성과와 특징을 지닌 문제작이라고 할 만하였지만, 한편으로는 현재 우리 소설의 문제와 한계를 드러내고 있다고 할 수 있었다.

심사위원들은 논의 끝에 〈국수〉와 〈옥수수와 나〉를 최종 후보작으로 남기고 심사를 이어나갔다. 대상작으로 김영하의 〈옥수수와 나〉를 결정하기까지 두 시간이 넘는 논의가 있었으며, 이 과정에서 한국문학과 세계문학, 한국적 소설에 대한 고민과 방향을 두고 논의의 폭이 넓어졌다.

결국 김영하의 〈옥수수와 나〉를 대상 수상작으로 선정함에 있어, 작가 김영하의 그동안의 작품 창작활동, 그리고 무엇보다 〈옥수수와 나〉에 담긴 "인간관계의 파괴를 도시적 문명과 제도의 횡포로 읽어내는 작가의 시각", 여기에 아직 아무도 가지 않은 세계문학으로서 한국문학이라는 하나의 길을 보여준 소설적 여정이라는 점을 높이 평가하였다.

대상 수상작과 일곱 편의 우수상 수상작은 아래와 같다.(가나다 순)

대상 수상작
김영하 〈옥수수와 나〉

우수상 수상작
김경욱 〈스프레이〉, 김숨 〈국수〉, 조해진 〈유리〉, 조현 〈그 순간 너와 나는〉, 최제훈 〈미루의 초상화〉, 하성란 〈오후, 가로지르다〉, 함정임 〈저녁식사가 끝난 뒤〉

2012년도 제36회 이상문학상
심사평

오늘의 소설에 출구는 있는 것일까

— 김윤식 · 문학평론가, 서울대 명예교수

다국적 시대에 접어든 오늘의 이 나라 소설엔 어떤 출구가 있는 것일까. 작가치고 이 거창한 문제를 알게 모르게 또는 많건 적건 고민하지 않은 경우는 없다. 생존의 문제인 만큼 피해갈 방도가 없기 때문이다. 작가 김영하 씨는 이 점에 남달리 민첩했다. 그 첫 번째 시도가 《나는 나를 파괴할 권리가 있다》였다. 글쓰기에 늘 자신 없고 조마조마하며, 안절부절못하고 겁먹은 목소리를 내던 90년대 소설판에서 이처럼 당당한 목소리를 질러 출구 하나를 뚫었다. 이번 작품도 원리적으로는 이것의 연장선에 있으면서도 아래와 같은 형국을 빚어 또 다른 출구를 엿보고 있어 주목된다.

다국적 시대의 지리적 동시성이 제시되었다. 서울과 뉴욕의 동시성이 이를 잘 말해준다. 동시에 인물 또한 한국인과 미국인의 구별이 없다. 미국인 사장도 그의 아내도 주인공의 전처도 그냥 인간에 지나지 않는다. 그러니까 미국에서도 한국에서도 자유로울 수밖에 없다. 이러한 장면들은 별로 새롭거나 낯선 것이 아니다. 중요한 것은 따로 있는데, 바로 글쓰기이다. 글쓰기이되 소설 쓰기, 곧 소설이란 육체적인 것. 그러기에 작가란 해병대이고 육체노동자이자 정육점 주인이 아닐 수 없다. OPM으로 표상된 골드만삭스의 두뇌와는 정반대의 육체라야 하는 것. 골드만삭스의 두뇌와 정육점 주인의 대결이야말로 해볼 만한 것. 그것이 작가의 몫이라면 이 겨룸에서 설사 승패가 결정 불가능하다 할지라도 하나의 출구 모색이라 할 수 없을까.

이렇게 말한다면 사람들은 아마도 픽 하고 웃을지도 모른다. 대선배 《율리시스》(1922)의 모사품이 아닌가, 라고. 이에 대해 김영하 씨는 뭐라 답할까. 아마도 이렇게 말할지도 모를 법하다. 지난 세기의 소설의 출구를 연 조이스는 희랍 영웅 율리시스를 형편없는 좀팽이로 만들어 변태적이고 의식의 흐름 따위 오쟁이 진 사내로까지 끌어내렸거니와 그 속에 찬란한 보석의 원석이 들어 있었다면 어쩔 텐가, 라고.

대체 소설이란 무엇인가. 내가 바로 저자이고 일인칭시점 저자이고 이야기의 종결자이다. 닭들이 나를 옥수수라고 달려들 때 작가가 할 수 있는 것은 딱 한 가지. 나는 옥수수가 아니다, 라는 말뿐. 왜냐하면 글쓰기란, 그러니까 소설 쓰기란 달려드는 닭을 물리치는 유일한 방도니까. 요컨대 다국적 시대의 소설 쓰기라고 해서 달라진 것은 아무것도 없다는 것. 아니, 한 가지가 있다. 철저한 묘사 거부. 봉우리와 봉우리를 건너뛰기가 그것. 이것만 해도 출구에 대한 환각이라 할 수 없을까.

의식의 큐비클에서 벗어나기를

— 서영은 · 소설가

금년도 이상문학상 후보작들뿐만 아니라, 한국 소설에서 작가 혼이 담겨 있는 작품을 만나기가 점점 어려워진다. 글 쓰는 기술자들이 생계의 방편으로 글을 쓰고 있다는 느낌이다. 생계? 물론 중요하다. 그러나 평생 스스로 태어나야 하는 작가의 가열한 운명은, 생계 그 이상의 소명의 자리에 있다.

열두 편의 후보작 중에서 조현의 〈그 순간 너와 나는〉, 하성란의 〈오후, 가로지르다〉, 김숨의 〈국수〉, 김영하의 〈옥수수와 나〉 등 네 편을 주목해서 읽었다.

〈그 순간 너와 나는〉은 기묘한 울림을 지니고 있다. 1980년대쯤에 왕십리 지역에서 성장한 네 소년과 한 소녀의 성장 과정 속에 드리워져 있는 초자연적 그림자를 퍼즐처럼 짜맞추어가는 이야기 전개가 흥미롭고, 그 퍼즐이 생의 이면, 보이지 않는 세계의 신비를 흘깃 엿보게 한다. 하지만 군데군데 작품의 전체 흐름과 무관한 기억의 편린들 때문에 이야기 구성이 다소 산만한 점이 아쉽다.

〈오후, 가로지르다〉는 요즘 샐러리맨의 직업 환경에 대한 날카로운 문제의식에 비해, 그것을 담아내는 서사가 빈약하다. 큐비클이란 기하학적 공간 분할에 의해 변형되고 있는 삶의 행태를 주목한 점은 설득력이 있으나, 등장인물들 간의 단절과 피상적 소통이 빚어내는 갈등을 '뺨을 맞고' 그 이유를 끝까지 알지 못하는 것으로 끝을 맺은 것은, 지나치게 주제에 얽매인 결과로 보인다.

〈국수〉는 시간의 서사로만 보면 아주 단순한 구조이다. 아이를 낳지 못해 이혼당하고 재취로 들어온 집에서 설움 많은 한 생애를 보낸 끝에, 말기 암 선고를 받은 계모를 위해 의붓딸이, 손국수를 만들어 상을 차려준다. 하지만 이 작품의 내적 서사는 한 생애를 담고 있을 만큼 풍부하다. 주인공이 어머니의 부엌에서 어머니가 만들어준 방식대로 국수를 만드는 동안, 그 섬기는 행위를 몸소 느껴 깨닫는 의미의 파장이 확장되어갈수록 계모와 의붓딸이라는 껄끄러운 관계는, 화해와 '섬김을 되돌리는' 사랑의 레시피로 변모된다. 삶의 영원한 화두에 대한 아름다운 천착이 돋보인다.

〈옥수수와 나〉는 이 작가의 다른 작품 못지않게 전위적 의식이 빛을 발하고 있다. 그의 의식의 안테나가 시간과 공간의 경계를 넘어서 멀리, 높이 뻗을수록 그의 소설은 국적마저 파기할 듯 위태로운 모험을 하는 것 같다. 이 소설이

전체적으로 다소 지루하고 속절없어 보이는 대화의 나열로 구성된 것은 의도된 재치로 보인다. 주인공인 나의 자기 비유(자기를 옥수수로 여기는)대로 해석하자면, 나는 일상적 대화조차도, 상대가 자기를 먹이로 여겨 '옥수수 알을 쪼는 것처럼 느낀다'는 그의 강박성 무의식을 투영하고 있다. 따라서 원고 독촉에 시달리는 작품 속 작가의 '중구난방 요령부득의 서사'를 작품 밖 작가가 자기 변으로 위장하고 있는 것 또한 전복적 재치가 아닐지?

한국문학의 지평 열기

— 윤후명 · 소설가

누군가는 소설의 시대는 갔다고, 소설은 죽었다고 어둡게 말한다. 요즘의 소설들을 읽자면 상기되는 말이다. 그 말은 떠돈 지 오래되었는데도 루머처럼 모습을 바꿔 살아난다. 그 루머에 대응하려면, 그럼 살아 있는 건 과연 무엇이냐고 물을 수밖에 없다. 소설의 죽음이란 인류의 멸망이라고 받아들이는 한 인문학도의 물음이다. 여기에 약소국가로서의 한국에서 태어난 죄로 한국소설의 죽음은 한민족의 멸망에서 값을 구할 수밖에 없는 한 국수주의자가 있기도 하다. 그러나 소설을 심사한다는 일은 자기모멸의 잔해를 확인하는 일 같기만 한 것은 틀림없다. 날로 더해가는 패배주의와의 논쟁이기도 하다. 저항하면서, 누군가 지중해의 어느 구석에서 만난 최후의 반달어족 사람의 그림자를 보고 있다. 반달어는 그렇게 모습을 감추었음을 알았다. 그러면 한국어는?

요즘의 어느 상이든 후보로 올라온 작품들이 해당 작가들의 수준에 미달하고 있음은 주지의 사실이다. 그 많은 작가들은 다 어디로 갔을까. 치열하고 날카로운 정신은 어디로 갔을까. 역시 소설은 죽었다고, 첫머리로 되돌아갈 수밖에 없단 말인가. 그러다가 김숨, 하성란, 김영하에 이르렀다.

〈옥수수와 나〉는 쉽고 재미있는 작품이어서 이렇게 해도 되는가 싶을 지경이었다. 아니, 그게 아니라 어렵고 재미있는 듯 보이는 작품이어서 이렇게 해도 되는가 싶을 지경이었다. 그러나 김영하는 김영하였다. 그는 늘 곡예사처럼 아슬아슬 대담한 공중제비를 하곤 했다. 이번에는 뉴욕식인가 했지만, 그곳은 내가 모르는 곳. 그에게 마음껏 한국문학의 지평을 열어보라고 주문하는 수밖에 없었다.

프레임 속에서 구체화된 환상적 모티프

— 권영민 · 문학평론가, 서울대 교수

2012년도 제36회 이상문학상 본심에 오른 열두 편의 소설 가운데 내가 주목했던 작품은 김경욱 씨의 〈스프레이〉, 김숨 씨의 〈국수〉, 함정임 씨의 〈저녁 식사가 끝난 뒤〉 그리고 김영하 씨의 〈옥수수와 나〉 등이었다. 이 가운데 최종 후보작으로 〈국수〉, 〈스프레이〉, 〈옥수수와 나〉 등이 올랐다. 이 작품들은 각각 서로 다른 소설적 특징을 지닌 문제작이라고 할 만하다.

〈스프레이〉는 도시인의 일상을 소재로 삼고 있다. 이 작품은 일상을 구성하고 있는 모든 요소들이 아무런 필연적 조건이 없이 우연하게 연결될 수 있음을 보여준다. 이 우연성의 고리를 놓치지 않고 있는 작가의 소설적 감각이 뛰어나지만, 자기 주제에 무게를 더하지 못하고 너무 가볍게 이야기를 끌어가고 있다는 인상을 떨칠 수가 없다.

　대상 후보작으로 마지막 단계까지 남았던 단편소설 〈국수〉는 밀가루 반죽에서부터 한 그릇의 칼국수를 만들어내기까지의 과정을 서사의 표층에 배치하고 있다. 이 소설이 그려내고자 하는 것은 이 과정 속에 얽혀들어 있는 한 여인의 삶의 장면들이다. 서사의 전개 과정에 극적 긴장을 부여할 만한 모티프가 결여되어 있다는 약점에도 불구하고, 인간에 대한 사랑과 그 진정성의 의미를 칼국수 한 그릇 속에 담아내고자 하는 작가의 시도가 이야기 자체에 무게를 더하고 있다.

　심사위원들이 오랜 토론 끝에 이상문학상 대상 수상작으로 선정한 단편소설 〈옥수수와 나〉는 일종의 '프레임 스토리'에 해당한다. 우화적 요소가 덧붙여진 환상적인 모티프를 소설 속 이야기의 앞뒤에 배치해놓고 있는 이 작품에서 '나'라는 화자는 자신이 옥수수가 아닌데도 닭들이 자기를 옥수수라고 쫓아오는 망상에 시달린다. 이 환상적 모티프는 프레임 속에 들어 있는 한 소설가의 삶을 통해 그대로 구체화된다. 소설 속의 이야기는 인간의 사랑이 그 진정성을 상실한 채 육체적 욕망을 채우기 위한 섹스의 소비와 교환으로 바뀌어 있음을 보여주고 있으며, 소설이라는 글쓰기 자체도 그 정신적 가치를 잃고 물질적 요구에 따라 제작되고 있음을 말해준다. 여기서 삶의 가치 상실과 인간관계의 파괴를 도시적 문명과 물질 제도의 횡포로 읽어내는 작가의 시각 자체는 여전히 중요한 의미를 지닌다. 특히 옥수수와 닭에서 드러나는 생태학적 대립관계를 환상적으로 처리하면서 이야기의 형상성을 더욱 잘 살려내고 있는 이 소설의 서사적 완결성도 주목된다. 김영하 씨에게 축하를 보낸다.

문장 사이사이에 만발해 있는
김영하식 입담과 관념

— 신경숙 · 소설가

김경욱의 〈스프레이〉, 하성란의 〈오후, 가로지르다〉, 김숨의 〈국수〉, 김영하의 〈옥수수와 나〉가 집중적으로 얘기되었다.

〈스프레이〉는 어느 날 109호로 배달된 택배를 709호에 사는 내가 잘못 들고 오면서부터 전혀 짐작하지 못했던 자신의 욕망과 대면하는 작품이다. 하성란의 작품 속에 등장하는 '큐비클' 안에서 살고 있는 사람들처럼, 타인에게로 배달된 택배를 훔치러 다니는 〈스프레이〉 속의 남자의 내면에 도사린 고독은 다른 세계와 소통을 원하지만 겹겹으로 닫힌 문을 뚫고 나가지 못하고 고립 속으로 더 깊이 침몰하고 마는 현대인의 자화상이 드러난다. 〈오후, 가로지르다〉가 '큐비클'이란 소재를 인상적으로 드러냈음에도 그 안의 인간 군상들이 평이하게 그려졌다면, 〈스프레이〉는 김경욱의 〈위험한 독서〉를 비롯한 이전 작품들과 견주어 그만이 지닌 장점들이 이 작품에서 줄어든 아쉬움이 남았다.

김숨의 〈국수〉와 김영하의 〈옥수수와 나〉는 서로 다른 레일에 놓인 작품들이다. 〈국수〉가 치밀함과 밀도를 강화시켜 혹시 한 문장이라도 놓칠세라 읽는 눈을 모으게 한다면, 〈옥수수와 나〉는 마지막까지 시종일관 키득거리게 할 만큼 김영하식의 입담과 관념이 속도감 있는 문장 사이사이에 만발해 있다. 〈국수〉에겐 속도감이, 〈옥수수와 나〉에겐 치밀함이 결합되기를 바라보지만, 작가가 이미 완성한 작품을 두고 이런 얘기는 부질없는 것 같고, 그것들의 결여까지도 작품을 위한 구성의 묘였기를 바란다. 한국문학의 새로움을 말할 때 맨 앞에 이름을 올리는 〈옥수수와 나〉의 작가가 아직 이상문학상을 받지 않았다는 게 신선할 만큼 그에게 이번 수상은 이미 늦은 감이 있다.

수상을 축하드린다.

'이상문학상'의 취지와 선정 방법
알기 쉽게 풀이한 이상문학상 제도

　1. **취지와 목적** : 《문학사상》(이하 주관사라고 한다)이 제정한 '이상문학상(李箱文學賞)'(이하 '본상'이라고 한다)은 요절한 천재 작가 이상(李箱)이 남긴 문학적 업적을 기리며, 매년 가장 탁월한 소설 작품을 발표한 작가들을 표창하고, 《이상문학상 작품집》(이하 '작품집'이라고 한다)을 발행하여 널리 보급함으로써, 순수문학의 독자층을 확장케 하여 한국문학의 발전에 기여할 것을 목적으로 한다.

　《이상문학상 작품집》에 대한 독자의 관심이 고조됨에 따라 순문학 독자층이 광범위하게 형성됨으로써, 일찍이 한국은 물론 다른 나라에서도 유례를 찾아보기 어려운 순문학 중·단편집의 초장기 베스트셀러시대가 실현되었다는 것이 문단의 정평이다.

　2. **수상 대상 작품** : 전년도 심사 대상(對象) 작품의 마감 이후인 당해년도 1월부터 12월 말 사이에 발표된 작품은 모두 심사 대상에 포함된다. 문예지(월간지의 경우 당해년도 1월 초부터 12월 말일 이전에 발행된 '2월호'에서 다음 해의 '1월호'까지 포함된다)를 중심으로 해서, 각종 정기간행물 등에 발표된 작품성이 뛰어난 중·단편소설을 망라하여, 1년 내내 독특한 방법으로 예비심사를 거쳐 본심에 회부한다. 예비심사 과정에서는 물망에 오른 작품의 작가에 대하여, 대상 또는 우수작상으로 선정될 경우, 본상의 규정에 따른 수락 의사 유무를 직접 또는 간접적으로 타진한다. 중·단편소설을 시상 대상으로 하는 까닭은 문학의 중심이 장편소설에서 점차 중·단편소설로 이행하는 추세를 감안하고, 작품 구성과 표현에 있어서의 치밀성과 농축성으로, 짙고 강렬한 소설 미학의 향기와 감동을 자아내게 한다고 믿기 때문이다.

　3. **상의 종류** : 본상은 대상(大賞) 1명과, 10명 이내의 대상에 버금하는 작품에 대한 우수상을 선정하되 경우에 따라 복수의 대상 수상자를 선정할 수 있다. 그리고 기

수상작가를 포함하여 중견 및 원로작가의 문학적 공로도 감안해 당해년도의 뛰어난 작품에 수여하는 '이상문학상 특별상' 1명을 선정한다.

4. 포상의 방법 : 본상의 포상은 제3항에 명시된 각 상의 매절고료가 포함된 현상금을 일시불로 수여하는 방법과, 판매 실적을 감안하여 추가적인 상여금을 지급하는 두 가지 방법 중 수상자로 하여금 수상 수락 전에 서면으로 그중 한 방법을 자유롭게 선택게 한다.

5. '본상' 의 현상고료 : 위 제3항의 '본상' 의 대상(大賞) 중 일시불 방식은 발행부수와 관련없이 3,500만 원을 지급하고, 우수상은 각각 300만 원을 지급한다.

위 항의 일시불 방식이 아닌, 발행 2년이 경과한 이후부터의 판매부수에 따른 추가적인 상여금을 원하는 수상자에게는, 2003년부터 1차로 시상 당시 대상(大賞) 수상자는 2,000만 원, 우수상 수상자는 200만 원을 지급하고, 작품집 발행 후 2년이 경과한 이후부터, 매년 말에 당해년도의 '작품집' 발행부수에 따라, 1부당 정가의 10%를 각 수상자별로 균분하여 10년간 지급토록 한다.

6. 특별상(현상고료) : 특별상은, 기수상작가를 포함하여 한국문학 발전에 공로가 현저한 문단의 원로작가 또는 '본상' 의 우수상을 3회 이상 수상한 작가로서, 당해년도에 우수 작품을 발표한 작가에게 '본상' 의 대상(大賞) 작품과는 별도로 수여하며, 현상매절고료는 500만 원으로 정한다.

7. 예심 방법 : 예심은 월간 《문학사상》 편집진이 매 연도의 1년 동안 각 매체에 발표된 작품을 수집하여, 주관사의 편집위원과 편집주간 및 편집진으로 구성된 이상문학상 운영위원회에서 대학교수 · 문학평론가 · 작가 · 각 문예지 편집장 · 일간지 문학담당 기자 등 약 100명에게 수시로 광범위하게 추천을 의뢰하여 비밀리에 예비심사를 진행한다. 3회 이상 우수상을 받은 작가는 당해년도에 발표된 작품 중 뛰어난 1편을 선정하여 본심에 회부할 수 있다.

그 모든 자료를 일괄하여 주관사 편집주간이 중심이 되어 편집위원들과 예심위원들의 의견을 수렴하여, 연간 2분기로 나누어 본심에 회부할 작품을 선별한다.

이와 같은 독특한 예심 방법은 소수의 예심 및 본심의 심사위원이, 짧은 시일 내에 수많은 작품 속에서 본심에 회부할 작품을 선정하고 본심 심사위원이 단시간에 여러 작품을 심사하고 수상 작품을 선정하는 일반적인 문학상 심사제도의 단점을 보완하고, 되도록 문학 발전에 관심이 깊고, 전문 지식을 지닌 다수의 전문가에 의해 장기간에 걸쳐 많은 작품을 수시로 검토하여 심사 대상에 망라함으로써, 신중하고 세심한 예심 과정을 밝기 위한 것이다.

8. **본심 방법** : 예심을 거쳐 본심에 회부된 작품은, 권위 있는 평론가와 작가로 구성된 5인 이상 7인 이내의 심사위원회에 넘겨져, 수일간 개별적인 검토를 거친 후 본심 회의에서 최종 결정을 한다. 본심 회의는 대체토론을 통해 본심에 회부된 작품 가운데 10편 내외의 작품을 먼저 선정한다. 이 작품 속에서 1편(예외적인 경우 2편)의 대상(大賞) 작품을 선정하고, 나머지 작품 중에서 우수상 작품을 선정한다. 수상 작품 결정에 있어 심사위원의 의견이 일치하지 않을 경우에는, 무기명 비밀 투표로써 다수결 원칙에 의하여 최종 결정을 한다.

그러므로 이상문학상의 대상과 우수상은 모두 거의 동일 수준의 작품이라고 볼 수 있으며, 전문 문학인이나 독자의 주관적인 판단에 따라 그 평가는 달라질 수 있을 뿐이다. 그 때문에 한 번 우수상을 받은 작가는 대부분 자주 우수상을 받게 되며, 3~4회 내지 5~6회 만에 대상을 받게 되는 경우가 대부분이다.

9. **저작권** : 대상(大賞) 수상 작품(이하 '대상 작품'이라고 한다)의 저작권은 본상의 수상 규정에 따라 주관사가 보유한다. 단, 2차 저작권(번역 출판권, 영화화 · 연극화 등의 저작권)은 저자에게 있고,《이상문학상 작품집》발행 후 3년이 경과하면 동 대상 작품을 저자의 작품집 또는 저자의 전집에 한해서 수록할 수 있다. 다만, 어떤 경우에도《이상문학상 작품집》의 표제(대상 작품명)와 중복되거나, 혼동의 우려가 없도록 하기 위하여 대상 작품명을 대상 수상작가 작품집의 서명(書名, 표제작)으로는 쓰지 않기로 한다.

10. **이상문학상 작품집 발행** : 〈이상문학상 운영 규정〉에 따라 대상(大賞) 작품과 주관사가 본상의 규정에 따라 저작자의 승낙을 받은 저작권법상의 편집저작권을 보유한 우수상 작품 및 특별상 작품을 모아, 염가 대량 보급을 목적으로《이상문학상 작품집》을 발행한다.

이 작품집은 이상문학상의 공정성과 권위를 독자에게 다시 묻고, 수록된 작품과 그 작가들에 대한 표창과 홍보의 뜻도 담고 있다. 한편 이 작품집은 해마다 문단의 작품 경향과 흐름을 알 수 있는 앤솔러지적인 성격을 띠고 있다. 또한 이 작품집은 아무리 세월이 흘러가도 한 사람이라도 독자가 있는 한 이윤을 초월해서 제한 없이 영구히 보급함으로써, 이상문학상과 그 수상작가에 대한 영원성과 영예를 오래도록 선양하고 세계에 그 유례를 찾아볼 수 없는 문학상 작품의 영원성을 유지케 한다.

그런 뜻에서《이상문학상 작품집》은, 그 영예로운 작가와 작품을 일과성(一過性)이 아닌 영구적으로 널리 독자에게 보급하여 읽히게 하고, 그 작가에 대해 더욱 탁월한 작품을 창조하기 위한 끊임없는 격려와 기대의 뜻을 담고 지속적인 홍보와 보급에 힘쓰고 있다. 때문에 30여 년 전의 작품도, 계속해서 한결같이 널리 알리고 홍보를 계속하여, 독자의 관심권에서 벗어나지 않도록 하는 매우 독특한 작품집으로 정착되었다. 그러한 노력은 작품의 우수성과 더불어, 이 작품집이 매년 수많은 독자들에게 애독서로 선택되어, 20여 년 전의 《이상문학상 작품집》도 계속 새로운 독자가 끊이지 않고 있다. 그처럼 여러 작가의 작품을 보아 매년 한 권의 책으로 묶은 중·단편 창작 소설집이 장기간에 걸쳐 다량으로 발간되고 있는 것은 세계적으로도 매우 희귀한 예로 알려지고 있으며, 그것은 우리의 문학과 독자의 성장도와 함께 성숙도를 가늠케 하는 한국문학의 상징적 발전의 척도이기도 하다. 그 같은 예는 세계 제일의 출판대국이며, 인구만도 우리의 9배 내지 3배에 가까운 미국이나 일본에서도 찾아보기 어려운 순수문학 중·단편집의 대량 보급 현상과 아울러 순수문학 애호 인구의 엄청난 증가 현상을 말해 주고 있다.

11. 이상문학상 운영위원회 : 주관사의 발행인을 위원장으로 하고 월간 《문학사상》의 편집인과 편집주간 및 문학사상 이사회가 선임한 3인의 위원으로 구성되며, 본상의 제도와 운영에 관한 모든 업무를 관장한다.

12. 이상문학상 심사위원회 : 이상문학상 운영위원회는 매 연도마다 5~7인의 이상문학상 심사위원을 위촉하여 이상문학상 심사위원회를 구성한다.

동 심사위원회는 주관사의 편집주간의 주재로, 이상문학상의 대상(大賞)과 우수상 그리고 특별상을 수여할 작품을 심의 결정한다. 수상자를 결정함에 있어 의견의 일치를 보지 못할 경우는 무기명 비밀 투표로써 결정한다.

13. 규정의 수정 : 본 규정은 이상문학상 운영위원회에서 3분의 2 이상의 찬성으로 수정할 수 있다.

2002. 12. 20. 개정
문학사상
이상문학상 운영위원회

제36회 이상문학상 작품집

1판 1쇄 | 2012년 1월 16일
1판 16쇄 | 2012년 2월 13일

지은이 | 김영하 외
펴낸이 | 임홍빈
펴낸곳 | (주)문학사상
주소 | 서울특별시 송파구 오금동 91번지(138-858)
등록 | 1973년 3월 21일 제1-137호
편집부 | 02-3401-8543~4
영업부 | 02-3401-8540~2
팩시밀리 | 02-3401-8741
한글도메인주소 | 문학사상
홈페이지 | www.munsa.co.kr
이메일 | munsa@munsa.co.kr
지로계좌 | 3006111

* 잘못 만들어진 책은 구입하신 서점에서 바꾸어 드립니다.
* 값은 표지 뒷면에 표시되어 있습니다.

ISBN 978-89-7012-871-9 03810